TONNAU TRYWERYN

I Lois

Gyda phob dymuniad da

[illegible]

TONNAU TRYWERYN

MARTIN DAVIS

y Lolfa

I Siân Saunders

Argraffiad cyntaf: 2008

Dymuna'r cyhoeddwyr gydnabod cymorth ariannol
Cyngor Llyfrau Cymru

Darlun y clawr: *Lleuad Sgwâr* gan John Rowlands

Rhif Llyfr Rhyngwladol: 978 184771 076 5

Cyhoeddwyd ac argraffwyd yng Nghymru
gan Y Lolfa Cyf., Talybont, Ceredigion SY24 5HE
gwefan www.ylolfa.com
e-bost ylolfa@ylolfa.com
ffôn 01970 832 304
ffacs 832 782

PROLOG

2005

ALLAHU AKBAR! Da yw Allah. Mawl i Allah.

Edrychai'r dyn ifanc o ben yr argae dros y dŵr oer a gysgai yn y llyn. Mor wahanol i ru'r dŵr llwydwyllt yn yr afon ddoe wrth i'r tri *shahid* ymladd i lywio'r cychod anghyfarwydd trwy ddwndwr y ffrydiau a gafael fympwyol y cerrynt cryf.

Bellach roedd y cwrs rafftio a'u cyfarfod drosodd. Roedd ei ddau gydymaith wedi'i throi hi tuag adre ben bore, ond roedd yntau wedi oedi yn yr ardal am ryw hyd i sbecian o gwmpas cyn dychwelyd i'r ddinas.

Teithiodd heb edrych ar fap ar hyd sawl lôn gul am ryw awr a hanner gan yrru drwy gawodydd trwm o law a chenllysg. Roedd y dirwedd ddiffaith yn ei anesmwytho braidd, ond fe'i siomwyd ar yr ochr orau wrth i ehangder y gronfa ddod i'r golwg. Daeth rhyw heulwen wantan o rywle ac am ychydig câi flas ar ei daith.

Wrth ben dwyreiniol y llyn stopiodd er mwyn cael ystwytho'i goesau cyn dechrau ar y siwrnai hir yn ôl dros y ffin.

Roedd hi'n bygwth glaw eto. Gorweddai cap tenau o niwl dros grib Mynydd Nodol ar y chwith. Roedd dyfroedd y llyn ei hun yn hollol lonydd.

Ar ôl syllu'n hir, dechreuodd deimlo'n fwyfwy anghysurus ac yn y diwedd trodd ei gefn yn sydyn ar yr olygfa gan frasgamu'n ôl at y car.

Ni allai ddychmygu mwy o wrthgyferbyniad rhwng y lle hwn a'r paradwys y byddai yntau'n symud iddo ymhen ychydig fisoedd.

Roedd llun y paradwys hwnnw'n fyw iawn yn ei feddwl ddydd a nos erbyn hyn. Gardd furiog yn llawn ffrwythau a blodau persawrus lle'r yfai win – gwin na fyddai'n rhoi na chur pen iddo nac yn cipio'i reswm – a hynny yng nghwmni deg a thrigain o wyryfon llygatddu mor ddiwair dlws â pherlau cudd yng nghregyn yr afon. Ac unig swyddogaeth y morynion hyn fyddai rhoi pleser iddo mewn ffordd y tu hwnt i bob cyfathrach ddaearol y gallai ei dychmygu yn ei freuddwydion mwyaf anystywallt.

Roedd disgrifiad yr Eifftiwr Al-Suyuti hanner mileniwm yn ôl o'r hyn a ddisgwyliai bob *shahid*, neu ferthyr, sy'n marw mewn *jihad* wedi'i serio ar ei feddwl ac yn gysur cyson wrth iddo ymbaratoi at y weithred.

"Nad ystyrier y rhai a leddir yn null Allah i fod yn farw. Nac ydynt, maent yn fyw ac yn canfod eu cynhaliaeth ym mhresenoldeb eu Harglwydd."

Na, nid y fo a'r tystion eraill fyddai'n marw ond gelynion Islam yn eu cannoedd a'u miloedd yn yr un modd ag y lleddid cymaint o frodyr a chwiorydd y Ffydd o dan daflegrau a bomiau gelyn nad yw'n rhoi gwerth ar ddim byd ond ei les materol ei hun. Byddent yn boddi mewn môr o waed.

Dechreuodd y niwl gripian yn is i lawr llethrau Mynydd Nodol. Am ennyd crychodd y dyfroedd a guddiai Gwm Tryweryn a'i gymuned goll fel pe baent yn synhwyro bwriadau ysgeler y dieithryn a safai wrth yr argae, cyn ymdawelu drachefn.

Da yw Allah. Mawl i Allah.

— 1 —

Mai 1962

NI WYDDAI FOD y ffasiwn flinder yn bodoli. Wedi ymlâdd, yn hesb o bob diferyn o egni. Teimlai'r llawr yn ymdonni o dan ei thraed wrth iddi geisio sadio'r penysgafnder.

Ciciodd ei sgidiau oddi ar ei thraed ac eistedd ar erchwyn y gwely cul. Roedd eisiau bwyd arni a theimlai'n wan o'r herwydd.

Gorweddodd yn ôl a chau'i llygaid.

Ymhell bell i ffwrdd, fel tonnau ar ryw draeth yn ei hisymwybod, clywai ru'r traffig a mwstwr y ddinas drwy'r ffenest gilagored... clywai sŵn jac-y-dos yn sgathru ac yn cecian yn y landeri... sŵn drws yn clepian fel taran annisgwyl... traed cawr yn brasgamu ar draws y nenfwd...

Dylai godi, ymolchi a thynnu amdani, ond ni fedrai symud blaen ei bys bach i achub ei bywyd. Roedd fel pe bai dan anesthetig...

Daeth cwsg yn llanw dudew, yn garthen glyd ac am sbel bu'n anymwybodol nes iddi glywed y tap-tapian.

Yn ei breuddwyd, roedd jac-y-do anferthol ar sil y ffenest yn curo'n ddiamynedd ar y gwydr â'i bigyn milain. Agorodd Mefina ei llygaid a throi'i phen gan ddisgwyl gweld y cnociwr pluog wrth ei waith, ond na, doedd dim i'w weld drwy'r ffenest ond cymylau ac ambell batshyn gobeithiol o awyr las.

Tap! Tap-tap-tap!

O ble gebyst y deuai'r sŵn? Teresa, ei chymydog, hwyrach, yn cnocio wrth y drws. Cododd ar ei phenelin a chlustfeinio drachefn.

Tawelwch.

"Helô?" gofynnodd yn betrus gan godi ar ei heistedd.

"Mefina. Agor y drws 'ma'n enw'r teulu sanctaidd!"

Llais dyn! Llais Des! Ond o ble? Ddim wrth y drws roedd o...

"Mefina! Agor y blydi drws, 'nei di? Dwi jest â mogi 'ma."

Cliriodd y niwloedd. O'r wardrob fawr y daethai'r tapio dirgel. Yn yr ystafell fechan ddi-raen hon, ymarferol oedd y dodrefn. Hen wely haearn, sinc bach cyfyng, cist o ddroriau simsan, mat rhacs ar y llawr, y gadair wiail fwyaf anghyfforddus yn y byd a'r horwth cwpwrdd dillad yn gwgu dros y gell.

A chell oedd hi hefyd, gyda rhybudd ar gefn y drws nad oedd yr un preswylydd i osod unrhyw luniau ar y wal i leddfu ar eu dedfryd drwy gael eu hatgoffa o bleserau bywyd y byd mawr tu allan.

Cododd Mefina o'r gwely a baglu dros y mat wrth gythru yn nolen drws y cwpwrdd er mwyn rhyddhau'i hymwelydd annisgwyl o'i gaethiwed. Wrth agor y drws, dyma lanc tal, cydnerth, gwallt coch, golygus mewn oferôls glas tywyll yn tasgu o'r celficyn gan lusgo prennau dillad ac ambell ffrog yn ei sgil.

"Diolch byth!" ebychodd y cochyn gan wenu'n fingam. "Hanner awr arall a byswn i wedi marw."

Syllodd Mefina arno mewn anghrediniaeth, ei blinder yn ffrwyno unrhyw ymateb.

"Wel, wyt ti'n falch o 'ngweld i?" holodd dyn yr oferôls.

Yn sydyn, gwelodd Mefina ei ffrog orau'n bentwr ar y llawr, yr un waetgoch a'r bais fach ddel â'r ymyl les wedi'i gwnïo y tu mewn iddi. Rhuthrodd i'w chodi.

"O, gad i mi dy helpu..."

"Gad hi!" hisiodd Mefina. "A phaid â siarad mor uchel. Neu byddwn ni'n dau allan ar ein tina."

Gosododd y ffrog yn ei hôl yn y cwpwrdd. Aeth ati i hel

rhagor o'r llanast a oedd wedi'i daenu ar hyd y llawr a hongian y dillad o'r newydd yn eu priod le. Yna caeodd ddrws y cwpwrdd gan droi i wynebu'r llanc digywilydd a oedd wedi tarfu mor ddi-hid ar ei chwsg a hynny ym mhreifatrwydd ei stafell yn y cartref nyrsys.

"Be?... Sut?..." Doedd hi ddim yn gwybod pa gwestiwn i'w ofyn gyntaf.

"Paid â deud dim byd," meddai'r llanc gan gamu tuag ati a'i chofleidio yn null rhyw seren o'r sgrin fawr.

Eto roedd blinder affwysol Mefina'n ei hatal rhag ffrwydro fel y dylai, fel y dymunai. Yn lle hynny, caeodd ei llygaid gan ymateb i'w gusan, cyn ymlacio yn y breichiau cryf. Cilagorodd ei llygaid a gweld yr haenen o lwch glo ar yr oferôls. Fe'i gwthiodd ymaith â'i holl nerth.

"Be sy?" gofynnodd y llanc yn ddiniwed i gyd.

"Drycha'r llanast rwyt ti 'di neud ar 'y nillad i. O, blydi hel, Des! 'Sgen i ddim mynadd am hyn rŵan. Dos o 'ma, plîs. Dwi'n sâl eisio cysgu. Os cei di dy ddal, bydd 'na le ofnadwy 'ma. Lle ma dy ben di, wir Dduw?"

O'r diwedd roedd Des yn dechrau sylweddoli nad oedd y croeso mor frwd ag y disgwyliai.

"O'n i gorfod edrych ar y peips yn y baddondy ac mi welais i dy stafell wrth fynd heibio a meddwl gallwn i roi syrpreis bach i ti..."

"Sut ddiawl dest ti i mewn?"

"Doeddet ti heb gloi'r drws."

"Byth!"

Rhaid ei bod wedi ffwndro tipyn wrth ddod i mewn gynnau ac wedi gadael y drws heb ei gloi. Doedd dim rhyfedd ei bod hi'n drysu ac yn mynd yn anghofus a hithau'n teimlo'n flinedig fel hyn.

"Ta waeth, mi ddaeth rhywun at y drws ar ôl i mi ddod i mewn," aeth Des yn ei flaen. "Mi wnes i guddio yn y wardrob ac wedyn o'n i'n methu agor y drws. Dwi 'di bod 'na ers oriau. Mi es i gysgu yn y diwedd a chlywais i mohonot ti'n dod i mewn. Ew! Lwcus i ti ddod, Mefs, does dim llawer o aer yn dod i mewn i hwn, wsti," meddai gan ddyrnu ystlys y celficyn yn galed.

"Hist!"

Daeth golwg ddryslyd i'w wyneb ac wrth i Mefina edrych arno, er gwaethaf ei blinder, dicter a gofid, meddalodd ei chalon a daeth ton o dosturi drosti. Closiodd ato a dal ei ddwylo'n addfwyn gan siarad ag o'n dringar.

"Rhaid i ti fynd, Des. Mi wela i di eto nos Wener."

"Ti'n addo?"

"Cer rŵan. Mi wela i di nos Wener."

"Ar dy lw?"

"Paid â 'mwydro i, plîs."

Roedd Mefina wedi cilagor y drws.

"Wyt ti o ddifri amdana i, Mefina?"

"Hist!" gorchmynnodd y nyrs ifanc. "Dwi'n meddwl 'mod i'n clywed llais Sister Booth."

Safodd y ddau mewn distawrwydd am ennyd.

"Na! Popeth yn iawn. Cer! Cer!"

Agorodd hi'r drws led y pen a'i hysio i'r coridor. Ceisiodd Des ei chusanu wrth fynd heibio ond sleifiodd Mefina o'i afael.

Caeodd y drws ar ei ôl heb yngan yr un gair o ffarwél, a phwyso yn ei erbyn dan ochneidio'n ddwfn. Doedd dim sŵn traed i'w glywed yn cilio'r ochr draw. Diawl! Oedd o'n dal i sefyll yno? Mentrodd agor y drws unwaith eto, ond, na, doedd dim sôn am Des. Roedd y Gwyddel yn gallu symud yn dawel iawn er ei fod yn hogyn mor fawr. Trodd yr agoriad yn bendant iawn yn y clo.

Edrychodd ar ei wats dan riddfan. Rhaid iddi geisio cael mwy o gwsg. Tynnodd amdani'n sydyn a gwisgo'i choban. Caeodd y ffenest, tynnodd y llenni tenau, ac i mewn i'r gwely â hi. Am ennyd syllodd ar y nenfwd â'i map haniaethol o staeniau a smotiau afiach yn y llwyd olau.

Des O'Farrell, be wna i hefo ti, meddyliodd wrth geisio nofio i ganol yr eigion cwsg a oedd yn aros amdani fan draw yn rhywle.

Ond roedd y llanw fel pe bai ar drai erbyn hyn. Er bod pob gewyn o'i chorff yn dyheu am ymollwng i'w blygion, daliai ei meddwl i rasio'n ddi-baid.

Des O'Farrell, Dr Andrew Scott, Emlyn Roberts, y shifft nesa, trallod y cleifion, Teresa a'i holl broblemau dibwys, arholiadau... roedd y lli'n ei gwthio'n ôl yn barhaol yn erbyn y creigiau a chwsg mor bell o'i gafael ag erioed.

— 11 —

TRESPASSERS WILL BE PROSECUTED

TYNNODD EMLYN ROBERTS y car i mewn i'r gilfan wrth ymyl yr arwydd newydd ar gyrion y pentre a diffodd yr injan.

Eisteddodd am ychydig gan wrando ar hyrddiadau'r gwynt a oedd yn ddigon cryf i siglo'r car, hyd yn oed, o bryd i'w gilydd. Mynd a dod yng ngafael y gwynt hefyd y gwnâi sŵn y gwaith cloddio gerllaw.

Roedd yn dair blynedd er pan fuodd yng nghyffiniau'r cwm ddiwethaf. Doedd o ddim yn siŵr beth fyddai'n ei ddisgwyl erbyn hyn.

Stryffaglodd o'r car, y drws yn cael ei wthio'n ôl yn ei erbyn gan bob chwythwm. O'r diwedd llwyddodd i sadio ei hun ar ei ddeudroed i edrych ar yr olygfa o'i flaen.

Dychrynodd. Rhwng dau olau fel hyn edrychai'r safle fel maes y gad – yn llwm, yn foel ac yn fwdlyd a heb goeden ar gyfyl y lle, fel llun o'r Rhyfel Mawr. Roedd Emlyn wedi clywed bod y gwaith ar yr argae'n mynd rhagddo'n gyflym ond roedd gweld y ffordd y cawsai'r dirwedd ei chreithio a'i difwyno a hynny ar raddfa mor enfawr yn dipyn o sioc.

Roedd lorri llawn graean yn taranu ar hyd y ffordd gul tuag ato. Camodd Emlyn o'r neilltu ar y funud olaf rhag cael ei foddi gan y dŵr a dasgai o'r olwynion chwyrndroellog wrth i'r cerbyd fynd trwy'r pyllau dŵr a orchuddiai'r lôn.

Wrth i'r lorri gilio i'r pellter cyrhaeddodd y gawod nesaf o law o'r gorllewin. Doedd dim byd amdani ond cilio'n ôl i'r car nes iddi fynd drosodd.

Yn y car, diflannodd yr olygfa dorcalonnus fesul tipyn wrth i'r angar a grëwyd gan ei bresenoldeb ledu ar draws y ffenestri – yn union fel y diflannai'r cwm maes o law dan y dŵr.

Gwahanol iawn oedd yr olwg ar y lle dair blynedd yn ôl pan ddaethai yma ar ei ymweliad cyntaf – diwrnod o haf crasboeth, digwmwl oedd o ac oglau'r gwair yn gryf. Ond er gwaetha'r gwahaniaeth yn yr hin yr adeg honno, yr un pethau oedd yn pwyso ar ei feddwl: tynged y cwm, Mefina a'i Nain.

— III —

1959

DOES NEB YN cael dewis ei rieni, ac ym marn Emlyn a sawl un arall yn y gymdogaeth, bu Mefina'n anlwcus iawn yn y rhai a dynghedwyd iddi hi.

Dyna'i thad, Frank Williams, plymar wrth ei alwedigaeth, a hen foi digon garw a chas heb fawr o rinweddau amlwg yn perthyn iddo. Bwli a broliwr disylwedd a oedd yn yfed yn drwm a heb yr un gair clên i'w ddweud am neb.

A'i mam wedyn, Gwenda, llygoden fach ordduwiol a golwg arni bob amser fel pe bai newydd weld rhyw fwgan.

Doedd neb yn gallu dirnad sut y bu i'r ffasiwn uniad anghymharus ac anffodus esgor ar blant mor hyfryd â Mefina a'i brawd, Gwyn. Mefina'n arian byw o ferch, yn gymwynasgar, yn garedig ac eto'n meddu ar ryw ysbryd direidus a gwrthryfelgar ar brydiau; Gwyn wedyn yn fwy difrifol, yn ystyrlon a boneddigaidd ei ffordd.

Rhyw dair blynedd yn hŷn na Mefina oedd Emlyn Roberts, a'r ddau yn nabod ei gilydd yn y gymuned ers eu plentyndod. Doedd Emlyn erioed wedi meddwl amdani mewn unrhyw ffordd arbennig – nes iddo'i gweld hi'n gadael y fferyllfa lle y gweithiai, ac yntau ar ei ffordd adref o'i waith yn y banc. Rhyw brynhawn Iau oedd hi ar ddechrau'r haf tyngedfennol hwnnw cyn i Mefina adael y fro i gychwyn ar ei gyrfa fel nyrs.

Ar amrantiad, fel petai, dechreuodd y byd wneud synnwyr i Emlyn. Cyn hynny ryw gymryd pethau fel y deuent a wnâi, heb falio rhyw lawer am ei ddyfodol na'i orffennol a heb fawr i'w ddweud wrth y presennol chwaith. Rhyw rygnu ymlaen yn ddidaro oedd ei hanes. Ond roedd popeth ar fin newid a chyfnod newydd ar wawrio...

Byddai holl fanylion yr ennyd fer amhrisiadwy honno'n aros hefo fo am weddill ei ddyddiau. Roedd y ddelwedd yn annileadwy yn ei gof. Ni wyddai'n iawn beth oedd yn gyfrifol am yrru'r fath don o bleser annisgwyl drwyddo; rhyw gyfuniad arbennig o'r golau a symudiad ei phen a'i gwallt, hwyrach? Pwy a ŵyr? Ond yn sicr roedd rhyw hud a lledrith wedi cipio ei synhwyrau a'u rhewi yn eu hunfan fel ffilm yn aros yn stond ar sgrin.

Er ei fod yn ddibrofiad ym myd serch a chariad, ac er y gwahaniaeth oedran, doedd Emlyn ddim mor ddiniwed a llywaeth ag amryw o'i gyfoedion. Roedd sawl peth amdano a olygai ei fod yn ddeniadol ac yn dipyn o gatsh i rywun fel Mefina.

Roedd o'n eithaf golygus – yn dywyll ei bryd a'i lygaid yn frown a thyner; roedd ganddo wên ddymunol a amlygai ddwy res o ddannedd iachus eu golwg; cerddai'n gefnsyth ac roedd yn ddigon hynaws ei ffordd a pharod ei gymwynas... Ond yn goron ar y cwbl, ac yn bwysicach na'r holl allanolion hyn, roedd un peth yng nghefn gwlad pum degau'r ganrif ddiwethaf a roddai fantais ddigamsyniol iddo – roedd ganddo gar Ford Popular ail-law angladdol ei liw. Ond car oedd car yn yr oes honno.

Felly, y prynhawn canlynol pan groesodd eu llwybrau drachefn wrth iddynt adael y gwaith – ac nid yn ddamweiniol y tro hwn, wrth gwrs – aeth Emlyn yn syth draw at Mefina gan ofyn iddi'n blwmp ac yn blaen:

"Mefina, ddoi di allan hefo fi i'r pictiwrs b'nawn fory?"

Ac unwaith eto teimlai'r un cryndod, yr un plycio yng ngwaelod ei fol – dim cweit mor drydanol y tro hwn, efallai, ond yn adlais digon cryf i gadarnhau ei deimladau.

Saib bach.

"Iawn, o'r gora," meddai hi dan wenu.

Er cymaint ei syndod, roedd Mefina wrth ei bodd â'r cynnig annisgwyl yma. Dyma rywbeth i dorri ar draws undonedd yr ychydig wythnosau a oedd yn weddill cyn iddi symud i ffwrdd.

Hoffai olwg y dyn ifanc a gwyddai'n iawn fod ganddo gar. Roedd hi'n ysu am antur o ryw fath ac roedd Emlyn a'i gar yn cynnig hynny iddi.

Braidd yn siomedig oedd pethau ar y cychwyn, serch hynny.

Ben-Hur oedd y ffilm yr wythnos honno gyda Charles Heston a Jack Hawkins, a chafodd Mefina eithaf blas arni. Felly hefyd Emlyn, ond i'r fath raddau fel ei fod fel petai wedi ymgolli'n llwyr yn y sgrin, a wnaeth o ddim yngan yr un gair bron o'r dechrau i'r diwedd – heblaw am sgwrs ychydig yn lletchwith am yr hufen iâ adeg yr egwyl. Roedd ei lygaid yn syllu'n syth ar y sgrin, a hyd yn oed pan afaelodd Mefina'n fwriadus yn ei fraich yn ystod holl gyffro ras enwog y cerbydau, eisteddodd Emlyn yno fel llo cors heb symud blaen ei fys i achub ar y cyfle a gynigiai iddo.

Suddodd calon Mefina. Pa fath o antur oedd hon? Teimlai'n ddigon pig wrth adael y sinema i heulwen lachar y stryd.

O'r sinema aethant i'r Milk Bar am baned a dechreuodd y rhagolygon wella.

Yno fe'i siomwyd ar yr ochr orau gan rwyddineb sgwrs Emlyn, y diddordeb a ddangosai ynddi, y ffordd gynnes yr edrychai arni...

Ac am ddau fis a rhagor o'r diwrnod hwnnw buont yn gweld ei gilydd yn gyson. Bob bore wrth gyrraedd y gwaith; bob amser cinio yn y Milk Bar; bob gyda'r nos wrth ddod o'r gwaith. Ar y penwythnosau ac ambell gyda'r nos yn ystod yr wythnos byddent yn mynd am sbin yn y car – mor bell â Phwllheli neu Fangor weithiau – neu aent am dro ar droed ar hyd y glannau neu ar hyd hen lwybrau cysgodol y plwyf.

Ceisiodd Emlyn ennyn diddordeb Mefina mewn pysgota ond roedd y syniad o dreulio oriau di-ben-draw ar lan afon neu ar greigiau uwchben y môr yn rhy ddigynnwrf iddi a buan iawn daeth y gwersi hynny i ben mewn diflastod.

Ond manion oedd pethau felly a chyn pen dim daethant yn ffrindiau mawr, ac yn agos iawn. Yn fuan iawn hefyd aeth eu swsys swil a chwareus yn rhywbeth mwy difrifol ac angerddol.

Roedd hyn yn siwtio Mefina i'r dim. Dyma antur fach hyfryd i'w chadw'n ddiddig ac i'w rhoi ar ben ffordd ar gyfer yr antur fawr a'i hwynebai ym mis Medi. Roedd hi'n hapus iawn ond doedd hi ddim mewn cariad.

Ar y llaw arall roedd Emlyn druan mewn cyflwr hollol lesmeiriol, y tu hwnt i bob achubiaeth. Tybiai fod ei dynged garwriaethol wedi'i setlo unwaith ac am byth. Mefina Williams oedd yr un iddo fo; hi fyddai'i gymar oes, hi fyddai mam ei blant a nain ei wyrion. Roedd yn anodd credu y gallai bywyd fod mor felys, mor gyflawn. Oedd, roedd pob dim yn gneud sens o'r diwedd.

Ond roedd o'n hedfan yn rhy uchel erbyn hyn i sylwi ar y maen tramgwydd enfawr a safai ar y llwybr i'r llan – rhwystr nad oedd modd ei osgoi na'i symud ac a fyddai'n dryllio'i holl obeithion.

Torrodd y ffrae fawr anochel tua diwedd Awst, ychydig cyn i'r haf ddechrau colli ei stêm a chael ei sigo gan stormydd o fellt a tharanau cyn ildio i iasau cyntaf yr hydref.

Pan soniodd Mefina wrtho gyntaf ei bod hi am fynd i nyrsio ddiwedd yr haf, roedd Emlyn wedi gweld hynny'n dro cymeradwy iawn yng ngyrfa'i gariad newydd. Roedd y ddelwedd o Mefina mewn iwnifform startsh yn llithro o wely i wely ym mherfeddion y nos a llusern yn ei llaw, wrth gwrs, gan ddod â chysur i rai mewn cystudd yn apelio'n fawr ato a theimlai'n falch ohoni. Dyma ddelwedd a ddeuai'n ôl yn gyson iddo – yn ei waith neu wrth geisio mynd i gysgu…

Ond fel yr âi'r wythnosau heibio ac wrth i Emlyn ddod yn fwy sicr nag erioed mai priodi Mefina fyddai uchafbwynt yr haf hudolus hwnnw, trodd ei hawydd i fynd i nyrsio'n fwrn iddo.

Yr adeg honno, priodas oedd yr unig ffordd dderbyniol o gael cysgu bob nos gyda'r cariad. A dyna beth oedd Emlyn am ei wneud. Roedd Mefina'n deall hynny hefyd, ond er ei bod yn mwynhau'r caru llawn cymaint ag Emlyn, roedd ei blaenoriaethau'n wahanol.

"Fedra i ddim priodi, 'sti."

"Pam lai?" holodd yn syn.

"Wel, os prioda i, dyna'r diwedd ar fy ngyrfa fel nyrs."

Edrychai Emlyn fel pe bai mewn poen corfforol.

"Cheith neb fod yn nyrs os ydyn nhw'n briod," ychwanegodd Mefina, rhag ofn nad oedd Emlyn wedi llwyr ddeall goblygiadau'i geiriau.

"Ond fydd 'na'm rhaid i chdi fod yn nyrs wedyn, na fydd?" meddai Emlyn gan godi'i hun ar ei benelin ar y tywod.

"Dwi ddim eisio gorfod dewis… ond does gen i ddim dewis. Nid fi sy'n deud… dyna'r drefn," ceisiodd Mefina egluro gan sylweddoli bod ei geiriau'n swnio'n hurt. Doedd hi ddim yn ddigon huawdl i allu cyfleu iddo yr hyn roedd y cyfle hwn yn ei olygu iddi ac mai dyma fu ei huchelgais er pan oedd hi'n ferch fach. Hoffai petai wedi gallu esbonio hefyd bod yn rhaid iddi ymestyn ei hadenydd a gwneud rhywbeth drosti'i hun gan madael â'r ardal rhag gwywo a darfod…

"Ond… ond… dwi ddim yn dallt. Mi fedra *i* dy gadw di…

a basat ti'n dal i gael gweithio yn y *chemist*... ac mi rwyt ti'n sôn o hyd sut wyt ti jest â thorri dy fol eisio madael cartra a bod yn rhydd. Wel, mi gei di fod yn rhydd hefo fi."

Gorweddai Mefina ar wastad ei chefn wrth ei ochr ar y tywod. Pwysai ei llaw ar ei thalcen er mwyn cysgodi ei llygaid rhag yr haul, ac felly roedd hi'n methu â gweld ei wyneb. Doedd hi ddim eisio gweld ei wyneb chwaith; doedd hi ddim eisio gweld y siom a'r diffyg dealltwriaeth yn cymylu harddwch ei wedd. Ond gwyddai'n iawn pa ffordd roedd y llanw'n rhedeg a'i bod yn bryd iddi godi angor cyn troi'n dalp o froc môr ar flaen y trai.

Ar ôl tawelwch hir, symudodd ei bysedd ryw fymryn gan fentro cael cip arno. Eisteddai erbyn hyn yn edrych tua'r môr. Teimlai Mefina bang o euogrwydd. Roedd o'n un mor hawdd i'w frifo, a doedd hi ddim am ei frifo. Roedd yn rhy ffeind, yn rhy ddidwyll.

Estynnodd ei llaw a chyffwrdd â'r cefn noeth. Daliai Emlyn i rythu dros y tonnau tua mynyddoedd Ardudwy yr ochr draw i'r bae. Roedd o wedi teithio draw i Forfa Bychan yn unswydd i ofyn y cwestiwn mawr – gyda mynyddoedd bro'i febyd yn gefnlen i'r achlysur. Yn ei boced roedd y fodrwy...

Yn y pellter, er gwaethaf prinder ymwelwyr ar y traeth y diwrnod hwnnw, gallai Mefina glywed nodau sigledig y 'Blue Danube' wrth i'r fan hufen iâ ddechrau ar ei thaith ar hyd y tywod.

"Ty'd. Be am i ni ga'l hufen iâ?" Teimlai fel mam yn cysuro'i phlentyn.

Yn groes i'r disgwyl, edrychodd Emlyn arni am ennyd ac yna gwenodd yn gam gan sgrytian ei ysgwyddau a chodi ar ei draed.

Gollyngdod. Dros dro beth bynnag.

Law yn llaw cerddasant tuag at y fan hufen iâ ac ar ôl prynu cornet yr un troi i eistedd wrth odre'r graig i'w bwyta. Wrth lyfu'r hufen melynlliw, ceisiai Mefina ddehongli beth oedd arwyddocâd y cadoediad annisgwyl hwn. Oedd o wedi dod i weld ei safbwynt hi, tybed? Roedd hi'n amau. Byddai'n rhaid iddi gael gwybod.

"Felly, mi fydda i'n mynd i Lerpwl ymhen y mis."

Daliai Emlyn i lyfu heb ateb.

"Mi fydda i'n dy golli di 'sti," ychwanegodd yn hollol ddiffuant.

Mwy o dawelwch. Dim gair nes iddo orffen y côn, sychu'i geg â'i law, llyfu'i fysedd a sychu'r rheiny ar ei grys. Roedd y straen yn ofnadwy. Ni allai Mefina ganolbwyntio ar y dasg o fwyta'i hufen iâ hi wrth i hwnnw doddi yn ei llaw cyn syrthio'n blatsh ar y tywod.

Trodd Emlyn ati.

"Pam Lerpwl?"

"Be?"

"Pam Lerpwl? Pam ddiawl rwyt ti'n mynd i Lerpwl?"

Roedd hyn yn ymateb annisgwyl a dweud y lleiaf.

"Wel..." baglodd. "Mae'n lle da i drênio fel nyrs... enw da aballu... ac mi fydda i'n gallu dŵad adra i dy weld di'n reit aml... ac mi gei ditha ddŵad i 'ngweld inna. Bydd hyn'na'n hwyl 'yn bydd?" Unwaith eto teimlai fel mam yn dandwn plentyn.

Roedd Emlyn yn dechrau cynhyrfu.

"Ond pam Lerpwl? Ar ôl pob dim ma'r diawliaid 'na 'di neud?"

Doedd dim syniad ganddi pam ei fod mor chwyrn yn erbyn Lerpwl. Edrychodd ar weddillion yr hufen iâ wrth ei thraed, yn toddi'n ffrydiau bach sgothlyd o gwmpas bonyn y côn.

"Be wyt ti'n feddwl, Emlyn? Am be ti'n sôn?"

"Tryweryn. Be arall?" Poerodd y gair gyda bron cymaint o ddicter ag roedd wedi ei ddefnyddio wrth ynganu'r enw Lerpwl gynnau bach.

Roedd Tryweryn wedi codi'i ben cyn hynny yn ystod yr wythnosau diwethaf. Wyddai Mefina fawr ddim am y lle a deud y gwir. Doedd yr hyn a ddigwyddai yno ddim yn destun siarad yn y fro; y cyffro yn sgil dechrau'r gwaith ar Atomfa Traws ryw fis ynghynt a gâi ei drafod yn yr ardal – yr holl addewidion a'r gobeithion am swyddi.

Bu ei thad yn hefru rhywbeth un noson ynglŷn â'r rhai oedd yn protestio yn erbyn y cynllun i foddi Capel Celyn, ond doedd Mefina ddim wedi cymryd fawr o sylw. Byddai ei thad yn hefru'n erbyn rhywun neu rywbeth drwy'r amser.

"Isio gwaith sy ffor 'ma neu mi fydd y lle fatha mynwent cyn hir."

Ac yntau'n blymar roedd ganddo ddiddordeb arbennig ym mwriadau Corfforaeth Lerpwl gan dybio, siŵr o fod, mai y fo, Frank Williams, a fyddai'n cael y fraint a'r anrhydedd o dynhau'r falfiau ola cyn i'r holl filiynau ar filiynau o alwyni o ddŵr ddechrau llifo i gyfeiriad Glannau Merswy.

Roedd yn amlwg bod gan Emlyn deimladau cryfion ynglŷn â'r boddi a'i fod yn dipyn o genedlaetholwr. Doedd gan Mefina affliw o ddim diddordeb mewn gwleidyddiaeth, yn enwedig gwleidyddiaeth Cymru, ond roedd hi'n hoffi gwrando arno'n mynd i hwyl.

Eiddigeddus oedd hi yn y bôn. Roedd 'na bethau y teimlai hi'n angerddol yn eu cylch hefyd, ond doedd hi ddim yn gallu mynegi ei hun mewn geiriau fel y gallai Emlyn.

"Ond ma'n rhaid i bobol gael dŵr... Ac ma digon o ddŵr gynnon ni."

"Ma'n warth," mynnodd Emlyn. Edrychai dan deimlad wrth gau ac agor ei ddyrnau.

"Ia, ond nid *pobol* Lerpwl..."

"Wel pwy arall 'ta?" gwaeddodd ar ei thraws.

Bu tawelwch am sbel. Dechreuodd Emlyn gerdded yn ôl ac ymlaen o'i blaen. Buan iawn y blinodd Mefina ar ei wylio.

"Emlyn. Ty'd i eistedd er mwyn Duw. Ti'n codi pendro arna i."

"Ma'r holl fusnes 'ma'n codi cyfog arna inna hefyd."

"Ond... ma'n eitha pell o fa'ma, tydi? Yn y mynyddoedd ger y Bala neu rywle..."

"Nid dyna'r pwynt, naci? Mae'n rhan o Gymru... ac mae'n effeithio arna i'n bendant."

"Sut felly?"

"Fan'no cafodd Nain ei magu."

— IV —

DRANNOETH Y FFRAE, aeth Emlyn i ymweld â Chwm Tryweryn am y tro cyntaf yn ei fywyd. Gyrru drwy Ddyffryn Maentwrog ac i fyny dros rosydd y Migneint drwy ganol porffor y grug ac unigeddau'r fawnog, cyn disgyn i fynwes y cwm a'i ffermydd gwasgaredig. Dilynodd yr hen lôn heibio i Wern Tegid, Tŷ-nant a Hafod Wen ac ymlaen trwy Gapel Celyn ei hun i gyfeiriad y Bala a heibio i'r Gelli, Coed-y-mynach, Gamwedd Llwyd, Hafod Fadog a Thyrpeg.

Roedd yr awyr yn las a'r haul yn llachar a'r copaon fel pe baent o fewn cyrraedd bysedd ei law. Ar ddiwrnod braf fel hyn gwelai Emlyn yn glir sut y byddai rhywun yn medru ymserchu yn y lle. Yn sicr roedd ei nain wedi dotio ar y cwm pan oedd yn hogan bach.

Doedd Emlyn ddim wedi cysgu o gwbl y noson cynt. Câi ei lofft gyfyng ei goleuo gan fflachiadau mellt didaran y tu draw i'r gorwel. Roedd siom a dicter yn ymaflyd codwm â'i gilydd, yn gawdel o ddelweddau anghysurus yn ei ben.

Roedd yr awyr yn fregus rywsut a theimlai gefn ei wddf yn cosi gan ei adael yn sych grimp. Gorweddai ar hyd y nos rhwng cwsg ac effro, rhwng dau lanw, y cloc mawr yn y cyntedd yn rhifo'r oriau fesul un nes i'r wawr ddod ag orig neu ddwy o gwsg dwfn i'w foddi.

Ac wedyn, toc cyn deffro go-iawn, breuddwydiodd am ei nain ac am ei thristwch, a phan agorodd ei lygaid roeddent yn llawn dagrau. Wylai'n dawel a theimlai fod y weithred o grio'n gwneud iddo ymlacio'n llwyr – rhywbeth roedd o heb ei wneud ers blynyddoedd maith.

Pan oedd yn hogyn bach, Nain y Bala fuasai'i ffrind gorau. Hi oedd ei ffrind gorau o hyd o ran hynny. Pan aeth ei fam yn wael gyda diffyg ar y gwaed, Nain a ddaeth atynt i ofalu amdani hi a'i babi blwydd ar y pryd, sef Emlyn. Yna, ar ôl i'w fam farw, pan nad oedd o ond tair oed, penderfynwyd y dylai Nain aros ar yr aelwyd. Ac felly y bu nes i'w dad ailbriodi ag Agnes Felton ychydig flynyddoedd yn ddiweddarach.

Digon anghyflawn oedd ei gof am y blynyddoedd hynny erbyn hyn, ond roedd yn gwybod iddynt fod yn rhai hapus a heb ofid yn y byd. Gan nad oedd yn nabod ei fam ni welodd ei cholli ac er mai Nain y galwai ar yr un a ofalai amdano, hi oedd ei fam i bob pwrpas ac ni fu erioed yn ymwybodol o'r ddolen goll rhwng y ddwy genhedlaeth. Roedd ei fam a'i nain yn un.

Diwrnod trawmatig iawn i'r hogyn naw oed fu ymadawiad Nain wrth iddi ddychwelyd i'r Bala a dyfodiad dynes ddiarth i'w disodli ar yr aelwyd i ofalu amdano.

"Mi ddo i i'ch gweld chi i gyd. Do i, do i… wrth gwrs y do i," meddai Nain drosodd a thro wrth aros am y trên yng ngorsaf Harlech, ei holl eiddo wedi'i hel mewn pentwr bychan o gesys blêr ac un gist fechan â chlo mawr arni.

Ond er ei holl addewidion, gwyddai Emlyn na fyddai'r byd yn sownd ar ei echel heb fod Nain o gwmpas i'w gadw felly; ac yn sicr, ni fyddai'i fam wen newydd yn rhuthro i gadw cysylltiad â Nain y Bala. Ni fyddai hi chwaith yn gallu cynnig dim i'w gymharu â chyfraniad y ddynes ryfeddol honno i Emlyn yn ei fachgendod.

Dynes eneidfawr oedd Nain yng ngolwg Emlyn. Hi oedd wedi ei ddysgu sut i smocio wrth iddynt chwarae chwist hefo'i gilydd o flaen y tân yn ystod y nosweithiau gaeafol hir hynny pan fyddai'i dad i ffwrdd ar y môr. Hi oedd ei athrawes chwist a sawl gêm arall hefyd o ran hynny.

Yn anad neb, hi oedd wedi lliwio dychymyg ei blentyndod, â'i thrysorfa ddihysbydd o straeon. Doedd dim byd yn fwy hoff ganddo na gwrando ar ei llais crafog wrth iddi stofi carthen amryliw o chwedlau a chelwydd golau. Llwyddodd i greu byd cyfan heb ffiniau amseryddol na daearyddol, yn llawn potsiars a sipsiwn, telynorion a phorthmyn – byd lle y byddai Coch Bach y Bala, Gwylliaid Cochion Mawddwy, Twm o'r Nant, Betsi Cadwaladr, Mari'r Fantell Goch, proffwydi'r Hen Destament, y Tylwyth Teg, Bob Tai'r Felin ac Owain Glyndŵr i gyd yn cydrodio'n hoff gytûn mewn rhyw basiant lliwgar, oesol.

A thrwyddi hi hefyd y cafodd Emlyn ddysgu'r hyn a wyddai am hanes ei wlad.

Nid hanes mewn llyfrau oedd ganddi, ac eto gallai draddodi'i hanesion fel pe bai hi'n bennaf awdurdod y byd arnynt. Soniai am freuddwydion yr Hen Gymry a brad yr uchelwyr, dichell y gelyn dros y ffin a'r pris a dalwyd gan y tlawd a'r anghenus yn sgil y fargen sâl a drawyd rhwng y ddwy garfan. Soniai hefyd am y troi allan yn sgil etholiadau'r ganrif cynt pan gollodd ei thaid ei fferm am bleidleisio'n groes i ddymuniad y meistr tir. Clywodd am hanes hen ewythr iddi a aethai i Batagonia i ddianc rhag dial ei landlord ar ôl iddo ei regi ar goedd gwlad o flaen tafarn y Bull ryw noson… a'i gyhuddo o fod yn ynfytyn gwastraffus a hafing.

Hanes anghyflawn, anacademaidd – ond hanes byw a daniai ddychymyg y bychan gan ei ysbrydoli i ddysgu rhagor wrth iddo dyfu'n hŷn.

Does ryfedd iddo golli'i nain yn arw pan aeth hi'n ôl i'r Bala. Mor wahanol iddi oedd ei lysfam newydd. Saesnes oedd Agnes Felton. Roedd hi'n gweithio yn y *Seamen's Mission* yn y Bermo pan ddaeth tad Emlyn ar ei thraws, a hithau wedi dod i'r dre yng nghwmni'i thad gweddw a weithiai ar y rheilffordd.

Roedd hi'n ddynes dra chrefyddol a byddai'n mynd ag Emlyn

i wasanaethau Saesneg yn eglwys y plwyf. Saesneg a siaradai o â hi hefyd. Doedd hi ddim yn medru'r Gymraeg er y gallai ddeall tipyn go lew. Doedd hi ddim yn ddynes greulon nac yn esgeulus, ac yn wir roedd ganddi hiwmor, a gwnaeth ymdrech deg i fod yn llysfam deilwng ond yn ofer – doedd Emlyn ddim yn ei hoffi a dyna ddiwedd arni.

Yn ddeuddeg oed, bu tro er gwell yn hanes Emlyn. Symudodd ei nain i'r Bermo i fyw er mwyn gofalu am fodryb iddi yn ei salwch. Roedd hi'n byw yn un o fythynnod yr hen dre dan gysgod Dinas Oleu, lle y mae drws ffrynt y naill annedd yn agor ar gorn simdde'r llall.

"Mae o'n lle perffaith i chi, Nain," meddai Emlyn pan ymwelodd o â hi am y tro cynta ac yntau wedi teithio'r siwrnai fer ar y trên o'i gartref ar ei ben ei hun toc ar ôl iddi symud yno. Yn sicr, roedd y lleoliad yn berffaith iddo fo. Gallai deithio i'w gweld hi bob penwythnos bron.

"Ma rhywun yn clywed pob rhech sy'n cael ei tharo 'ma, was i. Well gen i rywle fatha Celyn o beth wmbreth. Digon o awyr iach a digon o le i 'nadlu."

Er gwaetha'i chwynion, roedd ei chartref newydd yn ei siwtio'n iawn. Darganfu Casi Burchill (neé Edwards) fod bywyd yn y Bermo'n dygymod â hi'n eithaf da. Bu'r hen fodryb fyw am ddwy flynedd a phan fu farw trosglwyddwyd prydles y bwthyn drwy'i hewyllys i Casi. Am y tro cyntaf yn ei bywyd, ers ei phlentyndod, gallai Casi ymlacio ryw ychydig heb boenau ariannol.

Yn bymtheg oed ac ar fin gadael y cwm i weithio ar fferm ger y Fron-goch, trowyd ei byd bach ben i waered wrth iddi gael ei heintio â'r diciâu. Bu'n rhaid ei symud o'i chynefin a threuliodd naw mis yn alltud ofnus mewn ysbyty ger Dinbych.

Pan ddaeth ei harhosiad anhapus yn y sefydliad hwnnw i

ben, siom aruthrol arall oedd yn ei disgwyl. Roedd yr aelwyd ddedwydd lle y'i magwyd bellach ar chwâl. Yn ei habsenoldeb, drwy ryw anlwc dieflig crëwyd llanast lle gynt y bu llawenydd.

Nid bod byw ar dyddyn ym mherfedd mynydd-dir Meirion yn yr oes honno yn cynnig hawddfyd, wrth reswm. Roedd yr amodau'n galed ac yn ddi-ildio. Digwyddiad digon cyffredin iddi hi a'i dwy chwaer oedd mynd i'r gwely â'u boliau'n wag. Bu'n rhaid i'r teulu cyfan lafurio o fore gwyn tan nos mewn stormydd o wynt a glaw ac eira i gadw deupen ynghyd – a doedd y deupen byth ynghyd go-iawn. Ac eto, waeth beth oedd yr amgylchiadau, ymddangosai fel pe bai patrymau bywyd beunyddiol – y tymhorau, y cymdogion, y daith ar droed i'r ysgol, presenoldeb ei rhieni – mor ddiogel ddigyfnewid â chreigiau'r Arenig. Cyn mynd i'r ysbyty doedd hi ddim yn gwybod ystyr y geiriau pryder nac ansicrwydd.

Gweithio ar y lein wnâi ei thad ynghyd â chadw ychydig ddefaid a chychod mêl, trwsio sosbenni, hogi cyllyll a gorchwylion hanfodol eraill yn y gymdogaeth. Daethai i'r ardal fel un o'r criw a fu'n gosod y rheilffordd rhwng y Bala a Ffestiniog yn ôl yn wyth degau'r ganrif cynt. O ochrau Dyffryn Clwyd y deuai Ned Edwards. Ymffrost cyson ganddo yn ei gwrw oedd bod Twm o'r Nant yn hen hen ewythr iddo. Beth bynnag am wirionedd yr honiad hwnnw, doedd dim dwywaith nad oedd gan Ned dipyn o ddawn fel cerddor a baledwr. Doedd neb tebyg iddo ar y consertina na'r organ geg a gallai lunio penillion dwys a digri ar amrantiad gan eu cyflwyno wedyn gydag arddeliad yn ei lais tenor hufen a mêl. Ond doedd o ddim yn medru ysgrifennu ac felly dim ond yn ei ben ac yn dameidiog ar gof ei ferch hynaf y câi'r cyfansoddiadau hyn eu cofnodi.

Ar ôl gorffen gosod lein y GWR trwy'r cwm penderfynodd Ned aros yn un o'r cytiau dros dro a godwyd gan hogiau'r rheilffordd. Tipyn o dderyn oedd Ned yr adeg honno, yn gymeriad ffraeth a brith, yn nodedig fel bragwr cwrw a gwirod o fri – camp roedd wedi'i dysgu gan y Gwyddelod y bu'n cydweithio â nhw wrth osod y lein – ac roedd hefyd yn botsiar heb ei ail. Rywsut ar hyd y blynyddoedd llwyddodd i osgoi rhwydi'r awdurdodau ond yn aml bu'n sglefrio ar rew tenau iawn.

Maglau cariad a serch a'i daliodd yn y diwedd rhagor na'r ciperiaid a'r plismyn. Ond yn ffodus ddigon, ar ôl beichiogi mam Casi – ac yntau ar drothwy'i bedwar degau – er nad oedd yn fawr o grefyddwr cafodd Ned Penwern Canol dröedigaeth. Ar ôl priodi mam Casi, fe galliodd ac aeth ati i ysgwyddo'i holl gyfrifoldebau fel penteulu cydwybodol.

Llafuriodd yn ddiwyd i wella ac ymestyn y cwt a'i droi o fod yn hofel anghysurus i fod yn dyddyn bach twt ymhlith y mwyaf llewyrchus yn y fro. Caewyd y bragdy anghyfreithlon (heblaw am yr hyn oedd ei angen i ddiwallu dibenion personol) a daeth terfyn ar y potsio a'r misdimaners eraill. Daeth yn ddyn newydd a weithiai'n galed ac a oedd yn dad balch i dair o ferched a aned 'y naill yn nhin y llall' chwedl yntau.

Yn rhy fuan daeth y troad anffodus yn y rhod. Toc ar ôl i Casi fynd i Ddinbych trawyd y chwaer ifancaf gan aflwydd angheuol y clefyd coch – y difftheria. Bu farw ym mreichiau'i thad yn ymladd am ei hanadl â phob gewyn o nerth a feddai'i chorff bach. Digwyddodd mor gyflym cyn i neb sylweddoli difrifoldeb ei salwch.

Bu straen y golled a'r gofid am gyflwr Casi'n drech na chyneddfau ei mam druan. Plymiodd i'r felan ac ni allodd Ned ymdopi â'r newid yn anian ei wraig a arferai fod mor siriol a direidus ac yn gymaint o ysbrydoliaeth iddo. Roedd bywyn ei hysbryd wedi darfod fel tân braf yn cael ei ddiffodd ar amrantiad gan fwcedaid o ddŵr.

Methodd Ned hefyd â dal y pwysau hyn. Yn fwyfwy aml fe'i gwelid yn cerdded liw nos i Ryd-y-fen neu'r Bala i botio'n drwm a heb ddychwelyd i'r aelwyd am ddyddiau ar y tro.

Ni wyddai Casi ddim oll am y datblygiadau hyn – heblaw am farwolaeth ei chwaer, newyddion a dorrwyd iddi yn yr ysbyty. Roedd perthnasau Ned yng nghyffiniau Dinbych wedi cael eu siarsio i ymorol amdani yn ystod ei harhosiad yn yr ysbyty, ond yn fuan iawn roeddent wedi colli diddordeb ynddi.

Chlywodd Casi ddim gair am broblemau'r teulu nes iddi gyrraedd y Bala ar ei ffordd adre. Roedd hi wedi'i chyffroi'n lân wrth weld bod ei mam a'i chwaer ganol ar blatfform gorsaf y Bala i'w chroesawu. Dalia i chwifio'i llaw'n wyllt arnynt wrth eu gweld yn atgof poenus iddi o hyd. Chwarae teg iddynt yn dod i gwrdd â hi er mwyn iddynt gael cyd-deithio'n ôl i Gelyn... ac wedyn y chwifio'n darfod, y llaw'n rhewi ac yn gwywo'n llipa. Sylwodd ar y trallod amlwg ar wyneb y ddwy, a sylwi wedyn ar absenoldeb ei chwaer fach a realiti'r golled honno'n ei tharo go-iawn am y tro cyntaf. Ond roedd gwaeth i ddod...

Roedd y tad y bu'n hiraethu cymaint amdano yn ystod yr oriau hir ac oer yn y sanatoriwm bellach yng ngharchar Amwythig am ddwyn oddi ar ei gyflogwr a'i mam yn ei chyni a'i chywilydd wedi symud o'r cwm i fyw yn y Bala.

Yn ddwy ar bymtheg oed dyma Casi'n gorfod dygymod â galar deublyg – colli chwaer a cholli aelwyd. Yn ystod y dyddiau du yn yr ysbyty roedd ei hatgofion am ei phlentyndod dedwydd wedi cynnig dihangfa iddi. Meistrolodd ryw dechneg lle y gallai gau allan bopeth a oedd o'i chwmpas – y wardiau swnllyd, yr ogleuon cas, crio'r plant, y triniaethau diflas, pob dim a berai loes a hiraeth iddi – gan ymgolli yn ei dychymyg yng nghwmni ei chwiorydd a phlant eraill y fro ar lan afon Tryweryn ger y rhaeadr ym mhen ucha'r cwm.

Ond ar ôl y siom ddiweddaraf, arhosai'r düwch yn glogyn

trwm amdani gan rwymo pob aelod o'i chorff a mygu'i holl nerth. A dyma'r tro cyntaf, hyd y gallai gofio, i'r ci du ddeffro yn ei bywyd. Ci du iselder ysbryd a fyddai'n ei stelcian yn ddiflino am weddill ei dyddiau.

Ond rywfodd, rywsut, llwyddai i gadw'n siriol, i dwyllo'r byd, i gadw'i hiwmor a pharhau i fod yn gymêr 'yr un fath â'i thad' yng ngolwg pawb; rhywun nad oedd byth yn digalonni. Llwyddodd i gadw'i chyfrinach drist rhag pawb bron â bod, er i'r iselder ei bwyta'n fyw.

"Y cymylau dua sydd â'r ymylon mwya disglair," meddai wrth unrhyw un a gydymdeimlai â hi. I rai mae anffawd fel pe bai'n magu anffawd, ac wrth heneiddio dwysáu a wnaeth helbulon Casi.

Cafodd ferch, Elsi, a briododd â pheiriannydd llongau llym ei awdurdod, ond bu farw'n ifanc – yn fam i fachgen bach a hithau ond newydd gyrraedd ei hugain oed. Ond o'r diwedd, gyda marwolaeth ei merch, roedd fel pe bai'r ddihareb am y cymylau duon yn cynnwys rhyw rithyn o wirionedd iddi.

Cystudd creulon ei merch a ddaethai â Casi yn agos at ei hŵyr bach, Emlyn – rhywbeth na fuasai wedi digwydd fel arall, hwyrach, o ystyried y berthynas fregus a oedd rhyngddi a thad Emlyn, a oedd yn ystyried ei fam-yng-nghyfraith yn rhywun braidd yn goman ac yn un i'w chadw hyd braich go hir.

Roedd Emlyn yn cynnig rhyw ail gyfle i Casi ar ôl iddi fethu â rhoi fawr o amser i'w merch ei hun pan oedd hi'n lodes fach yn tyfu oherwydd yr angen i roi bwyd ar y bwrdd a'r rhent ym mhoced y landlord.

Yn wir, y bychan a lenwodd ei bywyd pan fu farw Elsi. Fel arall, byddai hi wedi colli'i gafael yn llwyr, wedi cerdded i ddyfroedd llwyd y môr hwyrach neu wedi'i hyrddio'i hun i ebargofiant dros ryw ddibyn cyfleus.

Yna, yn sydyn, dechreuodd sylwi na fyddai sôn am y ci du yn ei bywyd pan fyddai Emlyn o gwmpas. Prin y gallai goelio'i lwc, iddi gael dihangfa mor rhwydd. Erbyn iddi symud i fyw i'r Bermo roedd hi'n ffyddiog bod yr hen Bero diawl wedi mynd am byth.

Ond yn haf 1957 digwyddodd rhywbeth i ddymchwel yr ecwilibriwm bregus a'i cadwai yn ei hiawn bwyll. Dyna pryd y clywodd gyntaf am y cynllun i greu cronfa ddŵr anferth i ddinas Lerpwl yng Nghwm Tryweryn.

Cofiai pan oedd yn fechan fod yna ryw sôn i'r hen Breis Rhiwlas fynd o gwmpas y rhan honno o'i stad yng nghwmni tirfesurydd o Lerpwl gyda'r un bwriad, ond na ddaeth dim o'r cynllun hwnnw. Hyd yn oed yr adeg honno roedd y syniad wedi gyrru ias drwyddi. Roedd meddwl y byddai eu cartref yn diflannu dan y dŵr fel y tai yn hanes y Dilyw wedi rhoi sawl hunllef iddi pan oedd hi'n fach.

Ac yn awr, ar amrantiad, daethai'r byd yn lle bygythiol a diloches iddi unwaith eto. Rhuthrai cysgodion drwy'i phen fel storom yn sgubo dros y môr am y tir mawr. Dim ond smalio cysgu roedd y ci du wedi'r cwbwl. Yn syth bron ar ôl clywed y cyhoeddiad dyma fo, y sglyfaeth budur iddo, yn llamu'n lafoeriog o'r niwloedd drachefn, yn dynn ar ei thrywydd unwaith yn rhagor. Y tro hwn doedd dim modd iddi ei atal na'i dwyllo. Doedd ei strategaethau na'i chastiau arferol ddim yn tycio. Roedd y cydbwysedd y bu'n ei feithrin ar hyd yr amser bellach yn chwilfriw a'i byd yn troelli'n wyllt oddi ar ei echel o'r newydd.

Efallai y tro hwn na fyddai modd iddi ei adfer, na modd chwaith iddi ddianc.

— V —

1961

ROEDD Y STRYD fel bol buwch. Chwipiai gwynt oer dialgar oddi ar yr afon ac roedd dafnau o law i'w teimlo ym mhob chwythwm.

"Wyt ti'n siŵr 'n bod ni yn y lle iawn?" gofynnodd Mefina'n betrus.

"Ydyn, ydyn. O'n i'n arfer dod ffor hyn hefo 'nhad pan o'n i'n fach."

Prin y gallai Mefina weld ei chydymaith, mor dywyll oedd popeth o'u cwmpas. Yn y pellter o'u blaenau, wrth odre honglad o hen warws a ymrithiai i fyny i entrychion y nos, tywynnai magïen o olau.

"Dacw fo!" gwichiodd Teresa gan afael ym mraich ei ffrind.

Cadwai Mefina ei llygad ar y golau. Erbyn hyn roedd ofn yn lwmp oer yn ei stumog. Clywai rhywun hanesion ofnadwy am y rhan hon o'r ddinas. O'r diwedd daeth y drws i'r golwg – drws mawr haearn â stydiau nobl drosto fel drws hen gastell mewn storïau erstalwm. Gallai glywed ei chalon yn rasio'n wyllt i guriad y gerddoriaeth roc 'n rôl a ddeuai o'r tu ôl i'r ddôr. Aeth y ddwy ferch i fyny'r grisiau fel dwy lygoden fach ofnus.

"Be 'dan ni i fod i neud?"

"Oes 'na gloch?"

Ond cyn iddyn nhw ddod o hyd i gloch, agorwyd y drws led y pen – y bownsars wedi gweld y llygod bach yn cyrraedd trwy'r twll sbecian.

"Olreit, genod? Noson arw, tydi?" Roedd y llais yn gynnes ac yn glên.

Dyma nhw'n talu hanner coron yr un ac yna'n sefyll yn stond ychydig dros y rhiniog heb wybod yn iawn ble i fynd nesa.

"Syth yn 'ych blaena, genod," meddai un o ddynion y drws wrth eu gweld yn petruso. "Ma lle i'ch cotia yr ochor draw i'r *coffee bar*. Yna, dosiwch syth yn 'ych blaena i lawr y grisia pen pella i'r clwb 'i hun."

Ar ôl cadw eu cotiau, dyma'r ddwy'n mentro i lawr i'r tywyllwch at sŵn egnïol y drymiau a'r gitarau. Clwb tanddaearol go-iawn heb fawr mwy o olau nag oedd ar y stryd y tu allan. Maint festri capel go helaeth oedd y lle gyda dau biler yn dal y to. Aeth ysgryd drwy Mefina wrth feddwl am holl bwysau'r warws uwch eu pennau a bod yr adeilad cyfan fel pe bai'n cael ei ddal gan y ddwy golofn.

Roedd hi'n boeth, yn swnllyd ac yn fyglyd y diawl. Tua dau gant o bobl wedi'u cywasgu ysgwydd wrth ysgwydd i'r gofod cyfyng hwn, hefo sigarét yn bigyn bach coch ym mhob llaw neu geg bron.

"Be os bydd 'na dân?" gwaeddodd Teresa yn ei chlust uwchben sŵn byddarol y miwsig.

Rîal Teresa, meddyliodd Mefina – yn mynd o flaen gofid bob amser, yn un swp o bryderon.

"Fydd 'na'm tân," atebodd Mefina'n gwta.

Wrth gamu i ganol y dorf a cheisio slywennu'i ffordd tuag at y llwyfan er mwyn cael gwell golwg ar y band, teimlai Mefina ei hun yn ymlacio drwyddi a blinder a straen ei gwaith yn diflannu gyda phob curiad. Teimlai yn ei helfen. Dyma'r hyn y bu'n chwilio amdano ers cyrraedd y ddinas. Dyma lle y byddai'r anturiaethau go-iawn yn siŵr o ddigwydd.

Ar ddiwedd eu shifft, roedd y ddwy nyrs wedi rhuthro i ddal

y bws i Temple Street. Heno roedd cymdeithas jazz y ddinas yn cynnal sesiwn roc drwy'r nos – o wyth yr hwyr tan wyth y bore – gydag enwau fel Gerry and the Pacemakers, Rory Storm and the Hurricanes, Kingsize Taylor and the Dominoes a llu o dalentau lleol yn ymddangos ar y llwyfan bach cyfyng o flaen torf ifanc anniwall.

Roedd rhestr y perfformwyr yn un hir a doedd gan Mefina na Teresa fawr o glem pwy oedd eu hanner nhw na beth i'w ddisgwyl mewn noson o'r fath. Am y tro, roedd Mefina'n hapus i adael i'r sain olchi drosti ac i anadlu awyrgylch y lle fel pe bai'n ocsigen pur. Teimlai fod y profiad fel rhyw fath o ailenedigaeth iddi.

Ar ôl sefyll yn gwylio'r grwpiau am tuag awr, dechreuodd blinder eu sigo a bu'n rhaid iddyn nhw wthio eu ffordd yn ôl drwy'r dorf at y meinciau cul o dan y grisiau er mwyn bachu dwy sedd i gael hoe fach.

"Fydda i ddim yn para tan y bore, dwi ddim yn meddwl," meddai Teresa gan bwyso'n ôl yn erbyn y wal yn diferu o chwys.

"Gawn ni ail wynt rŵan, gei di weld. Oeddat ti'n licio'r hogyn yn chwarae sacsoffon yn y band diwetha 'na?"

"Hwnna?" ebychodd Teresa'n syn. "Mae o'n hyll fel brân!"

"Ydi, ydi," cytunodd Mefina. "Ond glywaist ti'r sŵn oedd yn dŵad o'r sacs 'na..."

Cyn i Teresa benderfynu oedd doniau cerddorol y frân yn gwneud yn iawn am ddiffygion ei bryd a'i wedd anffodus, daeth yn ymwybodol yn sydyn fod dyn yn sefyll o'u blaenau ac yn cymryd diddordeb neilltuol ynddyn nhw.

"Wel, Nyrs Williams a Nyrs Byrne – fel hyn dach chi'n treulio'ch amser hamdden, ai e? Be ddywedai Sister Booth, tybed?"

— VI —

ER PAN OEDD hi'n ferch fach câi Mefina ei swyno gan ramant y byd nyrsio, ac yn ystod ei harddegau un ffantasi fawr fu ganddi, ffantasi a fyddai'n ei chadw yn ei hiawn bwyll wrth ddygymod ag amodau diflas ei bywyd gartref. Y ffantasi honno oedd cael mynd i ffwrdd i nyrsio, cwrdd â meddyg golygus, cyfoethog, priodi a byw mewn tŷ mawr braf gyda *three-piece* o ledr.

Nid breuddwyd gwrach oedd hi chwaith. Roedd Mefina'n benderfynol o'i gwireddu a bu'n gweithio'n galed ac yn ddyfal i'r perwyl hwnnw er pan oedd hi'n eithaf ifanc, wrth ymuno ag Urdd Sant Ioan yn lleol.

Trwy anogaeth y mudiad hwnnw câi gyfle i weithio yn ystod ei gwyliau ac ar benwythnosau yn yr ysbyty bwthyn lleol, lle y canfu, er mawr foddhad iddi, ei bod yn wirioneddol hoffi'r gwaith ac yn cael budd aruthrol ohono.

Buan iawn y diflannodd y rhamant, hyd yn oed o fewn muriau'r ysbyty bach gwledig hwnnw. Cofiai hyd heddiw y sioc o ddod wyneb yn wyneb â'r coctel o arogleuon anhyfryd y byddai'n rhaid iddi ymgynefino â nhw yn ystod ei gyrfa – wrin, cyfog, carthion, nwy anesthetig a defnyddiau glanhau. Ond doedd dim cymhariaeth rhwng ei thipyn profiad wrth chwarae nyrsio yn yr ysbyty lleol a'r gwaith caled, blinderus a dirdynnol a ddeuai i'w rhan ar wardiau ysbyty hyfforddiant y Royal Southern yn Lerpwl.

Serch hynny, roedd hi wrth ei bodd, yn benysgafn o ddedwydd ac yn teimlo fel aderyn wedi'i ollwng yn rhydd.

Digon cyfyngedig, serch hynny, oedd y bywyd y bu'n rhaid iddi ddygymod ag ef yng nghartref y nyrsys. Yn ogystal, roedd yr hen iwnifform yn gaethiwus a doedd wiw gwisgo sgertiau yn uwch na deuddeg modfedd o'r llawr. Y ddisgyblaeth lem wedyn a weinyddid gan hen wragedd rhwystredig – wel, na... nid pob un falla, ond digon piwis oedd y rhan fwya yn ei thyb hi. Ond er gwaethaf pawb a phopeth deuai hi drwyddi dan wenu.

Roedd hi hyd yn oed yn gallu delio â gweithio drwy'r nos – penyd eithaf ei hyfforddiant yn ei barn hi. Y nosweithiau diderfyn oedd yr adegau gwaethaf un, pan deimlai fel pe bai'n colli'r bywyd normal a chyffrous a gâi ei chyfoedion. Byddai lliw cynnes arferol ei chroen yn gwelwi a'r brychni del ar ei thrwyn yn cael eu disodli gan blorod bach diflas. Dyma'r cyfnod pan fyddai'n rhaid iddi dreulio'i hamser hamdden prin yn cysgu a dim sôn am fynd allan na chanlyn yr un dyn byw, a hithau heb gyfle i gael ei bachau ar 'run meddyg golygus a chyfoethog.

Penderfyniad, cefn cryf a stumog haearnaidd oedd y tri pheth roedd eu hangen i lwyddo fel nyrs yn yr oes honno, ac roedd Mefina'n llwyddo hefyd, gyda sawl gwobr a thystysgrif dan ei gwregys yn barod a marciau uchel yn ei harholiadau mewnol ac allanol.

Doedd hi erioed wedi dychmygu fel merch fach y byddai ei ffantasi'n gofyn am y ffasiwn ddyfalbarhad ac ymroddiad na chwaith yn rhoi iddi'r fath foddhad dwfn a pharhaol.

Ac eto, y bore hwnnw, gyda'r wawr yn torri'n binc dros Fôr y Canoldir trwy'r drysau agored a arweiniai i'r balconi, a chyda Dr Andrew Scott yn gorwedd yn ddiniwed braf wrth ei hochor dan chwyrnu'n gysurlon fel rhyw gath fawr hunanfodlon, prin y gallai Mefina goelio'r modd roedd ei breuddwydion yn cael eu gwireddu.

Rhedodd ei bys ar hyd pren tywyll pen y gwely ac ymylon les y gobennydd, gan wylio bysedd heulwen y bore'n cosi cilfachau'r nenfwd rococo uchel uwch ei phen. Gwenodd gan binsio croen ei braich â'i hewinedd yn ddigon caled i frifo ac i adael marcyn coch. Oedd, mi oedd hi'n effro, ac roedd hyn yn digwydd go-iawn.

Cyffyrddodd eto â phren y gwely gan ochneidio'n fodlon. Mor wahanol oedd nodweddion y celficyn hwn i'r gwely yn ei llofft gartref yng Nghymru, mor wahanol hefyd i'r rhestl gul a chaled a elwid yn wely yn ei chell ddienaid yng nghartref y nyrsys. Dim ond rhywle i gysgu oedd y gwelyau hynny – ar aelwyd ei rhieni, rhywle i ddianc drwy ryddid ei breuddwydion; ac yng nghartref y nyrsys, rhywle i leddfu ychydig ar ludded y gwaith.

Ond swyddogaeth dra gwahanol oedd i'r dodrefnyn arbennig hwn lle y gorweddai yn awr. Trodd ei phen i edrych ar wynder cefn ei chariad. Gallai weld yr olion a adawyd gan ei hewinedd a'i bysedd y noson cynt wrth iddi geisio'i dynnu'n ddyfnach, ddyfnach i mewn iddi yn anterth y caru. Wrth ymgolli i rythmau eu serch, roedd fel pe bai'n clywed ac yn blasu unwaith eto holl naws y noson dyngedfennol honno bedwar mis yn ôl yng nghlwb y Drws Haearn lle y gwnaeth ei hantur fawr ddechrau.

Yn llonyddwch y bore mewn gwesty crand yn ne Ffrainc, dyma Mefina'n ceisio dwyn digwyddiadau'r noson honno i'w chof. Eto i gyd roedd talpiau helaeth ohoni ar goll ac roedd cysoni deunydd crai ac amrwd y noson honno a moethusrwydd anhygoel ei sefyllfa bresennol yn dipyn o gamp.

Gallai gofio'r sioc a'r dryswch o weld Dr. Scott yno yng nghanol y dorf o rocars ifanc. Cyn hynny, dim ond ar y wardiau roedd Mefina wedi'i weld o a doedd dim byd i wahaniaethu rhyngddo â'r meddygon eraill yn y fan honno. Tueddent i gyd i ymddangos yn drahaus, yn hunanbwysig, gan edrych ar y nyrsys, yn enwedig y rhai dan hyfforddiant, fel tasen nhw newydd sathru ar rywbeth anghynnes – ac yn sicr doedd Dr. Scott ddim yn eithriad yn hynny o beth.

Ond yn hollol ddirybudd y noson honno, dyna ble y safai Dr. Andrew Scott o'i blaen yn ei holl ogoniant golygus, mewn côt ledr yn lle ei gôt wen, gan edrych arni mewn ffordd a awgrymai ei fod yn ei gweld fel dynes o gig a gwaed am y tro cyntaf yn hytrach na fel rhyw forwyn ddi-sylw i redeg a rasio drosto ac i foesymgrymu ger ei fron. Yn wir, roedd yn edrych arni mewn ffordd hollol ddigywilydd, ei lygaid yn rhodio drosti'n werthfawrogol os nad yn farus. Doedd hi ddim yn siŵr a oedd hi'n hoffi'r math hwn o sylw ai peidio.

Gwridodd Teresa druan fel tomato, er na ddenodd 'run sylw manwl ganddo, a glaniodd rhyw ddeilen anffodus ar ei thafod wrth iddi geisio ei gyfarch.

"N-n-n-oswaith dda, D-d-doctor Scott. Y-m-m, ma'n rhaid i mi fynd i'r lle chwech." Tasgodd y rhan ola o'r frawddeg o'i cheg. Edrychodd Teresa'n wyllt ac yn lletchwith ar Mefina am gefnogaeth, ei llygaid mawr gwyrdd yn llawn braw ac ansicrwydd.

"O... iawn, iawn. Ddo i hefo chdi. Esgusodwch fi, Doctor."

Edrychai fel pe bai'r antur ar fin cael ei dryllio cyn cychwyn.

Ymgrymodd y doctor yn smala gan chwifio'i law'n llipa er mwyn arwyddo'r ffordd iddynt, wrth i'r ddwy anelu am y toiledau.

Pan ddychwelodd Mefina, roedd hi ar ei phen ei hun.

Roedd Teresa wedi'i throi hi a hynny yng nghwmni criw o genod roedd hi'n eu lled nabod gan eu bod nhw'n cerdded adra i'r un cyfeiriad â'r stryd lle'r oedd ei mam yn byw. Crefodd ar Mefina i ddod adre hefo hi. Ond doedd ar Mefina fawr o awydd gadael y miri mor fuan. Roedd Teresa druan yn argyhoeddedig mai dyna'r olaf a welai o'i ffrind yn fyw.

"Lle gwnei di gysgu?"

"Sesiwn drwy'r nos ydi hon, Teresa. Fa'ma fydda i tan amser brecwast, siŵr."

Doedd hi ddim eisiau swnio mor ddiamynedd ond yn anffodus dyna oedd effaith treulio gormod o amser yng nghwmni Teresa Byrne.

Wrth i'r genod eraill ddiflannu i'r nos bu'n rhaid i Teresa, a hithau bron yn ei dagrau erbyn hyn, adael ei ffrind i holl beryglon y sîn roc 'n rôl.

Teimlai Mefina gymaint yn fwy esmwyth, fel pe bai rhyw bwn mawr wedi'i godi oddi ar ei sgwyddau wedi i Teresa adael. Sleifiodd yn ôl i'r seler. Doedd dim sôn am Dr Scott.

Erbyn hanner nos, fodd bynnag, roedd Mefina hithau'n dechrau nogio a daeth rhyw bwl o banig drosti wrth feddwl sut byddai'n cyrraedd yr ysbyty ar ei phen ei hun trwy'r strydoedd tywyll, anghyfarwydd yn y gwynt a'r glaw. Yn wreiddiol, bwriad y ddwy oedd aros hefo mam Teresa. Roedd ganddynt ddeuddydd yn rhydd o'u dyletswyddau ac yn lle dychwelyd i Gymru, yn ôl ei harfer, roedd Mefina wedi penderfynu aros yn y ddinas – er y gwyddai y byddai hynny'n peri gofid mawr i'w mam, ac yn ergyd arall i Emlyn druan.

Gan na wyddai'n union lle'r oedd cartref mam Teresa, byddai'n rhaid iddi ddychwelyd i gartref y nyrsys a byddai hwnnw fatha Fort Knox yr adeg yma o'r nos. Câi ei gloi erbyn hanner awr wedi deg i bawb na chafodd ganiatâd i aros allan yn hwyr – sef tan un ar ddeg!

Dechreuodd Mefina feddwl falla mai syniad Teresa oedd y calla wedi'r cwbl, ond yn sydyn dyma Dr Scott yn ailymddangos wrth ei hochr. Cydiodd yn ysgafn yn ei braich gan roi'i geg yn agos iawn i'w chlust fel nad oedd rhaid iddo floeddio'n rhy gras wrth gystadlu â'r holl dwrw o'u cwmpas. Clywai Mefina dawch sigaréts ac alcohol yn llenwi'i phen ond doedd o ddim yn annifyr.

"Lle ma Nyrs Byrne?"

"Wedi mynd adre i aros hefo'i mam. Roedd hi wedi blino'n lân."

"Dach chi ddim wedi blino? Ma golwg felly arnoch chi."

"Wel, dach chi'n gwbod sut ma hi..."

Nodiodd y meddyg ac am y tro cyntaf gwelodd Mefina rywbeth yn y llygaid a hoffai. Empathi? Cydymdeimlad? Tynerwch? Rhywbeth amgenach na'r olwg ylwch-chi-fi roedd hi wedi'i sylwi arno ar y wardiau neu wrth iddo graffu arni'n ddigywilydd gynnau bach.

"Beth sydd angen arnoch chi, Nyrs Williams, ydi cyfle i gael ail wynt. Ma'r lle 'ma'n afiach. A does dim rhaid i chi fod yn feddyg i sylweddoli hynny."

"Ond dwi'n hoffi'r gerddoriaeth..."

"Beth? Cerddoriaeth dach chi'n galw hyn?"

"Ma'n neud i mi deimlo'n..."

Arhosodd Andrew iddi orffen y frawddeg, ond fel arfer roedd y geiriau ymhell o'i gafael rywsut, er y gwyddai eu bod nhw yno yn rhywle.

"Dewch!" gorchmynnodd y meddyg gan afael yn ei braich. Doedd hi ddim yn siŵr.

"Peidiwch â phoeni, Williams. Dwi ddim yn mynd i'ch sediwsio chi. Mynd i rywle ychydig yn fwy gwâr, dyna i gyd. Cewch lifft gen i i gartre'r nyrsys wedyn... Ma 'na ffyrdd o fynd i mewn wyddoch chi – heblaw am y drws ffrynt!"

Roedd hwn yn swnio'n gynnig gwerth chweil, felly er ei bod yn siomedig braidd wrth gefnu ar guriad y roc 'n rôl, casglodd ei chôt yn ddigon ufudd ac allan â nhw i'r nos a'r ddrycin.

Digon digyswllt a phytiog oedd ei hatgofion am bethau ar ôl hynny.

Gwyddai iddynt fynd i ryw glwb o'r enw y Blue rhywbeth neu'i gilydd. Clwb jazz oedd o ac Andrew yn amlwg yn hoff iawn o'i jazz ac fel pe bai ar delerau da gyda sawl un o'r perfformwyr yno.

Roedd niwloedd y cof yn dynn o amgylch cymaint o fanylion erbyn hynny ond gallai daeru bod pob un o'r merched a weithiai yno'n fronnoeth. Doedd hi ddim yn cofio llawer am y gerddoriaeth chwaith, ond doedd y jazz ddim yn cyffwrdd â hi fel y gwnaethai'r Merseybeat go-iawn. Rhyw gerddoriaeth i'r ymennydd rywsut – nid i'r corff cyfan.

Yfai Cinzano, am ei bod wedi gweld yr hysbyseb yn y sinema. Roedd yn eitha dymunol ond oherwydd nad oedd gan Mefina fawr o brofiad o yfed alcohol, yn fuan iawn dechreuodd golli'i gafael ar bethau a chyn bo hir roedd hi'n chwil beipan a'r stafell yn troelli fel carwsél a sŵn ei chwerthin aflafar ei hun yn atseinio yn ei phen.

Brith gof wedyn o fod mewn tacsi hefo Andrew ac yn llarpio cusanu'i gilydd ar y sedd gefn. Yna, roedd hi'n lled ymwybodol o gerdded yn simsan yng nghyffiniau cartref y nyrsys gydag Andrew yn ceisio'i chadw ar ei thraed. Lleisiau brysiog... baglu i lawr rhyw risiau a thrwy ystafelloedd du bitsh, gwegian yn y tywyllwch, gwres llethol sydyn a sŵn boeleri'n rhuo... nes syrthio'n bendramwnwgl dros bentwr o hen gadeiriau a'u sŵn yn diasbedain. Llais dyn wedyn yn dweud y drefn wrthi gan ei siarsio yn enw Iesu Grist a gweddill y teulu sanctaidd i fod yn ddistaw.

A'r peth nesa roedd hi rhwng dau olau a hithau'n rasio o'i llofft am y tŷ bach i chwydu a dim cweit yn cyrraedd mewn pryd. Roedd yr atgof yn codi pwys arni rŵan hyn ac anesmwythodd ar y gwely plu gan geisio gwyro'i meddwl oddi wrth y digwyddiad anffodus hwnnw. Trodd ar ei hochr gan wynebu cefn noeth ei chariad unwaith eto...

Drannoeth eu cyfarfyddiad cyntaf, roedd hi wedi tyngu llwon di-rif nad âi allan byth eto, nad yfai eto, na siarad hefo'r un doctor pa mor olygus neu gyfoethog bynnag fyddai...

I wneud pethau'n waeth, bu bron i Teresa alw'r heddlu gan na chyrhaeddodd ei ffrind dŷ ei mam ac nad oedd sôn amdani yn y clwb fore trannoeth. Yn ffodus, ffoniodd gartref y nyrsys cyn ffonio'r glas a rhywsut llwyddodd Mefina i gropian ei ffordd i lawr i dderbyn yr alwad o dan lygad barcud a chlust fain y porthor dydd a'i gwyliai'n ddrwgdybus. Ceisiodd argyhoeddi Teresa fod popeth yn iawn a thaeru iddi fod yn ei gwely erbyn hanner awr wedi deg y noson cynt, gan obeithio na fedrai'r porthor glywed ymateb anghrediniol Teresa ar ben arall y ffôn.

Swatiodd yn y gwely cul drwy'r dydd heb awydd na bwyd na chwmni na dim. Roedd ei dyddiau gwyllt ar ben. Byddai ei hymarweddiad mor ddiwair â lleian o hynny ymlaen. Byddai hi'n ymroi i dendio'r claf a'r anghenus, gan ddychwelyd i Gymru ac aros yn ddibriod am weddill ei dyddiau.

Ac wedyn daeth y blodau â'r nodyn gan Andrew.

Gobeithio eich bod yn iawn. Wedi mwynhau'r noson yn fawr. Ffoniwch fi 8781, Andrew.

Am donig! Ciliodd y cur pen, y bol bregus, chwalwyd yr iselder, drylliwyd y llwon diweirdeb oesol... Roedd y ffantasi'n dechrau egino o'r newydd ac roedd ei chwpan yn gorlifo...

— VII —

PAN WELODD DES O'Farrell Mefina Williams am y tro cyntaf, roedd ei gwydr, beth bynnag am ei chwpan, yn wag, ac roedd hi'n cael gormod o sylw gan ryw sglyfaeth o ddyn a hwnnw'n ddigon hen i fod yn daid iddi.

Doedd merched ar eu pennau eu hunain ddim yn un o nodweddion arferol tafarn yr Irish Packet. Byddai hyd yn oed y puteiniaid yn dueddol o gadw draw, gan ddewis rhodio'r strydoedd cyfagos yn hytrach na chroesi rhiniog y dafarn ei hun. Doedd dim golwg hwren ar hon chwaith, meddyliodd Des. A deud y gwir roedd hon yn bictiwr o hogan barchus, yn amlwg wedi cael un neu ddau'n ormod ac wedi crwydro o'i chynefin braidd.

"Esgusodwch fi, *miss*, ydi'r dyn yma'n eich poeni chi?"

"Pa ffycin fusnes ydi o i chdi, y cont Gwyddel?" oedd ymateb ffyrnig y sglyfaeth oedd yn poeni Mefina wrth iddo sleifio i'r cysgodion fel cranc i'w gragen. Dyn mawr, heini ei olwg oedd Des O'Farrell na fyddai neb call yn ei herio ar chwarae bach.

"Charming," meddai Des.

Gwenodd yr hogan yn wan arno, a gwelodd Des ei bod yn wirioneddol dlws. Safai'n lletchwith wedyn heb fod yn siŵr sut i fwrw ymlaen â'r sgwrs. O'r diwedd daeth ei natur gyfeillgar gynhenid i'w achub.

"Dydi hi ddim yn beth arferol gweld hogan ar ei phen ei hun yn fa'ma. Dydi o ddim bob amser yn lle braf iawn, 'sti... oni bai fod rhywun fatha fi o gwmpas, wrth gwrs!"

Yr un wên wantan, hanner ymddiheurol ond prin iddi godi'i llygaid o hyd.

Gwelodd Des ei gwydr gwag.

"Ga i brynu un arall i ti... ?"

Dim ateb – dim ond rhyw godi sgwyddau'n ddifater.

"O, wel, 'ta," meddai Des yn flin braidd gan droi i fynd.

"O, na... na, sori... do'n i ddim eisio bod yn rŵd."

Trodd Des yn ei ôl. Roedd hi wedi codi'i phen a golwg hynod edifeiriol ar ei hwyneb. Sylwodd fod ei llygaid almon, tywyll wedi'u cymylu â dagrau.

"Gymi di rywbath gen i, 'ta?" Daliai Des i swnio'n fwy pig nag oedd o erbyn hyn.

"O... ia... plîs... *scotch*... a mymryn o ddŵr... diolch."

Aeth Des at y bar i nôl y ddiod. Pan ddychwelodd, roedd Mefina wedi sionci ac fe groesawyd y ddiod a Des gan wên fawr gynhesol a lonnai galon y Gwyddel.

Eisteddodd Des gyferbyn â hi gan ymestyn pecyn o Players iddi. Cymerodd hi sigarét a'i thanio â leiter bach arian gan gynnig tân iddo yntau.

"Wel, *slàinte*," meddai gan godi'i beint yntau.

"Iechyd da – Cymraeg 'di hyn'na."

"Rwy'n gwbod. Ma 'na dipyn o Gymry'n yfed fan hyn. Bildars gan mwya. 'U clywed nhw'n siarad Cymraeg hefo'i gilydd. Wedi sgwrsio hefo ambell un 'fyd."

"O Iwerddon wyt ti'n dŵad?"

"A sut ar wyneb y ddaear wyddet ti hynny, sgwn i?" meddai dan wenu. Roedd Mefina'n hoffi'i wên; roedd ei holl wyneb yn ymagor a'i lygaid gleision gonest yn pefrio.

"Ia, o Iwerddon," aeth Des yn ei flaen. "O Derry," ychwanegodd.

"Yn y sowth ma fan'na, ia?"

"Naci, yn y gogledd... y Gogledd Du, chwedl rhai."

Bu tawelwch.

"Bach yn gynnar yn y dydd i ddynes ifanc yfed *scotch*, tydi?"

"Roedd angen rhywbath arna i."

"Trafferth hefo'r cariad?" mentrodd Des.

Chwarddodd Mefina a thynnu ar ei sigarét.

"Ia, rhywbath felly," meddai o'r diwedd.

"Ydi o werth o?" mentrodd ymhellach.

Edrychodd Mefina arno. Oedd hwn bach yn fwy hy na'i groeso, tybed? Ond gyda'r wisgi'n pylu unrhyw ddrwgdybiaeth, doedd fawr o otsh ganddi.

"Be 'di dy enw di?" gofynnodd Mefina gan chwythu mwg uwch ei phen.

"Des... Des O'Farrell... a chdi?"

"Mefina Williams."

"Me... Be, sori?"

"Mefina."

"Fel Maeve."

"Ie... wel, na... wel, dwi ddim yn gwbod."

"A be ti'n dda yn Lerpwl, Mefina Williams?"

"Nyrsio."

"Ia wir. Pa sbyty?"

"Y Southern yn Caryl Street."

"Taw â sôn. Tydw i'n gweithio yn union 'run lle?"

"O ddifri?"

"Fi sy'n 'ych cadw chi genod i gyd yn gynnes yn y nos... un o daniwrs y boeleri ydw i."

Roedd y cysylltiad wedi'i wneud. Digon o ddeunydd siarad wedyn. Llithrodd yr amser heibio. Yn sydyn, cipiodd Des ar ei wats.

"Iesu! Ma'n rhaid i mi throi hi. Ma'r shifft yn dechra ymhen chwarter awr."

"O, mi ddo i hefo chdi." Roedd ychydig o wisgi ar ôl yn ei gwydr ond penderfynodd ei adael. Doedd dim angen ychwaneg arni bellach. Teimlai wedi ymlacio, yn gynnes ac wrth ei bodd yng nghwmni ei ffrind newydd. Hefyd, doedd hi ddim yn hollol siŵr am y ffordd yn ôl. Yn fwriadol, roedd hi wedi cerdded tipyn o bellter o'r ysbyty cyn galw heibio ar ei mympwy mewn sawl tafarn wahanol.

Wrth ei hebrwng i gyfeiriad yr ysbyty, gofynnodd Des:

"Pwy ydi'r cariad 'ma, 'te?"

"O, neb." Doedd hi ddim eisiau datgelu mai Dr Scott oedd dan sylw. Roedd Andrew wedi mynnu, beth bynnag, na ddylai hi yngan yr un gair wrth neb amdanynt ill dau fel 'eitem', gan na fyddai'n gwneud lles i'r un ohonynt yn broffesiynol.

"Yn ôl yng Nghymru mae o?"

"Rwyt ti'n licio busnesa, dw't?" meddai Mefina gan bwnio'i fraich. Gafaelodd yn ei llaw am ennyd fach fer ac yna ei gollwng.

"Ma hynny yn y teulu… pawb eisio gwbod busnes pawb… 'nenwedig pobol 'dan ni'n 'u licio." Cipolwg ar Mefina i asesu'i hymateb.

Er i'r teimlad cynnes braf yn ei bol gael ei atgyfnerthu gan y fflyrtian hyfryd yma, cymerodd Mefina arni ei bod heb sylwi.

"Ma 'na rywun yng Nghymru," meddai hi ar ôl sbel. "Hen gariad ydi o… ond mae o'n gwrthod derbyn hynny."

"Ma wedi ca'l ail go hegar, ddeudwn i." Cipiodd Des arni eto. Dim ymateb o hyd. "Beth oedd yn bod hefo fo?"

"Dim."

"Dim byd?"

"Ma o'n annwyl iawn," meddai'n dawel. "Ma o'n

genedlaetholwr," ychwanegodd fel pe bai hynny'n esbonio popeth.

"Ac felly? Dw inna'n genedlaetholwr."

Gwridodd Mefina. Nid dyna oedd ganddi hi'n union. Y geiriau'n dod allan yn rong fel arfer.

"Wel, dydi o ddim yn licio bo fi yma yn Lerpwl... oherwydd Tryweryn."

"Oherwydd be?"

"Tryweryn. Y cwm ma Lerpwl yn mynd 'i foddi i ga'l dŵr."

"O, mi welais rywbeth yn y papur. Druan o'r bobol bach sy'n byw yn y pentre 'na. Ond fel 'na ma'r Sais."

Erbyn hyn roedden nhw wedi cyrraedd yr ysbyty.

"Wel, diolch am dy gwmni... a'r ddiod," meddai Mefina.

"A diolch i titha am oleuo hen brynhawn tywyll i Wyddel bach alltud. Pryd wela i di eto?"

"O... o gwmpas, ma'n siŵr."

"Gwna'n siŵr o 'ny, nei di? Yli, rhaid i mi 'i throi hi." Rhoes ei law ar ei braich ac i ffwrdd ag o i gyfeiriad y boeleri.

Ni ddywedodd Mefina'r un gair. Roedd ei meddwl yn rhy llawn.

— VIII —

Y NOSON HONNO, wrth droi a throsi yn ei gwely cul gyda chlustog cyfforddus, a wisgi'r prynhawn bellach wedi troi'n lwmp o ben mawr diflas, ceisiodd Mefina ddidoli'r meddyliau a'r teimladau a oedd erbyn hyn yn bygwth arwain at noson arall ddi-gwsg.

Daeth post y bore hwnnw â llond sach o ofidiau newydd iddi.

Yn gyntaf, cafodd lythyr gan ei mam yn ei hysbysu nad oedd iechyd ei thad yn arbennig a'i fod bellach yn gorfod ystyried rhoi'r gorau i'w waith gyda'r awgrym cynnil efallai mai lle Mefina ddylai fod adra'n helpu'i mam i ofalu am ei thad. Roedd yr awgrym wedi'i llenwi ag arswyd. Gwelai'r gawell fach â'i drws yn agored yn ei galw'n ôl. Fedrai hi byth...

Oddi wrth Emlyn y daeth yr ail lythyr; llith drwchus fel arfer – deuent unwaith y mis yn ddi-ffael ers iddi ddechrau ei hyfforddiant – yn ei lawysgrifen fân, ddestlus, yn datgan ei siom nad oedd wedi'i gweld ers cyhyd a'r ffaith nad oedd hi bron byth yn ateb ei lythyrau erbyn hyn. Âi ati i sôn am iselder cynyddol ei nain ac wedyn roedd y ddwy dudalen olaf yn cyfeirio at y 'dicter cynyddol yn y wlad' yn erbyn trais Corfforaeth Lerpwl, 'brad ein harweinwyr'... 'ysbryd cachgïaidd y genedl'... gadawodd Mefina y dudalen olaf heb ei darllen.

Nid nad oedd ganddi ddiddordeb yn y dadleuon gwleidyddol yn sgil y digwyddiadau diweddar yn ei bywyd, a oedd wedi lliwio'i barn o'r newydd braidd. Cyrhaeddodd yr holl ohebiaeth hon o Gymru ar adeg pan gafodd ei hoptimistiaeth ynglŷn â'i dyfodol gydag Andrew ei sigo, ac yn wir pan oedd ei theimladau tuag ato'n ddigon bregus.

Doedd ganddi mo'r nerth ar y funud i ddelio â chwanag o bwysau na chymhlethdodau emosiynol.

O'r cychwyn cyntaf yn eu perthynas, testun hwyl i Andrew fuasai Cymreictod Mefina.

Dim byd maleisus, dim byd mwy na phryfocio bach diniwed fan hyn a fan draw falla – gwatwar acen a'r llithriadau yn ei Saesneg, sôn am law diderfyn a'r niferoedd brawychus o ddefaid ar fynyddoedd llwm ac anhyfryd ei mamwlad.

A, wir yr, doedd dim ots ganddi. Roedd hi'n rhy hapus yn ei gwmni, yn mwynhau'r hwyl a'r holl fwythau fel nad oedd hyd yn oed yn sylwi ar ei eiriau amwys ansensitif. Pam poeni am ryw gellwair ysgafn pan oedd ganddi gariad a oedd yn ymddwyn mor hael, mor ystyrlon ac mor gariadus tuag ati mewn cymaint o ffyrdd?

Y tro cynta i'r chwarae droi'n chwerw braidd oedd yn Ffrainc ar eu ffordd i lawr i Nice, a hwythau'n powlio'n braf trwy gefn gwlad godidog y Languedoc-Roussillon yn y Sunbeam Rapier glas golau newydd sbon danlli â'r to clwt ar agor. Cofiai Mefina sut roedd ei gwallt lliw-cae-ŷd yn llifo yn y gwynt, ei llygaid ynghau, gwres yr haul yn mwytho ei hwyneb... yn sydyn dyma Andrew yn brecio'n galed, a'r teiars yn sgrialu ar y lôn lychlyd.

"Be sy'n bod?" gofynnodd Mefina mewn braw wrth agor ei llygaid gan ddisgwyl gweld car arall yn dod amdanynt neu'r Sunbeam ar y dibyn uwchben un o'r ceunentydd dramatig a redai'n gyfochrog â'r lôn.

Roedd Andrew eisoes wedi newid gêr a'r car yn bacio'n wyllt i le'r eisteddai hen ddyn mewn het wellt cantel llydan ar ochr y ffordd yn hel breuddwydion yn haul y bore.

"Dwi'n meddwl i mi gymryd y troad anghywir. Cer i ofyn i'r

hen foi 'na ai hon ydi'r ffordd i Nice."

"O... dwi ddim yn medru siarad Ffrangeg," baglodd Mefina. "Mi wnes i Gymraeg yn lle Ffrangeg yn yr ysgol, yli."

"Be?"

"Roedd 'na ddewis rhwng Cymraeg a Ffrangeg. Mi oedd yn well gen i ddewis neud Cymraeg..."

"Am ddewis gwirion! Chlywais i erioed y fath beth. Bydd yn rhaid i mi dy wareiddio di, mi alla i weld."

Swniai fel pe bai'n cellwair ac eto i gyd roedd yna ryw ddirmyg yn ei lygaid ac yn nhraw ei lais, efallai, a oedd yn peri iddi anesmwytho ychydig.

Erbyn hyn roedd yr hen ddyn wedi codi ar ei draed ac wrthi'n cerdded yn herciog tuag atynt gan lygadu'n edmygus y cerbyd yn ogystal â chydymaith lluniaidd y gŵr ifanc wrth y llyw. Roedd teithi ei wyneb rhychiog yn atgoffa Mefina o gymydog i'w modryb yng Nghwm Nantcol erstalwm. Gwenodd yn swil arno gan fwmian rhyw "helô" bach brysiog. Lledodd gwên lydan, ddiddannedd dros yr wyneb rhadlon, a daeth o gwmpas y car gan sefyll mor agos ag y gallai ati heb roi fawr o sylw i Andrew.

Roedd Andrew fel pe bai'n anghymeradwyo'r agosatrwydd annisgwyl yma. Dechreuodd siarad yn Ffrangeg, yn amlwg yn dangos ei hun o flaen Mefina. Yn anffodus, atebodd yr hen ddyn yn Ocitaneg, yr iaith frodorol, a doedd Andrew ddim callach ynglŷn â'r ffordd i Nice.

Yn chwyrn, gyrrodd ymaith yn ffwr-bwt â chroen ei din yn sownd ar ei dalcen – heb ddweud yr un gair o ddiolch wrth y dyn a ddaliai i wenu'n fendithiol ar Mefina gan godi llaw arni wrth iddi ddiflannu rownd y tro nesa yn y lôn.

"Oeddet ti ddim yn gallu 'i ddeall o?" gofynnodd Mefina'n ddiniwed gan danio'r powdr du.

Am ryw hanner munud lloerig ar ôl hynny, dyma Andrew'n

dechrau lambastio Mefina, gan gwyno'n arw am ddiffyg gwerth a natur anachronistig y Gymraeg a'r angen i Mefina gefnu, a hynny'n "*pretty damn quick*", ar ei harfer o siarad y fath erthyl ansoniarus o iaith mewn cwmni gwâr – cyhuddiad hollol hurt ac amherthnasol heb fymryn o sail na diben iddo.

Roedd hyn yn sioc i Mefina ac yn ergyd enfawr i'w hyder. Doedd hi ddim yn gwybod sut i'w hamddiffyn ei hun – dylasai fod wedi gwrando'n fwy astud ar wersi hanes Emlyn. Doedd hi erioed cyn hynny wedi cael profiad o ymosodiad fel hyn ar ei Chymreictod. Doedd hi erioed wedi gorfod hyd yn oed meddwl am ei Chymreictod o'r blaen.

Aeth hi'n dawel a gwyddai Andrew yn syth ei fod rywsut wedi tramgwyddo'n arw wrth fethu â ffrwyno'i dymer. Bu'n ddigon call i ymddiheuro am ei ymosodiad geiriol.

Serch y ffrwydrad anffodus hwn, bu'r gwyliau yn Ffrainc fel arall yn llwyddiant mawr; yn gyfnod bythgofiadwy gan ddod â'r ddau'n nes at ei gilydd mewn sawl ffordd. Roedd yna adegau pan deimlai Mefina y byddai hi'n byrstio mewn hapusrwydd. Ond ni allai lwyr anghofio ei eiriau ar y ffordd i Nice. Roedd yn cnoi fel pryfyn ym mhren ei hisymwybod, yn gosfa annifyr nad oedd byth yn gadael llonydd iddi'n gyfan gwbl.

Wnaeth yr un o'r ddau gyfeirio at Gymru na'r Gymraeg drwy gydol gweddill y gwyliau nac am sbel hir ar ôl hynny – y ddau'n amlwg yn osgoi'r testun er mwyn mwynhau'r pethau gorau. Am y tro roedd Mefina'n fodlon peidio â chodi'r grachen gan ymgolli ym mhleserau ei pherthynas â'r meddyg cyfoethog, golygus – ond eto dyma faen tramgwydd pendant a allai ddryllio'u carwriaeth.

Ychydig fisoedd yn ddiweddarach pan ofynnodd Andrew iddi ei briodi, ciliodd yr amheuon am ei agwedd tuag at ei Chymreictod. Roedd yn amlwg bod y dyn yn ei charu, meddyliodd, ac er bod ei gynnig unwaith eto'n rhoi dyfodol ei gyrfa fel nyrs yn y fantol, roedd yr amgylchiadau'n wahanol iawn o'u cymharu â'r tro cynt. Felly derbyniodd Mefina'r cynnig yn llawen.

"Bydd yn rhaid i ti gwrdd â Mam a 'Nhad..." Roedd Andrew ar ben ei ddigon fel ci â dwy gynffon.

A dyna pryd y dechreuodd y gofidiau gronni o'r newydd. Ni allai Mefina ddychmygu mynd ag Andrew i gwrdd â'i rhieni. Sut byddai'i theulu hi'n gallu fforddio cael priodas a fyddai'n ddigon crand i deulu meddyg mor gyfoethog?

Suddodd calon Mefina ymhellach byth wrth gyrraedd cartref Norman a Muriel Scott ar Meols Drive yn Hoylake – clamp o blasty yn cefnu ar y cwrs golff.

"Ma pum bathrwm gynnon ni," cyhoeddodd Andrew yn ddigon ffwrdd-â-hi wrth i Mefina edrych yn gegrwth ofidus drwy'r gwyll ar dalcen mawreddog y tŷ a'i orchudd o eiddew tywyll.

Cofiai iddi ofyn i Andrew yn eitha buan ar ôl iddyn nhw gwrdd â'i gilydd beth oedd gwaith ei dad.

"Rhywbeth hefo'r Bwrdd Dŵr," oedd ei ateb, ac roedd Mefina wedi cymryd mai rhyw fath o reolwr rhanbarthol oedd o yn hytrach na labrwr fel y bu'i thad hithau erstalwm, ond roedd crandrwydd yr anhedd-dy hwn yn awgrymu ei fod yn rhywbeth amgenach o lawer na rheolwr bach cyffredin.

"Paid â bod yn ofnus, Meffs," meddai Andrew wrth weld ei gariad mor anghysurus. "Pobol â'u traed yn ddigon solet ar y ddaear ydyn nhw, gei di weld."

Ac roedd yn llygad ei le. Fe'i croesawyd yn gynnes ac yn ddiffuant gan fam a thad Andrew. Roedd eu hacenion a'u hagwedd anffurfiol yn awgrymu eu bod yn hanu o gefndir digon cyffredin a di-lol.

"Beth ydi gwaith dy dad di, cariad?" holodd Norman.

Cymerodd Mefina anadl ddofn cyn ateb.

"Plymar," meddai gan deimlo'r gwrid ar ei bochau.

"Wel, taw â sôn! Dyna sut y dechreuais inna," bloeddiodd Norman yn gyffro i gyd. "Yn brentis pedair ar ddeg oed gyda chwmni adeiladu yn Fazakerley."

Roedd y rhyddhad yn torri drosti.

"A be am dy fam, Mefina?" gofynnodd Muriel.

"Gwaith siop a... a buodd hi'n howscipar i'n hen weinidog ni am sbel."

"Ma hi'n cadw'n ddigon prysur, 'te," meddai, yn amlwg yn gyfarwydd â'r math yna o waith a heb rithyn o ragfarn yn ei erbyn.

Llonnodd Mefina drwyddi. Er bod y syniad o'r cyfarfod rhwng ei rhieni hithau a rhieni ei darpar ŵr yn dal i deimlo'n hollol afreal, efallai na fyddai mor anghymharus ag roedd hi wedi ei ofni.

Yn wir, wrth lymeitian sieri melys yn yr ystafell fyw eang a gwres o'r lle tân brics coch yn lapio'n groesawus amdani, ac wrth i Norman a Muriel edrych arni fel rhyw fath o *Wunderkind*, teimlai'i chariad tuag at eu mab, yn wir atynt hwy fel teulu, yn codi'n uwch ac yn uwch.

Dyma bobl a oedd wedi gweithio'n galed i gael eu tŷ crand a'u holl drugareddau ffansi, meddyliodd, ac wedi anfon eu hunig fab i'r ysgolion gorau a'i helpu trwy'r coleg. Pam na allai ei rhieni hi fod wedi gwneud yr un ymdrech?

Dychrynodd braidd pan eisteddodd wrth y bwrdd mahogani enfawr yn yr ystafell fwyta â'i llenni melfed a'i charped moethus. Welsai hi erioed gymaint o gyllyll a ffyrc a llwyau hefo'i gilydd yn ei dydd, wedi'u trefnu fel offer llawfeddyg o boptu i'w phlât. Sylwodd Norman ar ei hansicrwydd:

"Paid â phoeni, dol," meddai gan wincio. "Hi acw sy'n

mopio hefo'r holl drimins 'ma. Dwi rioed wedi'u deall nhw chwaith. Twrcha iddi hefo beth bynnag ddaw i law."

Roedd y bwyd yn eithriadol flasus. Llanwyd ei gwydr gwin crisial droeon â gwinoedd gwahanol a daeth rhyw deimlad pleserus drosti. Ciliodd pob blinder a thyndra a llaciodd ei thafod.

Edrychai ar Andrew dros y bwrdd... 'randros, roedd o mor olygus. Ceisiodd ddal ei lygad ond roedd golwg synfyfyriol arno heno ac weithiau pan siaradai hi byddai Andrew fel pe bai'n canolbwyntio ar gynnwys ei blât... na, dychmygu oedd hi. Daliodd ei lygad a gwelodd eto'r olwg llawn cydymdeimlad a oedd wedi apelio cymaint ati y noson gyntaf honno yn y clwb. Gwenodd a thybiodd iddo yntau wneud yr un fath cyn synfyfyrio dros gynnwys ei wydraid gwin.

Mae'r olwg 'na'n ei siwtio fo, penderfynodd Mefina... yn peri iddo edrych hyd yn oed yn fwy deniadol. Dechreuodd ei meddwl grwydro'n ddigywilydd i atgofion cynhyrfus a dyheadau'r cnawd.

Roedd eu hystafelloedd ar ddau wahanol lawr. Byddai'n rhaid iddi fynd ato rywsut neu iddo fo ddod ati hi. Fedrai hi ddim para drwy'r nos hebddo. Yn llun ei meddwl gallai ei gweld ei hun yn baglu trwy'r tŷ yn ei choban yn chwilio'n ofer mewn bathrwms gwag dirifedi am ei chariad. Cael hyd iddo wedyn mewn gwely mawr pedwar postyn lle y byddent yn caru a chysgu nes i fysedd y wawr ei deffro er mwyn iddi ddychwelyd i'w phriod stafell heb i Norman na Muriel amau dim.

Wrth gynnig rhagor o goffi o'r pot Royal Doulton, sylwodd Muriel ar y wên gyfrin ar wyneb Mefina.

Fyddai'r rhain ddim ar wahân am yn hir heno, meddyliodd.

— IX —

"PA MOR BELL wyt ti'n byw o Drywelyn, 'ta?" Roedd y cwestiwn mor annisgwyl y cwbl fedrai Mefina ei wneud oedd syllu'n hurt ar wyneb caredig Norman Scott.

"Ti'n gwybod," anogodd, "y cwm lle caiff y gronfa ddŵr ei chodi – ger y Bala. Dwi wedi bod yn ymgynghorydd i bwyllgor dŵr y Cyngor ti'n gweld. Ma Tryweryn wedi mynd â thipyn o'm hamser i'n ddiweddar."

Be sy mor arbennig am y blydi lle 'ma, meddyliodd Mefina wrth deimlo'r cymylau pinc yn cael eu chwalu o'i chwmpas, gan fod pawb eisiau sôn am Drywelyn?

"Dwi'n byw'n eitha pell o'r Bala. Dwi ddim yn siŵr lle ma Tryweryn a deud y gwir wrthach chi." Wel, roedd hynny'n wir hyd at gwpl o flynyddoedd yn ôl beth bynnag.

"Ro'n i'n meddwl falla dy fod ti'n un o'r cenedlaetholwyr Cymreig 'ma sy ddim eisio i ni gael dŵr yn Lerpwl."

"O, na!" ebychodd Mefina. Fyddai hi byth eisiau i neb fynd heb ddŵr.

"Dwi ddim yn siŵr pam bod cymaint o helynt am y cwm. Diffeithwch o le ydi o. Dwi 'di bod 'na. Ond ma hi'r un fath bob tro ma sôn am gael dŵr o Gymru – Glyn Ceiriog, Dolanog – rhyw rincian dannedd a phobol y capeli'n ein cyhuddo ni o bechu yn erbyn hyn a'r llall. Mi fasech chi'n meddwl ein bod ni'n sôn am godi cronfa wisgi neu rwbath y ffordd ma nhw'n siarad." Chwarddodd yn gras ar ben ei jôc ei hun.

Edrychai Mefina'n syth o'i blaen heb wybod beth i'w ddweud na beth i'w wneud. Trodd ei phen ychydig i weld sut roedd ei dyweddi'n ymateb i'r ymosodiad di-alw-amdano ar famwlad ei ddarpar wraig. Roedd Andrew newydd godi copi o'r *Daily Telegraph* ac wrthi'n ymaflyd â'i dudalennau anhylaw. Ar ôl cael trefn arnynt, dyma fo'n ymgolli yn ffigurau'r farchnad stoc, ei gefn fel pe bai wedi troi braidd oddi wrth Mefina.

Gwelodd Mefina ei bod hi ar ei phen ei hun bellach. Teimlai anobaith yn cripian drwyddi. Be allai hi ei ddweud?

"Ond bydd pobol yn colli'u cartrefi..." mentrodd o'r diwedd, "ac ma'n nhw yno ers cannoedd o flynyddoedd." Swniai'i llais yn rhyfedd yn ei chlustiau.

"Faint o bobol ydan ni'n sôn amdanyn nhw mewn difri? Rhyw saith deg neu rywbath tebyg. Mi welais i nhw pan ddaethon nhw yma i brotestio. Y pentre cyfa. Bechod! Ro'n i'n teimlo drostyn nhw. Paid â 'nghamddeall i rŵan, cariad. Fyswn i fy hun ddim eisio colli'r cartra 'ma. Na faswn, wir. Wedi gweithio'n ddigon caled i'w gael o. Ond roedden nhw'n hollol ar goll rywsût, fel rhywbeth o'r oes o'r blaen. 'Your Homes Are Safe. Save Ours. We beg you not to drown our homes...'" meddai'n watwarus.

Ochneidiodd gan ysgwyd ei ben yn nawddoglyd. "Ia, yn wir, piti mawr drostyn nhw, cofia. Yn canu emynau fel san nhw adra yn y capal. Pobl gerddorol iawn, ynte? Ond cynnydd ydi o, Mefina. Cynnydd. Sdim modd troi'r cloc yn ôl. Ma'r ddinas 'ma'n haeddu gwell. Wedi'i chael hi'n o hegar trwy adag y rhyfel ac ers hynny. Wyt ti'n gweld be ydw i'n 'i ddweud wrthat ti?"

Y cwbl welai Mefina oedd bod Norman hyd yn oed yn fwy meddw na hi. Yn ei law daliai wydraid mawr crisial o wisgi, a phob tro y byddai'n pwysleisio'i ddadl codai'r llaw a ddaliai'r gwydr nes bod y cynnwys yn slochian o ochr i ochr fel pe bai ryw dymestl fach ynddo.

"Tir sâl ar y naw sydd yno hefyd. Does neb eisio crafu bywoliaeth mewn rhyw anialdir fel 'na y dyddia hyn. Bydd pawb yn cael eu symud i dai cyngor clyd hefo trydan a..."

"Ie, ond dach chi ddim yn medru ffermio mewn tŷ cyngor," torrodd Mefina ar ei draws. "Sdim ffermydd newydd ar 'u cyfar nhw, nag oes?"

Bu saib bach. Dyma Andrew yn rhoi'r papur heibio wedi'i fodloni gan ragolygon y farchnad. Cipiodd ar ei wats.

"Dwi'n meddwl a' i â'r ast am dro bach," meddai gan ymestyn ei freichiau uwch ei ben a chlecian ei fysedd. Cododd ar ei draed heb edrych ar Mefina:

"Ty'd mlaen, Josephine!"

Yn syth, cynhyrfodd y sbaengi lliw iau a fu'n gorwedd yn ddifywyd ar y mat o flaen y tân gan ruthro o'r stafell cyn dychwelyd mewn chwinciad â thennyn lledr rhwng ei genau.

"O, clyfar 'te," meddai Mefina gan obeithio mai Josephine fyddai'i hachubiaeth.

"Dim ond naw o blant sy yn yr ysgol..." roedd Norman yn dal ar ben ei geffyl.

Cysylltodd Andrew y tennyn â choler Josephine ac i ffwrdd ag o, ag ewinedd y sbaengi'n clecian ar lawr *parquet* y cyntedd.

Syllai Mefina ar eu holau'n anghrediniol.

"Wyt ti'n gwybod faint o bobol fydd yn gorfod symud cyn iddyn nhw orffen argae Aswan yn yr Aifft?"

Unwaith eto syllodd Mefina o'i blaen heb ddweud yr un gair. Doedd ffeithiau o'r fath ddim ar flaenau'i bysedd.

"Dwi ddim yn gwbod," crawciodd o'r diwedd, ei llwnc yn hollol sych erbyn hyn.

"Dyfala!" gorchmynnodd Norman â'i drwyn yn y wisgi unwaith eto.

"Cant..." cynigiodd Mefina mewn anobaith.

"Faint!" bloeddiodd yn hanner codi o'i gadair ledr wrth y tân.

"Mil, hwyrach..."

"Naw deg o filoedd, 'y mechan i. A bydd safleoedd archeolegol pwysig yn cael eu colli i ni am byth. Wrth gwrs, bydd y manteision yn amhrisiadwy – trydan i bawb, a ffordd o reoli llifogydd... rhyw bwll hwyaid di-nod ydi Tryweryn o'i gymharu. Ond os wyt ti'n credu'r papurau a rhai o'r cenedlaetholwyr faset ti'n taeru bod Dydd y Farn ar ddod... O damia'n las!..." Roedd moryn o wisgi wedi dianc o'r gwydr gan faeddu'i grys.

Hwrê, meddyliodd Mefina.

Roedd Muriel ar ei thraed yn syth i achub y sefyllfa.

"O, cer o 'na, ddynes. Paid â ffysian. Blydi hel!... Gobeithio fyddi di, Mefina, ddim yn ffysian fel hyn pan fyddi di'n briod ag Andy druan... Dos o 'na, ti fatha â blydi pry am dwll din ceffyl."

"Ond..." dechreuodd Mefina. Roedd Norman a Muriel yn rhy brysur yn ffraeo wrth ddelio â sgil-effeithiau'r dilyw o wisgi. Llyncodd Mefina'n galed gan roi cynnig arall arni.

"Ond hwyrach dylai pobol yn Lloegr ddim bod mor hy â dwyn adnoddau o Gymru... heb ofyn yn iawn, ynte?" Byddai Emlyn yn falch ohoni. Pe na bai hi ond yn gallu cofio rhagor o'r pethau y byddai'n eu cynnwys yn ei lythyrau.

"Dwyn!... 'Na ddigon, ddynes. Gad lonydd i mi."

Ciliodd Muriel yn ôl i'w chadair.

"Dwyn, ddywedaist ti? Dwyn?" Edrychai arni fel pe bai hi wedi cyhuddo'i nain o losgach. "Gwranda di, 'mechan i, 'dan ni wedi dilyn llythyren y ddeddf yn y mater yma. Ma'ch cynghorau lleol chi o'n plaid ni a dim ond llond dwrn o benboethiaid sydd yn ein herbyn... a dwi ddim yn sôn am y bobol sy'n byw ar y tir sy'n mynd i gael ei foddi – dydi hi 'mond yn naturiol 'u bod nhw'n teimlo'n flin ac yn drist... Na, sôn ydw i am y cenedlaetholwyr melltith 'ma. Mi oedd hi yr un fath yn yr Aifft.

Pwy gododd argae gynta Aswan? Hmm? Wel, ni, wrth gwrs. Ac wedyn daeth y bastad Nasser 'na... Rŵan y blydi Commies sydd wrthi'n 'i chodi hi ac yn rhedeg y sioe i gyd..."

"Diwedd mawr, ai dyna'r amser?" Ceisiodd Muriel yn ofer i roi taw ar y brygowthan annifyr.

"Ni sy wedi rhoi popeth o werth i'r byd. Prydain Fawr. Ac yna be ma'r blydi wogs yn 'i wneud? Y diawliaid bach anniolchgar yn troi rownd ac yn 'n cyhuddo ni o ddwyn. Dwyn? Mi welais i ddwyn pan o'n i yno yn y rhyfel. Dwyn y trôns o dan dy din di, myn uffarn!"

Erbyn hyn roedd Mefina'n gallu gweld o ble y deuai'r min blin ar gymeriad Andrew, a'r ymffrost a'r traha a welsai ar wahanol adegau ers iddynt ddechrau canlyn.

Y ddihangfa orau am y tro oedd ei hesgusodi'i hun i fynd i'r tŷ bach, lle bu'n sâl. Erbyn iddi ymdwtio a dychwelyd i'r stafell fyw roedd Norman, diolch i'r drefn, wedi gadael a Muriel yn sôn am wneud poteli dŵr poeth i bawb. Doedd dim sôn am Andrew.

Y noson honno doedd neb yn ymbalfalu ar hyd y coridorau tywyll ar drywydd serch a chysur y cnawd. Ar ôl cerdded yr ast, cysgai'r Dr Andrew Scott gwsg y cyfiawn gan freuddwydio am sefydlu practis preifat yn y flwyddyn newydd. Ar lawr uchaf ei blasty bach, chwyrnai Norman Scott mewn cystadleuaeth deilwng â hwteri'r Merswy gan freuddwydio breuddwydion llawn jingo a jin. Gwrandawai Muriel arno o'i hystafell hi drws nesa, ei breuddwydion hi wedi hen fynd yn hesb.

Yn effro hefyd yn ystod y rhan fwyaf o'r nos bu Mefina, yn llawn pryder a siom. Allai hi byth ddychmygu ei dyfodol a hwnnw ynghlwm wrth y teulu 'ma. Roedd y ffantasi'n diflannu fel tywod trwy'i bysedd. Pan syrthiodd i gysgu o'r diwedd, mynyddoedd gogledd Meirion a lenwai'i breuddwydion hi ac, am unwaith, bu hyn yn falm i'w hysbryd briw.

— X —

1962

BU'R BLYNYDDOEDD TRA oedd Mefina yn Lerpwl yn rhai anodd i Emlyn. Arhosai digwyddiadau'r haf gogoneddus hwnnw cyn iddi fynd i ffwrdd yn fyw yn ei gof. Ddydd a nos fe'i plagiwyd gan yr un delweddau ohoni, yr un siom chwerw, yr un hen gnofa yn ei ben a'i fol, yr un ysfa anniwall yn ei afl.

Daliai i obeithio.

Gallai, fe allai faddau iddi am ddewis Lerpwl fel dinas ac ysbyty ar gyfer ei hyfforddiant, ac felly penderfynodd Emlyn, er mor anwadal yr ystyriai ei hymddygiad tuag ato, y byddai'n aros yn hollol driw a ffyddlon, yn siampl gadarn iddi tra byddai hi i ffwrdd. Yn y pen draw, wrth gwrs, byddai hi'n sylweddoli pa mor gyfeiliornus y bu ei phenderfyniad wrth ymwrthod â'i gynnig i'w phriodi a byddai'n dychwelyd, wedi'i chymhwyso'n nyrs, debyg iawn, ac yn barod i setlo i lawr hefo fo.

"Dwi ddim isio i chdi ddod i'r stesion hefo fi," meddai Mefina'n nerfus a heb edrych yn iawn arno – hyn ar ddechrau ei hwythnos olaf cyn ymadael â'r fro. Roeddent yn cerdded mewn distawrwydd lletchwith trwy'r coedydd uwchben afon Dwyryd, a rhwd yr hydref yn dechrau staenio'r dail ar ôl tywydd crasboeth yr haf. Roeddent heb gymaint â dal dwylo ers y ffrae fawr, ac roedd pob sgwrs rhyngddynt yn llafurus ac yn feichus.

Derbyniodd Emlyn ergyd geiriau Mefina'n dawel a digynnwrf.

"Dim isio i ti 'ngweld i'n crio," meddai Mefina dan fflachio gwên fach swil iddo.

"Ro'n i'n meddwl bo chdi 'mond yn rhy falch o ganu'n iach

i'r hen ardal," awgrymodd Emlyn yn ddiwenwyn.

"O, naci. Ma 'na betha fydda i'n 'u colli, 'sti," meddai'n dawel gan edrych arno am ennyd hir.

Cymerodd Emlyn gysur mawr o'r edrychiad hwnnw yn y misoedd wedi iddi adael. Bron i dair blynedd yn ddiweddarach, hyd yn oed, daliai i glywed y geiriau hyn a'u holl addewidion yn glir yn ei ben. Amynedd oedd biau hi… dyna i gyd.

Ond eleni roedd yr amheuon yn dechrau corddi o'r newydd. Pan aeth hi i ffwrdd gyntaf roedden nhw wedi gweld ei gilydd sawl gwaith bob tro y deuai adre. Cyfarfodydd digon diniwed heb lawer o angerdd ond eto i gyd yn rhai cyfeillgar iawn. Teimlai Emlyn eu bod yn llwyddo i gadw rhyw fflam fach ynghynn gan sicrhau nad oedd yr hen aelwyd hon byth yn oeri'n gyfan gwbl, felly mater cymharol hawdd fyddai ailgynnau'r tân ar ryw adeg.

Roedd hefyd wedi cael ambell lythyr byr ganddi a cherdyn post o Blackpool un tro, heb sôn am gardiau Nadolig a phen-blwydd. Rhagor o dystiolaeth i ategu at ei obeithion.

Ac wedyn, tua saith i wyth mis yn ôl, yn ddirybudd, roedd pethau wedi tawelu'n sydyn. Doedd dim sôn amdani'n dod adre i weld ei theulu. Cafodd Emlyn achlust bod mam Mefina'n cwyno'n arw am hyn, a bod ei thad wedi cael ambell bwl cas ac yn debygol o gael ei orfodi i roi'r gorau i'w waith.

Pan glywodd Emlyn y newyddion hynny, llamodd ei galon. Byddai'n rhaid iddi ddod adre i helpu ei mam i ofalu amdano a hithau wedi'i hyfforddi'n nyrs… Dyna oedd y peth mwya naturiol iddi'i wneud.

Ond doedd dim sôn amdani. Daliai yntau i ysgrifennu llythyr hir bob mis; ond erbyn hyn gwyddai mai ofer oedd disgwyl ymateb. Roedd yn gallu dyfalu pam ond doedd o ddim wedi rhag-weld y gwir reswm; roedd y genfigen yn dechrau'i larpio'n fyw.

Roedd dau fater arall hefyd a bwysai ar Emlyn – y dicter cynyddol a deimlai ynglŷn â Thryweryn a'r angen i roi sylw cynyddol i'w nain – y naill ofid yn porthi'r llall i raddau helaeth iawn, wrth gwrs. Deubeth digon diflas i fyfyrio'n ddi-baid yn eu cylch, ond o leiaf roeddent yn help rhag i'w ymboeni am Mefina droi'n obsesiwn.

Bellach roedd yn ymddangos bod pen y mwdwl wedi'i gau'n glep ar Dryweryn wrth i'r holl ymgyrchu a phrotestio seithug ddistewi. Erbyn hyn roedd y gwaith mawr yn y cwm yn mynd rhagddo; cyn bo hir byddai holl gartrefi'r brodorion yn wag ac yn barod i'w chwalu gan ffrwydron. Roedd cynllun hyd yn oed i godi'r meirwon o'u beddau a'u hailgladdu mewn gorweddfan newydd. I'r trigolion, mae'n rhaid eu bod yn teimlo fel pe bai Dydd y Farn wedi cyrraedd.

Hyd y gallai weld doedd cenedlaetholwyr lleol ddim eisiau codi rhagor o helynt am yr achos. Roedd codi'r argae eisoes yn dod â gwaith roedd ei ddirfawr angen ar yr ardal, ac roedd rhai o'r farn fod yna fwy i'w ennill trwy fynd gyda'r lli yn hytrach na chodi pais... Yn sicr, ymddangosai mai cael ei foddi'n dawel bach ac yn ddi-sôn-amdano fyddai hanes Capel Celyn wedi'r cwbl. Cymdogaeth fach ddiniwed heb na'r adnoddau na'r gefnogaeth angenrheidiol i'w hamddiffyn ei hun rhag biwrocratiaeth nerthol y ddinas fawr ar Lannau Merswy a grymoedd estron senedd Prydain Fawr. Dim ond un canlyniad oedd yn bosibl o dan yr amgylchiadau.

Ond nid pawb oedd yn fodlon dygymod â'r caswir bod tynged y wlad, ei thrigolion a'i hadnoddau'n cael ei phenderfynu gan yr hen elyn.

Clywed dau gwsmer yn siarad â'i gilydd yn y banc ddaru Emlyn ryw fore ar ddiwedd Medi y flwyddyn honno.

"Gollwng yr olew o'r transfformer wnaethon nhw."

"I be 'lly?"

"Mi fasa'n gorboethi wedyn, 'yn basa? Ac yn ffrwydro'n gyrbibion."

"Mawredd annwyl! Mi allan nhw fod 'di lladd rhywun yn hawdd. Be oedd ar 'u penna nhw?"

"Yn union... yr hen ffyliaid. Be sy arnyn nhw, d'wch. Ma'n codi cyfog, yn tydi?"

Cyfrif arian papur i rywun wrth y cownter roedd Emlyn ar y pryd. Bu'n rhaid iddo ail a thrydydd ddechrau ar y cyfrif cyn iddo lwyddo. Roedd ei fysedd i'w gweld yn crynu wrth fflicio trwy'r pentwr. Gallai deimlo llygaid y cwsmer yn gwylio'i fysedd ffwndrus yn amheus braidd.

Doedd y gweithredwyr ddim wedi lladd neb, wrth gwrs. Dau Gymro di-Gymraeg o Fargoed, David Walters a David Pritchard, fu wrthi, ynghyd â rhai eraill anhysbys. Mi lwyddon nhw i sleifio i mewn i ganol y safle lleidiog ac agor falf er mwyn gollwng olew o'r trawsnewidydd trydan yn y gobaith y byddai'r cwbl yn chwythu'n chwilfriw gan roi stop sydyn ar anfadwaith y Gorfforaeth.

Aflwyddiannus fu eu hymgais ac yn fuan iawn y daliwyd y ddau. I Emlyn Roberts a channoedd tebyg iddo, roedd eu gweithred yn donig ar ôl yr holl flynyddoedd o ymgyrchu diffrwyth a phrotestiadau ofer. Chwalwyd cymylau'r digalondid ac yn eu lle daeth goleuni a gobaith newydd. Roedd pobl Cymru ar ddeffro o'r diwedd... efallai.

Byddai'n rhaid i'r diawliaid ddechrau cymryd sylw rŵan.

Ymysg ei gyd-weithwyr yn y banc, fodd bynnag, doedd yno fawr neb arall a rannai ofidiau Emlyn ynglŷn â thynged Tryweryn na thynged diawl o ddim byd arall o ran hynny, ac yn sicr doedd neb a rannai'i orfoledd yn sgil gweithred Walters a Pritchard.

Roedd crogi'n rhy dda iddynt, yn ôl rhai.

Difaterwch oedd yn tra-arglwyddiaethu o fewn muriau'r banc, felly. Dim ond un yn unig o'i gyd-weithwyr, sef Geraint, a oedd ag unrhyw gydymdeimlad â safbwynt Emlyn. Un o'r de oedd Geraint. Dyn porthiannus, rhadlon ei olwg. Doedd Emlyn ddim yn siŵr iawn am ddaearyddiaeth Cymru i'r de o Ddolgellau ac ni fu erioed yn siŵr iawn lle'r oedd Eglwyswrw, y pentref lle ganwyd Geraint. Digon anodd oedd dehongli'i iaith ar brydiau hefyd. Ond roedd Geraint yn genedlaetholwr brwd ac yn llawn cynlluniau anymarferol, twymgalon i sicrhau gwell dyfodol i Gymru yn y byd modern. Dyna un rheswm pam y gwnaeth Emlyn gynhesu ato. O leiaf, dyma rywun y gallai sgwrsio ag ef am ei ofidiau a'i obeithion am ei wlad a'i anobaith wrth wrando ar ei gyd-Gymry.

Drannoeth y digwyddiad, bu'r ddau'n cael paned hefo'i gilydd yn y Milk Bar ar ôl y gwaith.

"Be ti'n feddwl am be sy 'di digwydd yn Tryweryn, 'te?" holodd Geraint wrth lowcio Chelsea Bun fel pe bai ei fywyd yn dibynnu ar hynny.

Cipiodd Emlyn o'i gwmpas ond doedd neb fel pe baent yn gwrando.

"Ffantastig. Yn wirioneddol ffantastig. Hen bryd, myn uffarn i. Mi fyswn i wrth 'y modd yn gneud rhywbath tebyg, cofia."

Roedd Geraint ar fin stwffio gweddill y fynsen i'w geg ond oedodd gan graffu â'i lygaid tywyll, tyner ar Emlyn.

"Fyddet ti wir?" meddai o'r diwedd gan orffen y fynsen yn fwy gofalus. "Fyddet ti nawr..."

Cymerodd Emlyn ddiwrnod o wyliau i fynychu achos y ddau wladgarwr gan deithio i'r Bala i ymuno â'r dorf nid ansylweddol o gefnogwyr y tu allan i'r llys. Cyfrannodd at y gronfa i dalu dirwyon y ddau (buan iawn y codwyd y canpunt angenrheidiol) a gwrandawodd ar ambell anerchiad a chlustfeinio ar ambell sgwrs yn y dref.

Roedd yn braf bod yng nghanol criw o bobl a rannai'i syniadaeth ond gallai weld bod tipyn o bobl y dre'n gwgu arnynt. Yn sydyn, roedd y cwbl fel pe bai drosodd, y dyrfa'n llithro i ffwrdd yn dawel, fel y niwl ar fryniau Dyfed, a chyn bo hir safai Emlyn ar ei ben ei hun wrth draed T. E. Ellis ar y Stryd Fawr a rhyw wacter yn ei galon.

Croesodd y stryd i gaffi'r Cyfnod er mwyn cael hoe fach i hel ei feddyliau cyn ei throi am adre. Teimlai'n isel iawn ei ysbryd unwaith eto. Doedd o ddim yn siŵr beth oedd o wedi'i ddisgwyl yn y gwrthdystiad ond y cwbl a wyddai erbyn hyn oedd nad oedd dim byd wedi newid go-iawn. Byddai'r gwaith yn parhau i fynd rhagddo, byddai Capel Celyn yn cael ei foddi a byddai'r Cymry wedi'u maeddu unwaith yn rhagor ac yn dal i fodloni ar gael eu gwastrodi gan rymoedd estron.

Roedd y tywydd yn braf. Yn hytrach na gwastraffu'r prynhawn, penderfynodd deithio i lawr i'r Bermo i weld Nain. Roedd o heb ei gweld hi ers rhyw bythefnos a byddai'n syrpreis braf iddi.

Rhyw synfyfyrio'n ddiamcan oedd o gan wylio trigolion y Bala'n mynd o gwmpas eu pethau ar y stryd fawr y tu allan i'r caffi pan ddaeth yn ymwybodol fod 'na rywun yn sefyll wrth ei benelin â phaned yn ei law.

"Emlyn?"

"Ia? Pwy sy'n gofyn?"

Eisteddodd y dieithryn heb wahoddiad wrth yr un bwrdd ag ef. Dyn yn ei dri degau cynnar falla, pryd tywyll, man geni ffyrnig ar ei dalcen a sofl tridiau ar ei ên. Eisteddodd yno gan syllu'n ofalus ar Emlyn. Ar ôl ychydig eiliadau, ac Emlyn erbyn hyn yn dechrau anesmwytho braidd ac ar fin ei herio am natur ei fusnes, dyma'r dyn yn ymestyn ei law – llaw fawr, galed, greithiog. Roedd llaw clerc banc Emlyn fel llaw plentyn yng ngafael pawen gyhyrog y gŵr.

"Shw ma 'i?"

"Ma'n ddrwg gen i... dwi ddim yn meddwl 'mod i'n..."

"Paid â becso, achan. Wna i yfed hwn ac wedyn awn ni mas am dro bach i rywle mwy preifet?"

Rhoes glec i'r baned fel y gwnâi i beint o gwrw, siŵr o fod, ac mewn amrantiad roedd ar ei draed drachefn ac yn cerdded at y drws. Roedd Emlyn mewn penbleth. Ar ôl iddo adael doedd dim sôn bod y dyn yn mynd i aros amdano am eiliad hyd yn oed. Bustachodd Emlyn ar ei draed heb orffen ei goffi ac i ffwrdd ag o ar drywydd y dieithryn.

Croesodd hwnnw'r stryd fawr gan ddiflannu i lawr un o'r strydoedd cefn. Bu bron i Emlyn gael ei fwrw i lawr gan fan y pobydd wrth ruthro i ddilyn y creadur hirgoes a oedd wedi codi stêm erbyn hyn ac ar fin diflannu o'r golwg yn gyfan gwbl.

Cerddai tuag ugain llath o flaen Emlyn heb arafu dim. Aethant heibio i rai o dai crandiaf y Bala cyn mynd trwy giât ar draws y caeau nes dod i giât arall ac at goedlan fach. Doedd y llethr serth ddim yn mennu dim ar hynt y dyn hwn. Cadwai i frasgamu yn ei flaen fel pe bai'n dal ar y gwastadedd.

O'r diwedd oedodd a gallodd Emlyn ei ddal â'i wynt yn ei ddwrn. Safent ger cefnen o greigiau hynafol eu golwg lle'r oedd gweithwyr y gorffennol wedi tyllu a chloddio cyfres o ogofâu a cheudyllau ar hyd ochrau'r allt. Roedd y dieithryn ar ei gwrcwd yn craffu i'r tywyllwch.

"'So nhw'n mynd miwn yn bell iawn, sa i'n credu," meddai gan sythu a sychu'i ddwylo. "O fan hyn da'th y cerrig i godi Capel Tegid 'slawer dydd. 'Sen i ddim wedi lico 'u jòb nhw cofia. Meddylia 'se'r cwbwl 'na'n dod i lawr ar dy ben di. Gwbei Jo fydde hi wedyn."

"Ydan ni'n nabod ein gilydd?" gofynnodd Emlyn o'r diwedd mewn cryn rwystredigaeth.

Edrychodd y dyn arno eto fel y gwnaethai gynnau yn y caffi.

"Na. Na, sa i'n credu," meddai o'r diwedd. "'So ni'n nabod 'yn gilydd fel 'ny. Gei di 'ngalw i'n Twm – er nad Twm yw'n enw iawn i wrth gwrs."

Pa chwarae plant oedd hyn? meddyliodd Emlyn.

"Wel... Twm," gorbwysleisiodd yr enw'n fwriadol ddiamynedd. "Ma'n debyg 'ych bo chi'n gwbod pwy ydw i."

"Odw, odw, achan. Wedi ca'l dy hanes di. 'Nest ti fwynhau'r sioe y bore 'ma, te?"

Am ychydig doedd Emlyn ddim yn siŵr. Ai heddwas cudd oedd hwn? Neu *agent provocateur* efallai? Dim hefo dwylo fel 'na, siawns. Dwylo gweithiwr go-iawn oedd ganddo fo. Ymlaciodd ychydig.

"Wel, dwn i'm ai mwynhau ydi'r gair. Roedd 'na dipyn o bobol yno, doedd? Ma hynny'n gysur o fath."

"Wedd – ac ma 'na lot mwy na 'ny o gefnogwyr i'w ca'l 'fyd."

"Dach chi'n deud?"

"Cannodd. Bois cyffredin fel fi. Cannodd os nad milodd. Yn aros 'yn tro."

"Ma'n nhw'n cadw'n dawal iawn, tydyn?" Allai Emlyn ddim cuddio'r coegni yn ei lais.

"Daw dydd, achan. Daw dydd. Isie rhywun i roi arweiniad iddyn nhw sy. 'U harwen nhw ar y llwybyr iawn. Unweth iddyn nhw ga'l yr arweiniad cywir – bant â'r cart fydd hi wedyn. Fel Iwerddon yn 1916 yntefe? Ond dyw Cymru heb ga'l arweinydd ers Owain Glyndŵr."

"Ma Gwynfor Evans..." protestiodd Emlyn.

"Y conshi 'na? Bradychu Cymru ma hwnnw 'di'i neud."

Rywsut teimlai Emlyn nad oedd hyn yn wir nac yn deg, er nad oedd o chwaith erioed wedi cymryd at y dyn.

"Dach chi'n meddwl fod y ddau yn y llys heddiw yn rhoi arweiniad felly?"

"Wen nhw'n trial gneud, siŵr o fod."

Meddyliodd Emlyn am ei gyd-weithwyr yn y banc a'r hogiau'n cloddio yn y stryd y tu allan i'r adeilad. Mae'n debyg nad oeddent yn gweld y brotest fel unrhyw arwydd nac arweiniad. Go brin y byddai ei gyd-glercod yn cymryd sylw o'r un arwydd. Bom yn y banc fyddai'r unig beth a wnâi i'r rheiny gymryd sylw.

"Ti'n moyn gneud rhywbeth 'te dros yr achos?" gofynnodd Twm yn sydyn.

Fflachiodd ei sgwrs gyda Geraint yn ôl i feddwl Emlyn. Oedd yr hwntw 'ma'n perthyn iddo, falla? Roedd 'na rywbeth am y llygaid. Ond beth am ei gwestiwn? Oedd o o ddifri am wneud rhywbeth? Mentro'i ryddid personol dros ryddid ei wlad? Wel, oedd. Roedd gwylio trychineb yn digwydd heb godi bys bach i'w atal yn anfoesol.

"Yndw."

Edrychodd Twm arno'n amheus.

"Wedd golwg bach yn ofidus arnat ti fan 'na nawr cyn ateb."

"O, na, na... Yndw, dwi am weithredu."

"Gwd. Ewn ni gam bach yn bellach 'te," ac i ffwrdd ag ef ar garlam ar hyd y llwybr ac Emlyn yn rhyw duthian yn ei sgil.

— XI —

"DIGON O AWYR iach a chyfle i anadlu'n rhydd," meddai Casi Burchill, nain Emlyn, wrthi hi'i hun wedi iddi gyrraedd pen y bwlch gan deimlo'r gwynt gaeafol yn slaesio yn ei hwyneb ac yn rhwygo heibio i'w chlustiau o gyfeiriad y mynyddoedd i'r dwyrain. Yn sicr dyna un o brif rinweddau byw ar lan y môr, meddyliodd. Heblaw pan fyddai'r tywydd yn eithafol, âi Casi allan bob dydd i grwydro'r traethau a llwybrau'r mynydd.

Yn gwisgo ei hen gôt dyn tân a beret coch, roedd ei gweld hi ar grwydr yn olygfa gyfarwydd i frodorion ac ymwelwyr fel ei gilydd yng nghyffiniau'r Bermo yr adeg honno. Ymhlith y rhai nad oeddent yn ei nabod yn dda roedd rhyw chwedloniaeth angharedig wedi tyfu amdani, ei bod yn wrach neu'n hanner pan; ei bod wedi colli'i phlentyn rhwng llanw a thrai ar yr aber erstalwm ac yn dal i chwilio amdano. Byddai'r plant yn cael eu rhybuddio i gadw draw. Ac eto, i'r ychydig rai oedd yn ei nabod go-iawn, roedd hi'n gymeriad hoffus, digon clên a chymwynasgar. Eto i gyd, yn ddiweddar roedd rhai wedi sylwi iddi ymddieithrio braidd ac iddi fod yn llai parod ei sgwrs efallai, ei hwyneb wedi meinio, ei chefn wedi crymu'n arw…

Roedd Casi ei hun yn ymwybodol o'r newid. Henaint ni ddaw ei hunan, wfftiai, ond roedd yna fwy iddo na chymalau anystwyth a mynd yn drwm iawn ei chlyw. Erbyn hyn teimlai fel pe bai'r byd yn ei mygu – yn llythrennol felly. Roedd y rheidrwydd i gael awyr iach felly'n rhywbeth hollol hanfodol iddi. Fiw iddi aros yn y tŷ dan y graig drwy'r dydd, achos erbyn canol y bore byddai'r synau'n dechrau – y cnocio, clicied y drws yn cael ei chodi a'i gollwng, gwyntoedd sydyn yn chwythu huddyg i lawr y simdde, y llestri'n crynu ar y ddresal a'r hen gi 'na'n udo'n ddolefus yn y pellter. Byddai'r mwstwr yn dechrau'n dawel bach ac yn ysbeidiol cyn codi'n uwch ac yn uwch nes cyrraedd rhyw lefel a oedd yn annioddefol iddi. Teimlai ei brest yn tynhau a byddai'r awyr fel pe bai'n duo ac yn tewychu. Byddai'n ceisio herio'i phoenydwyr, gan ymladd am ei gwynt wrth wneud:

"Dewch o 'ne, y blagardied! Dangoswch 'ych wynebe, y cachgwn bach! Pwy bynnag ydech chi. 'Sgen i mo'ch ofn chi! 'Dech chi'n 'y nghlywed i, yr hen dacle brwnt?".

Ac am sbel byddai'r twrw'n gostegu a gallai ymlacio gan anadlu'n iawn unwaith eto. Ond digon byrhoedlog fyddai'r tawelwch a chyn pen dim deuai'r siffrwd, y siglo a'r tapio o'r newydd, a byddai'n rhaid iddi wisgo'i chôt a dringo'r llethrau gan chwilio am yr unigeddau lle na fyddai'n cael ei haflonyddu.

Doedd ganddi neb y gallai droi ato i sôn am hyn. Beth fyddai ymateb pobl, o ddifri, pe bai'n rhuthro i'r stryd gan gyhoeddi i'r byd a'r betws bod ei chartref dan warchae pwerau goruwchnaturiol – os mai dyna oeddent? Byddai'n cadarnhau pob amheuaeth oedd gan ei chymdogion amdani a buan iawn y byddai dynion y cotiau gwynion ar eu ffordd.

Doedd pobl ddim yn ymwneud â'i gilydd fel y bydden nhw, beth bynnag. Rhai digon diarth oedd ei chymdogion at ei gilydd ac, yn wir, Emlyn oedd ei hunig ymwelydd a chwnsler y dyddiau hyn, a fyddai hi ddim eisiau llethu'r hogyn â rhyw hanesion diflas o'r fath. Doedd ei fywyd yntau ddim mor hawdd chwaith wedi i'r lodes y bu'n ei chanlyn fynd i ffwrdd i Lerpwl o bob man...

Roedd wrth ei bodd yng nghwmni Emlyn. Piti na allai alw'n amlach. Byddai bob amser yn barod i wrando arni'n paldaruo am oriau, yn sôn am yr hen ddyddiau. Deryn prin oedd Emlyn y dyddiau hyn, a chymaint o'i gyfoedion yn mopio ar bethau dibwys a diwerth.

Mor wahanol y byddai bywyd yn ystod ei phlentyndod yn y cwm. Yn fan'no roedd cymdogaeth a phobl yn gallu dibynnu ar ei gilydd.

Erbyn hyn roedd haul mis Rhagfyr yn tywynnu'n gryf ac yn isel a'r gwynt wedi ymdawelu'n sylweddol fel nad oedd ond ambell hyrddiad rŵan ac yn y man i'w glywed a'i deimlo. Aeth Casi trwy'r bwlch yn y llwyni eithin i gymryd ei lle ar ei hoff eisteddfan ar ben clogwyn bach uwchben aber afon Mawddach. Roedd niwloedd y bore wedi hen ymgilio, a'r awyr yn lasoer ac yn fregus gyda chapan o eira ar Gadair Idris a'r ddwy Aran yn y pellter. Y sôn oedd bod llawer rhagor o eira ar ei ffordd.

Ar hyd creigiau'r Friog i'r de roedd trên i'w weld yn cripian. Gwyliai Casi ei hynt trwy Fairbourne a chyffordd Morfa Mawddach gan ei ddilyn wedyn dros y bont tua'r Bermo a honno o'r golwg o dan ymchwydd y graig serth a ffurfiai'r gefnlen i'r dref. Daeth sŵn cysurus yr injan i'w chlustiau a gwyliai'r rhuban bratiog o fwg yn codi'n ddiog i'r awyr, ei oglau yn cyrraedd ei ffroenau ar yr awel fain.

Ddwy flynedd yn ôl oedd y tro diwethaf iddi gael ei themtio i deithio ar y cledrau. Ei themtio'n arw hefyd. Yr achlysur oedd taith olaf y trên o Flaenau Ffestiniog i'r Bala, taith a âi trwy ganol y cwm na ymwelsai hi ag ef ers deugain mlynedd a mwy. Bu'n rhaid i Emlyn bwyso'n drwm arni i fynd ar y daith.

"Rhaid i chi weld y lle, Nain. Ma'n rhan o'ch gorffennol. Yn rhan o'ch etifeddiaeth. Bydd yn diflannu am byth... os na allwn ni 'u stopio nhw. Os ewch chi, mi ddo i hefo chi."

Gorffennol. Etifeddiaeth. Roedd y rhain yn swnio'n bethau crand iawn iddi. Ond doedd hi ddim yn siŵr beth fyddai effaith ymweliad o'r fath. A fyddai gweld y lle unwaith eto'n carthu'r hen fwganod a oedd yn aflonyddu cymaint arni ers dechrau'r holl helynt, neu a fyddai'n agor y fflodiart i ragor o boen meddwl?

Oni bai am y rheilffordd mae'n bur debyg nad yng Nghwm Tryweryn y byddai Casi wedi'i geni a'i magu. Wedi'r cwbl roedd ei thad, a hanai o Ddyffryn Clwyd, wedi symud i fyw yno'n unswydd i osod rhai o'r cledrau. Loes calon iddi oedd yr holl syniad o'u rhwygo o'u gwely, fel tynnu gwythïen o gorff. Y bwriad oedd gosod rheilffordd newydd ar lan y gronfa ond ni fyddai teithio ar honno yr un fath. Eto i gyd, Duw a ŵyr sut y byddai hi'n ymateb wrth deithio ar daith olaf y trên. Roedd yn ormod o risg.

Doedd hi ddim yn hollol siŵr pam bod y newyddion am gynllun Corfforaeth Lerpwl wedi cael y fath effaith arni. Procio'r cof efallai. Pa ots iddi hi o ddifri bod y lle yn mynd i gael ei foddi, a pha wahaniaeth mewn gwirionedd a wnâi iddi hi? Eto, wrth ddarllen y dadleuon o blaid ac yn erbyn yn y papurau, y llythyrau gwrth-Gymreig ciaidd a datganiadau llipa rhai gwleidyddion, byddai ei gwaed yn berwi yn wyneb traha nawddoglyd eu gormeswyr dros y ffin, eu diffyg cydymdeimlad a'u diffyg ymdrech wrth geisio deall.

Gallai uniaethu i'r eithaf â'r rheiny a oedd yn mynd i gael eu dadwreiddio, a'u gorfodi i gefnu ar bopeth a oedd yn annwyl iddynt. Gwyddai i'r dim y dryswch a'r ansefydlogrwydd difaol roedd peth felly yn ei achosi. Roedd hi'n nabod rhai o'r teuluoedd y byddai'r boddi'n effeithio arnynt ac roedd enwau'r ffermydd yn dwyn i gof yr holl dyddynnod a aeth eisoes i ddifancoll yn y fro, wedi'u difetha gan fflangell economaidd yr oes, a'u trigolion wedi'u gwasgaru i'r pedwar gwynt.

Er gwaethaf ei holl ymresymu effeithiai'r drychineb arni hi'n gwbl bersonol. Trwy bob adfyd ar hyd ei hoes, roedd y blynyddoedd ym Mhenwern Canol fel golau yn y gwyll iddi; yn cynnal pob gobaith a'r holl optimistiaeth gynhenid a feddai.

Diolch i'r dyddiau hynny, roedd ganddi'r sicrwydd y gallai bywyd fod yn felys weithiau a hefyd y gallai'r rhod droi ar amrantiad fel y mynnai. Roedd cydnabod a derbyn hynny'n bwysig iddi, ynghyd â'r atgofion a roddasai iddi gynhaliaeth a nerth wrth ddygymod â'r holl broblemau ar hyd y blynyddoedd.

Yn y pen draw penderfynodd beidio â mynd ar y trên. Roedd Emlyn yn flin.

"Dach chi'n rhoi'ch pen yn y tywod, Nain. Fel cymaint o bobol Cymru. Rhaid i ni i gyd wynebu'r gwarth a'r trosedd sydd wedi digwydd yma."

Chwarae teg iddo. Wedi'r cwbl, hi wnaeth borthi'i genedlaetholdeb pan oedd yn ifanc. Ymhyfrydai ac ymfalchïai yn ei ddiddordeb a'i frwdfrydedd dros ei wlad. Ond doedd dim modd iddo ddeall ei theimladau hi; ni allai ond gobeithio na fyddai o byth yn gorfod dioddef yr un fath – nid cymaint yr aml gnoc a dderbyniasai ond artaith yr anhwylder a ddaethai yn eu sgil a hwnnw wedi ei llethu cyhyd.

Roedd yr haul yn gwyro tua'r gorwel yn sydyn erbyn hyn a'r oerni'n gafael yn dynnach. Er gwaetha'r oerfel teimlai Casi'n gyfforddus ac yn glyd ar ei heisteddfan wedi'i chysgodi o boptu gan yr eithin trwchus. Deuai sŵn clec-clecian o'r cledrau unwaith eto wrth i drên nwyddau gychwyn ar ei hynt dros y bont osgeiddig a ymestynnai ar draws yr aber i Forfa Mawddach. Cofiai sŵn y trenau a'u wageni'n drwm o lechi yng Nghwm Tryweryn erstalwm, clecian yr olwynion yn atseinio o'r creigiau fel drylliau'n tanio, a sŵn y chwiban yn sgrechian yn ingol o'r naill fynydd i'r llall.

Er bod ei thad yn gweithio ar y lein, anaml iawn y byddent yn ei defnyddio. Lein i drenau nwyddau oedd hi'n bennaf. Cerdded a wnâi pawb yr adeg honno, beth bynnag. Prin ei bod yn sylwi ar y daith o ddwy filltir i'r ysgol ac yna ei cherdded adref ar ddiwedd y dydd. Wel, yn bendant ddim yn ystod yr haf pan fyddai'r tywydd yn braf. Roedd teithiau'r gaeaf yn wahanol a chofiai geisio meirioli o flaen y tân yn yr ysgol, ei bysedd yn rhy oer hyd yn oed i ddal y llechen a ddefnyddiai i wneud ei gwaith. Ond yn yr haf, cerddai am filltiroedd, a hynny'n droednoeth. Roedd hi wrth ei bodd yn droednoeth. Gwarthnod tlodi i rai, nefoedd ar y ddaear i Casi. Roedd gwadnau'i thraed wedi caledu fel prin y gallai'r un ddraenen dreiddio'r croen. Daeth i ymgynefino â gwead ac ansawdd y tir o dan ei thraed – y lôn lychlyd, sbwng y fawnog, trochfa adfywiol gwlith y bore, llyfnder y tir glas a chadernid rhywiog y creigiau...

Er gwaetha'r brath yn yr awyr y prynhawn hwnnw, roedd yr atgofion hyn yn ei chynhesu. Gwyliai liwiau cyfoethog y machlud yn cynnal ei sioe fythol amrywiol ar hyd y gorwel a theimlodd ryw gynhesrwydd ysbrydol bron yn treiddio hyd at fêr ei hesgyrn. Roedd fel pe bai rhyw faich anferthol yn cael ei godi oddi ar ei hysgwyddau a'i chorff cyfan o ganlyniad yn ymagor. Clustfeiniodd. Dim smic. Gan amlaf, byddai twrw'i phoenydwyr i'w glywed ar gyrion ei hymwybod ble bynnag roedd hi. Caeodd ei llygaid gan deimlo gwên yn ymledu dros ei hwyneb. Doedd hi ddim wedi teimlo fel hyn ers rhyw saith mlynedd. Adwaenai'r profiad ers y tro cynt pan gododd y felan. Rhyw shifft hanfodol yn y ffordd y canfyddai'r byd o'i chwmpas. Y sïo parhaus hwnnw yn ei phen, fel pe bai gwrysg ei hymennydd yn llosgi, wedi distewi a llonyddwch yn llenwi pob cwr.

Gwelai'r byd yn ei holl harddwch ac wrth i'r fricyllen fach oren o haul gyffwrdd â'r môr, daeth yn sydyn yn ymwybodol o sicrwydd machlud a chodiad haul ac roedd cylchoedd y tymhorau unwaith eto'n wirionedd y gallai lawenhau ynddo...

Llithrai'r belen oren o dan y tonnau. Gwenodd eto wrth gofio sut y byddai hi'n gwylio'r machlud hefo Emlyn yn hogyn bach erstalwm a sut y byddent ill dau'n cadw sŵn 'tshsssssshhhh' wrth i'r haul gael ei lyncu gan yr heli a'r bychan yn datgan yn ddwys ddifrifol:

"Haul yn cysgu ar wely'r môr rŵan, ynte, Nain?"

Sgwn i pryd y byddai'n ei weld o eto? Roedd sbelen rŵan ers y tro diwethaf. Hwyrach yr âi at y ciosg heno i roi caniad iddo. Gobeithio nad y llysfam fyddai'n ateb y ffôn. Hen beth oerllyd oedd honna. Byddai'n braf gweld Emlyn eto. Mi allen nhw fynd am baned ar lan yr harbwr. Gobeithio y byddai'n gallu dod cyn i'r eira gyrraedd unwaith eto.

Cododd yn araf ar ei thraed gan wingo wrth i'r cryd cymalau frathu o gwmpas ei chluniau. Dylsai fod wedi dod â ffon, meddyliodd wrth ddechrau i lawr y llethr gan gadw ychydig bellter rhyngddi a'r dibyn. Roedd hi'n tywyllu'n sydyn ac yn barugo'n galed yn barod. Teimlai'r llwybr yn bellach heno, ond roedd ei meddwl yn llonydd a'i chalon yn llawen. Doedd dim ots ganddi faint o amser a gymerai.

— XII —

DOEDD EMLYN DDIM yn nerfus erbyn hyn. Aeth cyfnod y nerfusrwydd heibio. Wrth iddi dywyllu brynhawn ddoe roedd pethau wedi bod ar eu gwaethaf. Bu'n symud o gwmpas y tŷ o'r naill stafell i'r llall, yn methu canolbwyntio ar ddim byd. Roedd wedi ceisio ysgrifennu llythyr at Mefina, ond ar ôl rhyw hanner tudalen roedd wedi sgrwtsio'r papur a'i daflu i'r tân gan regi Mefina druan yn gas wrth wneud – rhywbeth na wnaethai cyn hynny, er cymaint ei rwystredigaeth. Doedd dim gobaith iddo allu canolbwyntio'n ddigonol i ddarllen. Rhoddodd gynnig ar wrando ar y weiarles, ond roedd llais posh y cyflwynydd yn dân ar ei groen ac fe'i diffoddodd gan regi honno hefyd. Doedd dim byd yn tycio a gallai deimlo'i gorff yn tynhau'n dynnach ac yn dynnach bob munud.

Yn y pen draw, trodd at gwpwrdd wisgi ei dad yn y stydi waharddedig ym mhen isa'r tŷ. Dim ond rhyw unwaith cyn hyn y mentrodd ar ei ben ei hun heb wahoddiad i'r fyfyrgell gyfyng honno, pan oedd yn fachgen ifanc tua deuddeg oed. Bryd hynny daeth ei dad o hyd iddo yno ac roedd wedi'i waldio gan ei siarsio ar boen cosb waeth i beidio byth â mentro yno wedyn. Bu'n wers effeithiol iawn.

Heno roedd ei dad a'i lysfam mewn aduniad criw un o hen longau'i dad yn Lerpwl. Fel arfer byddai'n mwynhau cael y tŷ iddo'i hun, ond heno roedd y lle'n gwasgu arno'n ddybryd. Roedd oglau mwll y stydi a'i holl hen luniau o longau'n codi'r cryd arno. Anelodd yn syth at y cwpwrdd congl bach ar y wal, gan ryw led ofni y byddai llais ei dad yn arthio arno o'r cysgodion.

Tywalltodd fesur hael iawn o wisgi iddo'i hun i un o'r

tymblars crisial gan eistedd wrth y ffenest yng nghadair ei dad yn gwylio fflamau'r machlud dros rimyn y gorwel.

Toc wedi i'r haul lithro dros ymyl y byd llaciodd y clymau yn ei ben. Daeth y tŷ'n llai gormesol a llwyddodd i bori ychydig yn silffoedd llyfrau ei dad heb ofni y byddai hwnnw'n tarfu arno unrhyw funud. Y wisgi ar waith, meddyliodd, ond er mawr syndod a rhyddhad ni ddychwelodd yr ofn wedi i effaith y wisgi ddarfod.

Tua deg o'r gloch y noson honno, canodd y ffôn.

"Lle ma'r ehedydd?" gofynnodd llais Twm.

"Wedi marw ar y mynydd," atebodd Emlyn yn ôl y drefn. "Chi sy 'na, Twm?"

"Ysst, y diawl dwl. Ma 'da'r cloddie glustie bob amser."

"Iawn. Ddrwg gen i."

"Nos fory. Fel y trefnwyd."

Aeth y lein yn farw. Rhoddodd Emlyn y derbynnydd yn ôl yn ei grud. Roedd y rhyddhad o dderbyn y neges yn aruthrol. O'r diwedd. Roedd o'n mynd i weithredu. Am yn hir doedd Emlyn ddim yn siŵr a allai gymryd Twm o ddifri. Roedd ei holl rigmarôl melodramataidd yn gallu mynd dan groen rhywun, ond yn raddol daeth Emlyn i sylweddoli fod yna ruddin y tu ôl i'r chwarae plant ymddangosiadol hwnnw. Roedd Twm a'i ffrindiau o ddifri. Rywsut gwnaeth hanes Tryweryn dapio rhyw wythïen rydlyd ymysg rhai ar lawr gwlad a honno wedi'i chladdu o dan haenau o ragrith a gormes a fuasai ynghwsg heb yr un ffordd o'i chyrraedd ers cenedlaethau.

Cysgodd Emlyn yn dda y noson honno. Y tu allan rhewodd y wlad yn gorn wedi'i boddi yng ngolau'r lleuad lawn. Deffrodd Emlyn yn hwyr gan droi'n ôl i gysgu sawl gwaith cyn mentro codi a hithau'n fore mor rhynllyd.

Yn ystod y dydd bu'n tsiecio bod y car yn hollol barod ar

gyfer y weithred y noson honno. Ddoe roedd yn amau nad oedd yr injan yn rhedeg fel y dylsai. Doedd o ddim eisiau i bethau fynd o chwith oherwydd rhyw esgeulustod ar ei ran. Poenai braidd hefyd am gyflwr y ffyrdd ond o leiaf doedd dim sôn am eira am ddiwrnod neu ddau.

Tuag amser cinio canodd y ffôn yn y tŷ. Rhedodd Emlyn o'r sied lle gweithiai ar y car ond roedd y gloch wedi peidio erbyn iddo gyrraedd y drws cefn. Ai Twm oedd yno eto? Eisiau gohirio'r cwbl, efallai? Na, byddai wedi dal ati nes iddo ateb, siŵr o fod. Doedd o ddim wedi cymryd cymaint a chymaint o amser iddo groesi draw o'r sied. Aflonyddodd yr alwad arno braidd. Doedd ganddo ddim modd o gysylltu â Twm pe bai rhywbeth yn mynd o'i le.

Ers y wisgi neithiwr cawsai lonydd gan ei nerfau. Yn awr, yn sydyn, dechreuon nhw blycio o'r newydd. Trodd yn ôl at y sied. Yn sydyn, clywodd sŵn car yn troi wrth waelod y lôn a arweiniai at y tŷ. Craffodd Emlyn wrth i'r cerbyd ddod i'r golwg er mwyn gweld a oedd yn ei nabod. Roedd haul cryf y prynhawn yn taro ei ffenest flaen gan ddallu Emlyn a'i atal rhag gweld y gyrrwr.

Car pwerus oedd o, ond un hollol ddiarth i Emlyn, a doedd y platiau cofrestru ddim yn rhai lleol chwaith. Wedyn sylwodd ar erial radio anarferol o hir wedi'i phlygu dros do'r car. Dychrynodd. Car CID oedd o. Stopiodd o flaen y tŷ. Methai Emlyn â gweld wyneb y gyrrwr o achos yr haul.

Agorodd y drws a daeth plismon mewn iwnifform i'r golwg.

"S'ma 'i, Emlyn?"

"Duw! Alwyn. Ges i fraw am eiliad."

Cerddodd y plismon ato â golwg ddifrifol ar ei wyneb.

"Pam 'lly?" holodd wrth wisgo'i helmed.

"Dim rheswm," meddai Emlyn gan deimlo diferion o chwys yn dechrau pigo o dan ei geseiliau. Argol, roedd o wedi bod drwy'r ysgol hefo Alwyn ac yn ei weld o yn y banc yn ddigon aml hefyd. Erioed wedi meddwl amdano fel plismon o'r blaen. Siawns na fedrai gadw rhag cynhyrfu yng nghwmni hwn.

"Ma hi'n braf tydi?... Ond 'i bod hi'n gafael braidd," ychwanegodd Emlyn. Roedd ei lwnc wedi sychu'n grimp a bu'n rhaid iddo besychu a llyncu'n galed. Edrychai Alwyn arno mewn ffordd ddigon drwgdybus.

"Wyt ti'n iawn, boi?"

"Yndw, yndw. Llwch yn y sied. Wrthi'n trwsio'r moto ro'n i."

Nodiodd Alwyn gan ddal i edrych yn ddwys ddifrifol.

"Emlyn, ma gen i newydd drwg ma arna i ofn."

Dwi yma i'th arestio am gynllwynio i losgi safle argae Cwm Tryweryn yn ulw. Gallai Emlyn glywed y geiriau. Bron na ddaliai'i ddwylo o'i flaen yn barod i dderbyn y gefynnau.

"Ma arna i ofn bod dy nain wedi ca'l damwain."

"Damwain? Pa fath o ddamwain?" Roedd hyn yn rhyddhad, ond cripiodd ofn newydd i'w ymysgaroedd yn syth.

"Codwm ar y creigia uwchben y Bermo."

"Ydi hi 'di'i brifo?"

Gostyngodd Alwyn ei ben.

"Dwi'n ofni..." Ymbalfalodd i dynnu'i helmed cyn cyhoeddi'r newyddion trist, a'r strap yn dal un o'i glustiau wrth wneud. "Dwi'n ofni," dechreuodd wedyn, "'i bod hi wedi marw," meddai mewn llais cadarn, caredig a gwelodd Emlyn fod ei lygaid brown yn llawn dagrau.

Doedd Emlyn erioed wedi cael newydd fel hyn o'r blaen.

"Pryd?"

"Wel, y bore yma cafwyd hyd i'w chorff wrth waelod clogwyn go serth gan fugail yn gneud ei rownds. Ma'n nhw'n deud 'i bod hi'n crwydro ffor 'na'n aml."

"Bydd, bydd... Wel, mi fydda hi, ynte."

"Y peth tebyca ydi ei bod hi 'di llithro ar y rhew b'nawn ddoe rywdro. Doedd dim sôn amdani yno y diwrnod cynt, yn ôl y bugail."

Safai Emlyn yn stond heb wybod beth i'w wneud na'i ddweud.

"Awn ni i mewn am baned, ia?" meddai Alwyn yn glên gan osod ei law ar ysgwydd Emlyn. "Ydi dy fam a dy dad o gwmpas?"

"Llysfam," cywirodd Emlyn. "Nac ydyn. Byddan nhw i ffwr tan ganol wythnos nesa. Ond doeddan nhw ddim yn ymwneud rhyw lawar â Nain, beth bynnag, gan mai mam fy mam oedd hi."

Hebryngodd y plismon Emlyn i'r tŷ ac aeth ati i baratoi paned, yn amlwg wedi arfer â chael hyd i bethau mewn ceginau diarth.

"Be sy angen i mi 'i neud rŵan?" gofynnodd Emlyn wedi i'r ddau eistedd wrth fwrdd y gegin. Roedd te'r plismon yn rhy felys a gormod o lefrith ynddo at ddant Emlyn ond prin iddo sylwi ar ei flas.

"Am wn i, chdi ydi 'i hunig berthynas, ynte?"

"Roedd ganddi chwaer yn rhywle... ond dwi ddim yn meddwl iddyn nhw fod mewn cysylltiad ers blynyddoedd – wedi hen adael Cymru erbyn hyn yn ôl dwi'n 'i ddallt. Dwi'n rhyw feddwl iddi briodi a mynd i Ganada neu Awstralia neu rywle."

"Bydd yn rhaid i ni ofyn i chdi adnabod y corff yn ffurfiol felly."

"Pryd?" gofynnodd Emlyn yn siarp. Am y tro cyntaf ers

clywed am farwolaeth ei nain roedd y weithred arfaethedig yn erbyn yr argae'n sydyn wedi ailgymryd ei lle yn ei feddwl.

Edrychai Alwyn yn syn am ennyd.

"Ydw i'n gorfod mynd rŵan hyn?" holodd Emlyn.

"Wel, wyt, ma arna i ofn," atebodd yr heddwas yn betrusgar. "Oes 'na broblem?"

"Na... Nag oes, Dduw. 'Mond bod y car hefo'i berfedd ar lawr y sied... 'Di ca'l bach o sioc, 'na i gyd."

"Wyt, siŵr iawn. Hidia befo'r car, mi roia i bàs i chdi. Cym dy amser i baratoi. Mi wna i aros amdanat ti yn y car," meddai. Gorffennodd ei de gan adael Emlyn ar ei ben ei hun wrth y bwrdd.

Be ddiawl wnâi o rŵan? meddyliodd Emlyn. Byddai'r hogia'n aros amdano ym Machynlleth am bedwar y prynhawn. Doedd o ddim yn gwybod i ble'r oedd o i fod i fynd â nhw. Dim ond ei fod ar 'active service' chwedl Twm oni hysbysid ef fel arall. Roedd hi'n ddau o'r gloch yn barod. Be goblyn allai o ei wneud? Byddai Twm yn siŵr o ddeall goblygiadau profedigaeth. Cymro oedd o. Siawns nad oedd ganddo fo nain yn rhywle. Doedd ganddo fawr o ddewis ond mynd hefo Alwyn.

Am wythnosau wedyn bu Emlyn yn disgwyl galwad ffôn neu ymweliad gan Twm neu un o'i ddynion. Bob tro y cerddai strydoedd y dre gyda'r nos neu'r lonydd tawel o gwmpas ei gartref byddai ar bigau rhag ofn i ryw gar yn llawn gwladgarwyr blin ei gipio a rhoi cweir iddo neu waeth.

Ond nid cael ei gosbi am ei fethiant gan ei gyd-genedlaetholwyr oedd prif gonsýrn Emlyn ar y pryd. Yn raddol, ond yn anochel, amlygwyd goblygiadau marwolaeth ei nain wrth i'r sioc gwreiddiol gilio.

Wrth deithio i lawr yn y car CID i'r Bermo y prynhawn

hwnnw, parablai Alwyn yn ddi-baid am yr holl waith oedd ynghlwm â gwarchod safle Tryweryn. Cwynai am orfod gwneud patrôls trwy'r nos ar lôn unig y Migneint yng nghanol y gaeaf a sut roedd ei wraig yn ei chael hi'n anodd dygymod â'i absenoldeb wrth ei hochr yn y gwely. Edrychai Emlyn trwy'r ffenest ar afon Mawddach yn ei holl ogoniant, gan sylweddoli nad oedd marwolaeth ei ffrind gorau yn y byd wedi'i daro go-iawn eto. Afreal oedd y cwbl: y tywydd braf barugog; yr heulwen lachar, ymson diddiwedd Alwyn; y weithred na fyddai'n cael ei chyflawni. Rywbryd yn y dyfodol bydd hyn yn brifo, meddyliodd, ond dim eto...

Roedd corff Casi yn cael ei gadw dros dro yng ngorsaf y bad achub yn y Bermo. Roedd pawb yn garedig wrtho, yn galw Mr Roberts neu syr arno ac yn siarad yn dawel ac yn barchus ag ef.

Roedd fel petai rhyw fath o glais piws anferthol ar un ochr i wyneb Nain ac roedd ei llygaid yn agored er mai dim ond y gwyn oedd i'w weld. Golwg digon grotésg oedd arni ac ni allai Emlyn guddio'i anghysur.

"Wnaethon ni drio cau'r llygada," meddai Alwyn wrth ei ochr, "ond ma'n rhaid 'i bod hi 'di gorfadd yno drwy'r nos. Rhaid i chdi gau'r llygada'n syth, yli, neu... wel, dyma sy'n digwydd."

"Iawn, iawn..." meddai Emlyn heb wrando ar eiriau'r heddwas.

"Weithia, ma 'u llygada nhw'n gedru agor hyd yn oed os wyt ti'n 'u cau nhw," ychwanegodd Alwyn gan farnu y byddai canolbwyntio ar y manylion gwyddonol yn helpu i leddfu rhywfaint ar y sefyllfa ddirdynnol.

Mor fach yr edrychai. Yn ddoli glwt doredig. Roedd o yno i'w hadnabod yn ffurfiol, ond y gwir amdani oedd nad adwaenai'r nain a garai yn y sypyn bach hwn o gorff a welai o'i flaen. Doedd

Nain ddim ar gyfyl y lle hwn. Cofiai iddi sôn unwaith mai dim ond siwt o ddillad ydi corff rhywun...

"Hi ydi hi," meddai o'r diwedd, dim ond i roi taw ar draethu Alwyn am wahanol agweddau ar *rigor mortis*.

"Diolch i ti, Emlyn," meddai yntau a rhyw dynerwch rhyfedd yn ei lais. "Gawn ni baned 'ŵan, ia?"

"Isio bach o awyr iach sy arna i... sgiwsia fi," meddai Emlyn gan wthio heibio i'r heddwas.

Aeth allan o'r sied dywyll. Roedd hi'n iasoer y tu allan erbyn hyn, a'r haul ar fin suddo i Fôr Iwerddon a'r machlud yn ffrwydro i'r entrychion o'i gwmpas. Taniodd Emlyn sigarét gan eistedd ar wal isel lle y gallai wylio'r môr.

"Haul yn cysgu ar wely'r môr rŵan, ynte, Nain?"

Cofiai ddweud hynny'n aml a Nain yn chwerthin o'i hochr gan ddangos ei dannedd mawr a'r holl fylchau rhyngddynt. Roedd o'n hoffi gwên Nain er gwaetha'r bylchau.

Doedd o ddim yn teimlo'n drist rywsut. Doedd o ddim yn siŵr sut roedd yn teimlo. Ond yn ystod yr wythnosau'n dilyn ei marwolaeth daeth i deimlo'n unig iawn. Yn fwy unig nag erioed yn ei fywyd cyn hynny. Heddiw roedd yn hapus i wylio'r machlud gan adael i'w feddwl ymwacáu'n llwyr.

Ond ni chafodd lonydd am yn hir iawn. Cyn pen dim daeth Alwyn ato.

"Ddrwg gen i darfu, Ems..."

Ems? meddyliodd Emlyn. Ers pryd?

"... ond dwi'n gor'od gofyn ambell gwestiwn."

"Iawn, ffeiar awê," meddai Emlyn gan wasgu'i sigarét dan ei sawdl.

Doedd y cwestiynu ddim yn neilltuol o dreiddgar. Mater o ffurfioldeb yn unig, meddai Alwyn. Dim ond pan ofynnodd "Wyt ti'n meddwl y gallai hi fod wedi gneud amdani hi'i hun?"

y bu'n rhaid i Emlyn ystyried ei ateb.

"Emlyn?"

"Ma'n bosib. Na, go brin. *Sunny side up* oedd Nain erioed," ychwanegodd yn frysiog.

"Oedd 'na rywbeth yn ei phoeni?"

"Nag oedd. Un hwyliog oedd hi. Wedi ca'l bywyd anodd, ond byth yn digalonni. Gofynna di i rywun."

"Felly ma pawb yn 'ddeud. Heblaw am y rhai o'dd yn 'i gweld hi bach yn od. O'dd 'na rywbath yn... wel, yn od ynddi?"

Ystyriodd Emlyn.

"Weithia, ella. Ti'n gwbod... yr hen do. Dim lot o addysg. Yn byw fel petaen nhw yn yr hen amsar... ffeindio'n hoes ni braidd yn ddiarth, ella. Dy neiniau di'r un fath, ma'n siŵr," meddai gan wenu'n wantan.

"Ma'r ddwy wedi marw," meddai Alwyn â golwg ddryslyd ar ei wyneb.

"Ddrwg gen i, achan..." meddai Emlyn gan wingo mewn cywilydd.

Ni pharodd yr holi'n hir wedyn. Cafodd Emlyn bàs adra hefo heddwas arall. Un diarth o ochrau Swydd Gaer, mae'n debyg. Fu fawr o sgwrs rhyngddynt. Cyrhaeddodd Emlyn yn ôl yn ei gartref tua saith o'r gloch. Diolchodd i'r plismon am ei gymwynas. Wedyn, roedd ar ei ben ei hun unwaith eto.

— XIII —

DOEDD DIM GWADU'R cysylltiad. Dyrnodd Emlyn y gobennydd â'i holl nerth. Roedd wedi bod yn dyst i'r effaith a gawsai busnes Tryweryn ar ei nain ers y cychwyn cyntaf. Dros y pum mlynedd diwethaf roedd wedi gweld ei hysbryd yn edwino a holl osgo ei chorff yn crebachu ac yn crymu fel pe bai o dan bwysau cynyddol, ac yn awr roedd yn amlwg bod y pwysau hynny wedi mynd yn drech na hi a'i bod wedi cerdded o'i bwthyn gyda'r bwriad o'i lluchio ei hun i ebargofiant oddi ar y creigiau.

Roedd o eisiau sgrechian y gwirionedd i'r pedwar ban fel bod pawb yn sylweddoli nad mater o symud saith deg o bobl o gwm diffaith yn unig oedd Tryweryn. Bellach roedd effeithiau gweithredoedd Corfforaeth Lerpwl yn achosi straen seicolegol difrifol ar amryw, fel taflu carreg enfawr i ganol llyn llonydd a'r crychdonnau'n sgubo popeth o'u blaen. Y canlyniad erbyn hyn oedd achosi marwolaeth dynes fregus, oedrannus yn ddiangen.

Roedd yn difaru'i enaid na chafodd gyfle i'w gweld hi ers y prynhawn hwnnw pan gyfarfu â Twm yn y Bala. Rywsut roedd yr wythnosau wedi llithro heibio heb iddo ymweld â'r Bermo. Tybed a allasai fod wedi rhag-weld y perygl? Ceisiodd gofio sut hwyliau oedd arni y tro olaf hwnnw.

A dweud y gwir doedd o ddim wedi sylwi ar ddim byd anghyffredin bryd hynny gan fod ei chroeso mor dwymgalon ag erioed. Roedd hi newydd fod am dro hir ar hyd y traeth a chawsai dipyn o liw ar ei gruddiau yn sgil hynny. Os rhywbeth roedd yn fwy siriol ac yn barotach i siarad nag arfer. Os cofiai'n iawn, bu'n llafar iawn a'r storïau cyfarwydd yn llifo fel afon, a hyd yn oed y rhai nad oedd wedi eu clywed o'r blaen.

'Helô!" meddai hi yn ei ffordd unigryw arferol, gan daflu'i breichiau amdano. Roedd oglau tân glo, sigaréts a heli môr trwy'i dillad ac yn ei gwallt. Gwisgai ffrog werdd o ryw ddefnydd eitha trwchus ynghyd â llwyth o jingl-jangls rhad, chwedl hithau, yn freichledau, clustdlysau crog, modrwyau mawr a broetsh anferth ar ffurf madfall gyda dwy em fach goch yn llygaid iddo. Roedd ei gwallt llwydwyn hir wedi'i dorchi'n dynn a chlip ar ffurf glöyn byw wedi'i sodro'n anghelfydd ar un ochr.

Arweiniai drws ffrynt y bwthyn yn syth at y stafell isel a thywyll lle byddai Nain yn treulio'r rhan fwyaf o'i hamser bellach. Roedd y tân ar fin darfod.

"Gen i chydig o goed-achub-tân yn rhywle," meddai gan ddiflannu trwy'r drws cefn i'r iard fach lle ceid y tŷ bach a thwll glo. Dychwelodd â llond dwrn o briciau.

"Gadewch i mi 'i neud o i chi, Nain," cynigiodd Emlyn gan gymryd y coed o'r dwylo crablyd. Sylwodd ei hŵyr sut roedd y bodiau wedi'u hanffurfio'n arw erbyn hyn.

"Sut ma'r cryd cymala'r dyddia 'ma?"

"Sdim lot sy'n gwella 'ma, ma arna i ofn." Roedd chwerthin yn ei llais ond gwyddai Emlyn fod hynny'n aml yn cuddio'i gwir deimladau a'r boen gyson yn ei chymalau.

Eisteddodd yn ei chadair wichlyd wrth y tân.

"Dach chi isio i mi neud panad, Nain?"

Cynhyrfodd drwyddi a cheisio codi o'i chadair.

"Lle ma 'mhen i, dŵad? Mi wna i un i ni 'ŵan hyn."

"Peidiwch â styrbio. Steddwch fan'na ac mi wna i ferwi'r tecall."

Roedd y ddwy lathen sgwâr a elwid yn gegin yn edrych yn fwy di-raen nag arfer. Roedd bwyd wedi'i golli ar lawr ac oglau anghynnes yn codi o'r sinc gan fod honno heb ei sgwrio'n iawn ers amser. Llenwodd y tegell a chynnau'r cylch nwy potel i'w ferwi. Yna, aeth ati i dwtio y gorau fedrai ar y lle. Weithiau byddai'n gresynu bod Nain yn gorfod dygymod â'r unigrwydd ac yntau'n byw mewn tŷ mawr cymharol foethus gyda digon o le i sawl nain aros ynddo, ond doedd dim peryg y byddai naill ai ei dad na'i lysfam yn cynnig lloches iddi. Pe bai yntau a Mefina'n setlo i lawr yn sicr byddai Nain yn cael dod atyn nhw i fyw. Câi'r gofal gorau wedyn. Nyrs wrth law bedair awr ar hugain...

"Oes digon o fwyd gynnoch chi, Nain? Dach chi isio i mi ga'l negas i mewn i chi?"

"Hen ddigon gen i, 'mach i. Paid ti â phoeni dim."

Ond roedd Emlyn *yn* poeni fwyfwy amdani. Am ba hyd y gallai hi ddal ati fel hyn?

O'r diwedd roedd y baned yn barod ac aeth yn ôl i'r stafell fyw. Roedd ei nain yn cysgu'n sownd.

Gosododd ei the wrth ei hymyl a deffrodd yr hen ddynes mewn braw.

"Ewch o 'ma! Dwi'n 'ych gweld chi!"

"Nain! Nain! Fi sy 'ma... Emlyn!"

Yn araf sylweddolodd Nain lle'r oedd hi.

"Wel, am wirion," meddai dan chwerthin eto. "Dwn i'm lle'r ro'n i'n meddwl o'n i am eiliad fan 'ne. Mi welais i..." ysgydwodd ei phen.

Cymerodd Emlyn lymaid o de. Gwyddai'n iawn am y drychiolaethau y byddai ei nain yn eu gweld. Pan oedd yn iau, byddai wrth ei fodd yn clywed straeon ysbrydion ganddi, heb sylweddoli mai eu hadrodd o'i phrofiad ei hun roedd hi. Dim ond yn gymharol ddiweddar y datgelodd iddo sut y bu ysbrydion yn rhan annatod o'i bywyd ers blynyddoedd maith a sut roedden nhw'n dechrau aflonyddu fwyfwy arni.

"Glywsoch chi be sy 'di digwydd yng Nghelyn, Nain?"

"Naddo, 'mach i. Be sy rŵan eto? Mwy o drallod i dorri

calon hen ddynes, ma'n siŵr," ochneidiodd ac wedyn chwerthin eto.

Dywedodd Emlyn wrthi am y weithred gan y ddau o Went ac am yr achos llys yn y Bala.

"Ma'n grêt, tydi Nain?"

"Neith o ddim affliw o wahanieth." Edrychai'n ddidaro i mewn i fflamau'r tân a oedd wedi sionci'n braf erbyn hyn gan fwrw'i wres trwy'r bwthyn bach cyn pen byr o dro.

Roedd Emlyn wedi'i siomi gan yr ymateb difater. Beth oedd wedi digwydd i'r wraig wlatgar, y Gymraes bybyr, a oedd wedi tanio'i ddychymyg pan oedd yn blentyn? Y wraig a ddisgrifiai mor fyw weithredoedd Glyndŵr a'i fyddin yn y rhan hon o'r byd gan ddwrdio'n huawdl am drais y Sais pan glywsai hi gynta am y gronfa arfaethedig.

"Ond ma 'na ragor o bobol allan fan 'na, Nain. Cannoedd, miloedd..." Oedodd. Mor hawdd oedd ailadrodd geiriau dewr Twm, ac eto doedd o ddim eisiau sôn am gwrdd â'r Hwntw Mawr. Byddai hi, Nain o bawb, yn siŵr o ddeall ac o gymeradwyo'i awydd i weithredu. Byddai hi hefyd yn gallu cadw'r gyfrinach. Roeddent wedi rhannu amryw o gyfrinachau ar hyd y blynyddoedd. Dim byd mor aruthrol ag ymosod ar safle Tryweryn, hwyrach, ond digon iddo wybod bod Nain yn drŷst. Heddiw, fodd bynnag, gallai weld na fyddai clywed am ei fwriadau'n gwneud unrhyw les iddi; byddai'n peri iddi efallai boeni amdano, a hynny yn ei dro'n gwaethygu cyflwr ei hiechyd.

"Ma'n dda dy weld, Emlyn," meddai gan droi'r sgwrs. "Dim yn gweld neb y dyddie 'ma. Roedd hi mor wahanol erstalwm – yng Nghelyn, ynte? Byw ymhell o bob man ond bydde 'ne dwr o bobol yn galw rownd y ril. Ne rywbeth yn digwydd, eisteddfod, cymanfa, ffair, syrcas yn y Bala weithie. Pawb yn cwrdd yn nhai'i gilydd wedyn. Popeth yn dod â phobol at 'i gilydd rywsut."

Cofiai Casi hwyl a miri'r sesiynau digymell hynny ar yr aelwyd erstalwm – sain y consertina a'r ffidl, y canu brwd a phawb wrthi'n dweud jôcs ac adrodd storïau hen a newydd. Byddai'r brag anghyfreithlon yn ymddangos o'i guddfan ac yn llifo'n ddiatal gan lacio tafodau, hogi hwyliau a lleddfu pob poen. Byddai'r lle'n llawn pobol a chŵn a rheiny driphlith draphlith; cerdd a chân o fachlud haul nes i'r sêr bylu fesul un yn y nen ac i oleuni'r wawr ddechrau torri yn y dwyrain.

"Aethoch chi'n ôl i Gwm Tryweryn ar ôl bod yn y sanatoriwm, Nain?"

"Naddo, ro'n i'n gorfod mynd ar fy union i weithio, on'd oeddwn i? Ne mi fyswn i yn y wyrcws ar 'y mhen, beryg. Es i weithio mewn rhyw blasty ger Llandderfel."

"A fan'no naethoch chi gyfarfod â Taid, ie?"

Gwyliai Emlyn ei nain yn ofalus wrth iddi lymeitian ei the cyn ateb.

"Billy Burchill, myn uffern i," meddai gan rowlio'i llygaid tua'r nen, ac wedyn chwerthin o'i hochr.

"Pwy oedd o, 'te, Nain?" Roedd Emlyn yn gwybod ond hoffai'r stori.

"Sgotyn oedd o, yn helpu i ofalu am yr holl adar o'dd gynnon nhw ar y stad. Rarswyd, ro'dd 'ne filodd ohonyn nhw."

Ystyriodd am ennyd cyn cario ymlaen.

"Tua'r un oed â fi oedd o. Bach yn hŷn, falle. 'Nes i erioed ffindio beth yn union oedd 'i oed o. Bachgen golygus iawn, eitha tal a chanddo lond pen o wallt gole cyrliog."

Yn ôl y sôn roedd yr atyniad rhyngddynt yn amlwg o'u cyfarfyddiad cyntaf. Bron na fedrech chi weld y gwreichion yn tasgu wrth i'r ddau gil-lygadu'i gilydd ar draws y lawnt o flaen y tŷ y bore hwnnw. Gyda haul y bore y tu ôl iddo, edrychai gwallt euraid Billy fel pe bai ar dân, fel rhyw lun Beiblaidd a welsai Casi ar wal y sanatoriwm. Ni allai hi symud y ddelwedd honno o'i phen am ddyddiau ar ôl hynny.

A hithau wedi'i hamddifadu o fwythau ac anwyldeb o bob math tra bu yn yr ysbyty, a chydag absenoldeb ei thad ac iselder ei mam, roedd Casi'n crefu am gariad a rhywbeth amgenach na'r aml gelpan a gâi gan y staff hŷn yn y tŷ lle y gweithiai. Roedd hi'n dyheu am ddwylo i'w dal a'i chysuro, dwylo a fyddai'n ei chynnal rhag y pydew dychrynllyd a oedd wedi ymagor yn ei bywyd.

Yn ŵr ifanc gwaed coch cyfan, ac yntau eisoes wedi'i swyno'n lân gan ei harddwch a'i hanian ddiymgeledd, doedd Billy Burchill ond yn rhy barod i swcro'r holl anghenion hyn. Ar lannau Dyfrdwy deg fin nos yr haf i gyfeiliant y brithyll yn brigo'r dyfroedd tywyll a chlegar ambell hwyaden wyllt wrth glwydo yn y brwyn a'r hesg, câi'r cariadon ifanc ddihangfa rhag caledwaith y tŷ mawr am orig neu ddwy. Tynnwyd Casi'n ôl o ymyl y dibyn ym mreichiau cryf y llanc o'r Alban. Edrychai fel pe bai'r rhod ar droi, hwyrach...

"Taid," meddai Casi'n feddylgar gan ffwndro i osod ei phaned ar y bwrdd bach wrth ei hymyl.

"Swnio'n rhyfedd sôn amdano fo fel'ne hefyd. Stalwyn bach oedd o pan o'n i'n 'i nabod o. Ie, wir... a doedd hi ddim hir cyn bod rhaid i mi fynd i'r llan, yn ddwy ar bymtheg oed hefo eboles fach yn cicio yn 'y mol. Be nesa, meddyles i."

"Wna'th Taid 'ych trin chi'n iawn, Nain?"

"Do a naddo."

"Sut hynny?"

"Wel, roedd Billy yn ŵr diwyd a duwiol, er ei fod ychydig bach yn llawdrwm ar ei wraig weithie. Ddim yn aml. Dim cynddrwg â 'nhad erstalwm. Os oedd o'n fy hitio fi, bydde bob amser yn glên iawn wedyn, gan fy nifetha i ac Elsi, dy fam, wedyn."

"Cymerodd y goes yn y diwedd, 'yn do, Nain?"

Atebodd ei nain ddim yn syth.

"Do, aeth i ffwrdd i'r rasys ceffyle yng Nghaer a dyna'r diwetha weles i ohono, coelia. Roedd hanes rhyw baffio a Billy'n brifo rhywun yn wael ac yn gor'od ffoi'n ôl i Sgotland. Ma'n debyg ma rhyw ddynes oedd wrth wraidd y peth. Rhyw ffifflen ne'i gilydd. Hithe wedi diodde hefyd mewn rhyw ffordd, ma'n siŵr. Doedd y gwragedd ddim yn ei cha'l hi'n hawdd y dyddie 'ne."

Hawdd iddi faddau erbyn hyn. Ar y pryd roedd y digwyddiad wedi rhwygo'i chalon o'i chorff. Wyddai hi ddim sut i wynebu'r byd. Ar y pryd ni ddywedwyd dim byd am fanylion yr hyn a fu, dim ond bod Billy wedi ffoi i Sgotland oherwydd dyledion a rhyw ffeit yng Nghaer.

Rywsut neu'i gilydd, rhoddwyd y bai am yr holl ddigwyddiad ar Casi druan gan y meistr tir a'r ciperiaid. Llywodraeth y bais yn cadw Billy dan y fawd, medden nhw, a fflangell tafod ei wraig oedd yn gyfrifol am yrru Billy druan i'r helbul hwnnw. Hi oedd wedi'i swyno i gydorwedd â hi yn y lle cyntaf, yr hoeden bowld iddi, ac yntau'n llanc diniwed ymhell o'i gynefin. Ac oherwydd iddi fod yn gyfrifol am golli un o weithwyr gorau'r stad, byddai'n rhaid iddi hel ei phac. Doedd dim angen ei siort hi yno.

Ble'r oedden nhw wedi clywed y fath anwiredd amdani, protestiodd Casi, wrth i grafangau oer yr ofn rwygo'i bol.

O, byddai Billy'n lleisio'i gwynion yn aml iawn wrth y gweithwyr eraill, mynnai'r ciper.

“Pa gwynion?”

“Dy fod ti’n gwario pres yn wirion ar bob math o ffrils a phethe ffansi...”

“Erioed,” chwarddodd Casi yn ei hanghrediniaeth.

“’Se ti ddim wedi afradu cymaint o’i gyflog fel ’ne, fydde ddim rhaid iddo fo fenthyg pres fel ddaru o.”

Doedd Casi ddim yn deall. Doedd dim sail i’r hanes.

Erbyn hyn roedd wedi distewi’n llwyr a’i llygaid ynghau ac roedd Emlyn yn amau ei bod yn cysgu. Cododd o’i gadair a chychwyn draw ati, ond, na, agorodd y llygaid yn llydan.

“Ta waeth, doedd dim dewis gen i wedyn, nag oedd? Gorfod mynd yn ôl hefo’r fechan, dy fam, i’r Bala i rannu llety lleuog hefo mam a’r chwaer ganol.”

“Welsoch chi ’ych tad chi byth wedyn, Nain, ar ôl iddo fo ddŵad allan o garchar?”

“O, do, ond mi roedd o’n ddyn gwahanol iawn a doedd pethe byth yr un fath. Roedden nhw’n eitha diflas a deud y gwir. Y cyfan ohonon ni’n ceisio byw yn y twll lle ’na. Hel ei bac oddi yno wna’th o yn y pen draw. O drapie, pam bo fi’n sôn am ’rhen ddyddie o hyd?”

“Storïau difyr gennych chi bob amsar, Nain.”

“Dwn i’m,” chwarddodd a phesychu. “Ond ma gen i ambell hanes am y dre ’ma godai wallt dy ben di,” meddai gan sionci drwyddi.

A dyna lle bu am weddill yr amser, yn ei helfen, yn adrodd hanesion, yn datgelu camweddau rhai o barchusion tre’r Bermo, yn sôn am ryfeddodau natur ar y traeth, yn cofio am y dyddiau pan oedd Emlyn yn fach, yn cynllunio iddynt gael sbin yn y car y tro nesa y deuai heibio. Erbyn iddi fod yn amser ei throi hi roedd Casi ’nôl yn ei hwyliau gorau ac wedi ymlacio’n llwyr. Roedd ei holl osgo wedi stwytho drwyddo.

Cynigiodd Emlyn wneud ychydig swper iddi ond mynnodd Nain ei bod hi'n iawn ac y câi damaid o rywbeth yn nes ymlaen. Daeth at y drws hefo fo a'i gofleidio'n dynn. Y cof olaf ganddo oedd iddo godi llaw arni ac yntau'n sefyll wrth y gongl ar ben rhes o risiau tywyll a arweiniai i lawr i'r stryd fawr islaw. Safai yn y drws, yn anweledig bron, wedi'i llyncu gan y cysgodion.

"Hwyl, Nain!"

"Ta-ra, 'mach i."

Ac i ffwrdd ag ef i lawr y grisiau anwastad. A dyna oedd y tro olaf iddo'i gweld hi'n fyw.

A deud y gwir, meddyliodd Emlyn, doedd ei hysbryd ddim mor isel y prynhawn hwnnw ag y buasai ar sawl achlysur arall. Hefyd gallodd weld ei bod ychydig yn fyrrach ei golwg, ychydig yn llai sicr ei cham... yn heneiddio'n gyflym. Oedd, roedd yna bosibilrwydd y gallai hi fod wedi syrthio, ond yn ei ddŵr gwyddai Emlyn nad dyna a ddigwyddodd ac mai gwneud amdani'i hun ddaru hi... Roedd y llecyn lle y syrthiodd ychydig oddi ar y llwybr ac roedd hi'n nabod y llwybrau mor dda. Doedd o ddim yn fodlon derbyn mai damwain bur oedd hon.

Bwriodd y gobennydd eto, ond y tro hwn ceisio ei wneud yn fwy cyfforddus oedd y nod yn hytrach nag arwydd o'i rwystredigaeth, gan iddo glywed y cloc i lawr grisiau'n canu pedwar. Prin iddo gael noson gyfan o gwsg ers marwolaeth ei nain. Bu bron iddo gael ei ddal yn cysgu wrth ei ddesg sawl gwaith dros yr wythnosau diwethaf.

Efallai y byddai Nain yn dod ato mewn breuddwyd. Wedi'r cwbl, un a droediai'n agos iawn at fyd yr anweledig a'r isfyd ysbrydol oedd Nain. Siawns na fyddai hi'n gwneud pob ymdrech i gysylltu ag o... i esbonio, i gadarnhau'i amheuon ac iddo yntau ddweud wrthi am ei fwriadau i ddial ar ei rhan.

— XIV —

DRANNOETH, AC YNTAU'N hepian dros y lejers, dyma Geraint yn rhuthro ato'n gynnwrf i gyd.

"Emlyn! Dihuna achan!" sibrydai'n daer â'r rheolwr i'w weld yn hofran ar y cyrion.

"Be sy? Be sy'n digwydd?"

"Newydd glywed ar y weiarles. Ma rhywun wedi rhoi bom dan Drywеryn."

"Be?" Roedd blinder Emlyn wedi diflannu mewn amrantiad. "Pwy?"

"Wel, sa i'n gwbod, odw i? Y cwbl wedon nhw wedd bod ffrwydrad wedi bod yng Nghwm Tryweryn, a bod *transformer* wedi ca'l 'i hwythu'n rhacs a'u bod nhw'n ame *sabotage*."

Erbyn amser cinio roedd pawb yn y banc, yn gwsmeriaid a gweithwyr, yn trafod y weithred a'r sïon eisoes ar led ynglŷn â phwy allai fod wedi cyflawni'r fath drosedd.

Twm a'r hogia, siŵr o fod, meddyliodd Emlyn wrth deimlo iasau o gyffro'n rhedeg drwyddo. Tybed oedd modd iddo gysylltu â nhw i egluro'r hyn ddigwyddodd y tro o'r blaen a'i fod yn fwy eiddgar nag erioed i chwarae ei ran? Dylai fo gael gair hefo Geraint. Mwya i gyd yr edrychai ar ei gydweithiwr, mwya i gyd o debygrwydd o ran pryd a gwedd a welai rhyngddo a Twm.

Gartre, roedd ei lysfam a'i dad yn llawn dicter cyfiawn ynglŷn â'r digwyddiad. Traethai'i dad yn helaeth am ddirywiad moesau a gwerthoedd cymdeithas ers y rhyfel a sut byddai'r holl forwyr o Gymru a oedd wedi colli'u bywydau ar y môr yn ymladd dros Brydain Fawr yn gandryll pe baent yn gwybod am y ffasiwn warth.

"Ond, dach chi wir yn credu bod boddi Tryweryn yn weithred gyfiawn ac na fasan nhw'n gandryll am hynny hefyd?" holodd Emlyn.

Edrychodd ei dad arno'n syn. Dyma'r tro cyntaf i Emlyn ddangos ei ochr ar yr aelwyd. Yn anaml iawn y byddai'n trafod dim byd â'r ddau beth bynnag. Dros y blynyddoedd roedd cyfathrebu rhwng Emlyn a'i dad a'i lysfam wedi darfod yn llwyr i bob perwyl. Roedd Emlyn wedi ystyried symud oddi yno droeon, ond heb fagu'r plwc angenrheidiol i fynd dros y nyth.

"Be? Dwyt ti ddim yn cefnogi'r bobol 'ma, does bosib?"

Mor anodd oedd edrych yn syth yn ei wyneb dicllon a chadw'i lais rhag crynu. Gwnâi ei atgoffa rywsut o froga mawr a welsai mewn pantomeim unwaith. Ond roedd ofn ei dad arno erioed – dyn blin heb fawr o rinweddau amlwg yn perthyn iddo. Yn aml, byddai Emlyn yn amau ai ei dad o oedd hwn mewn gwirionedd gan fod eu bydolwg mor gyfan gwbl wahanol.

"Yndw. Yn 'u cefnogi i'r carn."

Os oedd tad Emlyn yn syn cyn hynny roedd golwg hollol gegrwth ac wedi'i hurtio arno bellach. Syllai'n syfrdan ar ei fab mewn dryswch ac anghrediniaeth lwyr. Wynebu ei gilydd dros fwrdd y gegin a wnaent. Roedd Emlyn yn siŵr, oni bai fod y bwrdd hwnnw rhyngddynt, byddai'i dad wedi'i daro.

"Cwilydd," mwmiodd ei lysfam gan droi o'r stôf i edrych arno'r un mor gyhuddgar â'i dad.

"Ie, wel, mi fasa rhyw Susnas fatha chi'n deud peth felly, yn basa?"

"Emlyn!" rhuodd ei dad.

"Wel, dyna be 'di hi. A rhyw gynffonnwr o Gymro dach chitha, yn llyfu tin y Sais bob gafael."

Newidiodd lliw wyneb ei dad sawl gwaith, ac aeth ei olwg yn debycach byth i froga. Symudodd ei lysfam draw at ei dad a'i atal rhag lluchio ei hun ar Emlyn.

"Ymddiheura'r funud yma, y gwalch bach digwilydd!"

Roedd ofn ar Emlyn erbyn hyn, a gwyddai ei fod yn crynu llawn cymaint â'i dad. Ond fedrai fo ddim ymddiheuro. Dyma oedd gwirionedd y sefyllfa yn y tŷ hwn. Roedd yn bryd iddyn nhw gael deall sut roedd yn teimlo. Am ychydig ni ddywedodd neb yr un gair. O'r diwedd, dywedodd tad Emlyn:

"Dwyt ti ddim am ymddiheuro 'ta?"

Distawrwydd.

"Iawn, os na 'nei di ymddiheuro ac os wyt ti'n cefnogi'r cachgwn bach 'na sydd wedi gosod y bom, chei di ddim aros ar yr aelwyd hon. Dos o 'ngolwg i. Os na 'nei di dynnu'r geiria'n ôl, allan ar dy din fyddi di – cei di wsnos i ga'l lle newydd. Wyt ti'n dallt?"

Edrychodd ei lysfam ar ei gŵr a gwelodd Emlyn ei bod efallai'n mynd i ymyrryd o'i blaid, ond meddyliodd eilwaith ac aeth yn ôl at y sosbenni ar y stôf.

Trodd Emlyn ar ei sawdl gan ruthro o'r gegin i fyny'r grisiau i'w lofft. Teimlai fel crio ond ddeuai'r dagrau ddim. Roedd yn gwybod yn syth bod yna ddrws wedi cau a drws wedi agor iddo yn ystod y munudau diwethaf ac roedd ofn bachgennaidd wedi'i ddisodli gan ryw wroldeb penysgafn, meddwol...

"A diolcha 'mod i ddim yn deud wrth reolwr y banc 'cw. Fasan nhw ddim yn cadw *criminal* bach fatha chdi ar 'u llyfra am yn hir, yr hen lolyn anniolchgar," oedd y geiriau a'i dilynodd i fyny'r grisiau.

Yn ei lofft, rhwng cyffro ac ofn, byseddai Emlyn y llun o'i nain a dynnwyd ar y traeth yn Harlech ar yr adeg pan oedd hi'n byw hefo nhw. Byddai Nain wrth ei bodd o glywed am y ffrae dyngedfennol hon. Byddai hi bob amser yn gwneud sbort am ben ei dad a'i lysfam. Yn sydyn, sylweddolodd Emlyn nad oedd modd iddo ddweud wrthi; nad oedd hi yno bellach. Roedd y boen yn enbyd a'r unigrwydd yn llethol ac o'r diwedd daeth y dagrau.

— XV —

SYMUDODD PETHAU'N GYFLYM iawn ar ôl y bomio. Cyn pen dim roedd myfyriwr ifanc yng ngholeg Aberystwyth, Emyr Llywelyn Jones, wedi'i arestio ar amheuaeth o osod y bom. Doedd yr enw'n golygu dim byd i Emlyn ar y pryd. Porai'n awchus yn y papurau am bob sgrepyn o wybodaeth amdano ond y cwbl a gâi gan amlaf oedd llithoedd difrïol yn ymosod ar genedlaetholdeb Cymreig gan fychanu dewrder y rhai a oedd wedi ymgymryd â'r fath anfadwaith anghyfrifol. Roedd pob brawddeg ddiddeall fel wermod iddo a'r blas chwerw'n ategu'i benderfyniad.

Yn y banc, roedd Geraint wedi'i gynhyrfu'n lân:

"Mab T. Llew Jones achan!" hisiodd ar draws ei ddesg rhag ofn bod Mrs Owen, y prif glerc, o gwmpas. Tueddai Mrs Owen i loetran y tu ôl i ddrysau â'i chlustiau asyn yn codi holl sibrydion drwg y lle. Roedd hi'n Brydeinwraig ronc a di-ildio. Baw dan ei hesgid fyddai bomwyr Tryweryn.

"Ma fe'n un o'r beirdd Cwmrâg mwya sy'n fyw heddi," oedd ymateb syn Geraint i'r olwg ddryslyd ar wyneb Emlyn. "Dim ond rhyw bum mlynedd sy ers iddo fe ennill cader y Genedlaethol – ddwy flynedd o'r bron, cofia. 'Na foi yw e. Allwn i weud ambell stori..." ond ymddangosodd pen sarffes Mrs Owen dros y pared agosaf ato, a daeth taw sydyn ar yr hanesion.

Doedd Emlyn ddim yn dilyn yr Eisteddfod ond roedd yr enw T. Llew yn canu rhyw gloch. Er ei fod yn dyheu i'r bomwyr ddianc i niwloedd y mynyddoedd fel y gwnaethai Glyndŵr ar ddiwedd ei oes heb iddynt orfod wynebu'r un gell na llys

Seisnig, roedd darllen a meddwl am Emyr Llew'n peri cyffro mawr iddo. Dim ond tua'r un oedran ag yntau oedd o. Rhyw ddwy ar hugain. Roedd yna sôn bod o leiaf ddau arall hefo fo'r noson honno. Pwy oedd y lleill? Ai dyma rai o'r cannoedd a'r miloedd y bu Twm yn sôn amdanynt?

Erbyn hyn roedd Emlyn wedi symud o gartref ei dad a'i lysfam. Roedd hynny wedi'u dychryn braidd. Siarad yn ei fŷll roedd ei dad, yn amlwg, gan obeithio codi braw ar ei fab cyfeiliornus a chael ymddiheuriad edifeiriol ganddo. Wedyn, fel cynt, câi aros yn ufudd dan yr unto ar yr amod na fyddai rhagor o sôn am genedlaetholdeb na chefnogaeth i fandaliaid fatha'r Emyr Jones 'ma. Ond er mawr syndod dyma Emlyn yn achub ar y cyfle i ganu'n iach â'r aelwyd a wnaeth ei lethu cyhyd.

Roedd wedi cael lle mewn carafán ar fferm nid nepell o'r dre, ac er bod oerni'r gaeaf hwnnw'n iasol a'r gwartheg ar ffermydd y fro'n newynu o brinder porthiant, unwaith y byddai'r stôf ynghynn gyda'r nos roedd yr hen garafán yn gartref digon clyd i Emlyn a châi flas aruthrol ar ei annibyniaeth newydd.

Teimlai'n ysgafnach rywsut, wedi cael lle i anadlu ac awyr iach, chwedl ei nain. Doedd byw mewn bocs metel ar lethrau'r mynydd yng nghanol y gaeaf oeraf ers tua phymtheng mlynedd ddim yn fêl i gyd, wrth reswm. Roedd cyfandiroedd o lwydni i'w gweld yn ymestyn ar draws y waliau a'r nenfwd gan ehangu'u tiriogaeth yn feunyddiol, neu felly yr ymddangosai.

Doedd o ddim yn medru coginio cystal â'i lysfam, un o'i rhinweddau prin yng ngolwg Emlyn, a phrofiad diflas oedd gwisgo siwt ychydig yn damp i'r gwaith bob dydd. Doedd y ffermwr chwaith ddim yn gymeriad arbennig o hoffus, yn gwynwr wrth reddf a gadwai'i stoc, ei gŵn a'i deulu, siŵr o fod, ar eu cythlwng yn hytrach na gwario dimai'n fwy arnynt nag oedd yn hollol angenrheidiol. Roedd ei wraig, fodd bynnag, fymryn yn gleniach ac am ddeuswllt yr wythnos yn ychwanegol at ei rent, roedd hi'n barod i ymgymryd â golchi dillad Emlyn, a hyd yn oed byddai'n gadael ychydig sborion bwyd iddo pan allai wneud hynny heb i'w gŵr sylwi.

Er gwaethaf hyn i gyd, doedd dim dwywaith bod y byd yn ymddangos yn gliriach i Emlyn nag y buasai ers amser maith.

O fewn mis i'r ffrwydrad, roedd Emlyn yn ôl yn y Bala yng nghanol cefnogwyr niferus Emyr Llew ar gyfer yr achos yn llys y dre. Petrusodd ychydig cyn mentro ar y daith i'r Bala. Efallai y byddai Twm yno. Daliai i ofni y byddai gwŷr Twm yn cael gafael ynddo. Ar yr un pryd roedd yn awyddus i esbonio'r hyn a oedd wedi digwydd ac i'w sicrhau ei fod o hyd yn barod i weithredu dros Gymru.

Bore glawog ar ddechrau mis Mawrth oedd hi a gafael haearnaidd gaeaf 1963 heb lwyr lacio eto. Dim ond côt gymharol denau oedd gan Emlyn rhag brath y tywydd. Roedd o wedi gadael cymaint o'i bethau ar ôl yn nhŷ ei dad wrth hedfan y nyth ar y fath frys a doedd ganddo fawr o awydd dychwelyd i nôl gweddill ei eiddo am sbel.

Doedd ganddo ddim gwyliau ar ôl i'w cymryd o'r gwaith ac felly penderfynodd y byddai'n rhaid iddo smalio ei fod yn sâl gan obeithio na fyddai neb yn ei nabod yn y dorf i sbragio arno wrth ei gyflogwyr. Rywsut roedd o'n weddol ffyddiog na fyddai llawer iawn o'r gymuned fancio yng ngogledd Cymru'n dangos eu hochr yn y Bala y diwrnod hwnnw, er y gwyddai fod rhai o'r cwsmeriaid yn ddigon agored yn eu gwrthwynebiad i foddi Tryweryn.

Tipyn o siom iddo oedd na chafodd gyfle i weld ei arwr newydd yn mynd i mewn nac yn gadael y llys. Digwyddodd pethau'n rhy gyflym ac roedd gormod o ymbaréls a myfyrwyr cynhyrfus yn tasgu o gwmpas y lle iddo weld beth oedd yn digwydd.

Ar ôl i'r cyffro ddarfod bu pawb wedyn heb fod yn sicr

beth i'w wneud yn cerdded o gwmpas y dref yn ddiamcan gan ddisgwyl dyn a ŵyr beth i ddigwydd. Yn sydyn, diflasodd Emlyn a phenderfynu ei throi hi am adre, i gynnau'r stôf yn y garafán cyn iddi dywyllu a chynhesu gweddillion y lobsgóws ers y noson cynt. Darllen efallai, neu ysgrifennu llythyr at...

"Emlyn?" meddai rhywun gan gyffwrdd yn ei benelin. Aeth ias drwyddo. Dynion Twm wedi'i ddal o'r diwedd.

Trodd yn barod i raffu'i esgusion a phledio'i achos, neu i'w heglu hi nerth ei draed drwy strydoedd cefn y Bala rhag cael ei stido'n greia gan giang o feibion caletaf Dyfed. O'i flaen safai dyn ifanc eithaf eiddil a wisgai sgarff Prifysgol Cymru a golwg ychydig yn syn ar ei wyneb o weld ymateb gwyllt Emlyn wrth iddo gyffwrdd yn ei benelin. Oedd, mi oedd Emlyn yn ei nabod ond heb ei weld ers...

"Gwyn..." anogodd y llanc yn betrus. "Brawd Mefina, dach chi'n 'y nghofio i?"

"Yndw, yndw... su' wyt ti, Gwyn? Ers tro byd... yn y coleg wela i," ychwanegodd yn ddiangen.

"Yn astudio hanes," meddai'r llall a bu tawelwch.

"Crowd go lew," meddai Gwyn o'r diwedd. "Ma 'na sôn gawn ni'n diarddel o'r coleg am hyn, wchi."

"Taw â deud? Gobeithio ddim yn wir," atebodd Emlyn gan deimlo fatha llo yng nghwmni brawd ei gyn-gariad a gwrthrych tragwyddol ei serch. Roedd yn ymwybodol bod ei ruddiau'n fflamgoch erbyn hyn.

Tawelwch eto. Roedd yn rhaid iddo ofyn amdani.

Ar draws ei gilydd meddai'r ddau:

"Su ma Mefina?"

"Dach chi wedi gweld Mefina?"

Chwerthin yn swil am y cydadrodd.

"Na, dwi heb ei gweld hi ers sbel."

"Sôn am heddiw ydw i. Ma hi yma yn rhywle," meddai Gwyn gan sbio o'i gwmpas.

"Be? Yma? Mefina?"

"Yndi."

"Gwyn, ma'r bws yn mynd," gwaeddodd cawr o lanc barfog wrth ruthro heibio. "Ty'd er mwyn Duw ne fyddan ni byth yn ôl i'r blydi seminar 'na."

Dilynodd Gwyn y llall ar ras wyllt ar draws y stryd at y bws yn ôl i Aberystwyth.

"Da bo ti, Emlyn!" meddai Gwyn gan hanner codi llaw.

Ddywedodd Emlyn ddim byd. Gwyliai wrth i'r bws ymbellhau i lawr y stryd gan ei adael yn sefyll unwaith yn rhagor yng nghwmni T. E. Ellis a hwnnw hefyd fel pe bai'n codi'i law ar y gwrthdystwyr wrth iddynt ddiflannu tua'r de.

Edrychai Emlyn o'i gwmpas mewn dryswch. Doedd o ddim yn deall. Pam ar wyneb daear y byddai Mefina yn y Bala heddiw? Doedd gan Mefina affliw o ddiddordeb mewn gwleidyddiaeth na Chymru na Thryweryn na dim byd fel 'na. Oni bai ei bod hi wedi dod yn unswydd i gwrdd â'i brawd. Ond i be?

Doedd dim sôn amdani ar y stryd erbyn hyn yn sicr. Crwydrodd Emlyn tua'r bont heb weld neb roedd yn ei nabod. Ar y bont edrychodd i lawr ar afon Tryweryn wrth iddi lifo'n winau ar ei ffordd i ymuno â'i chwaer fawr, afon Dyfrdwy. Roedd ei dyfroedd wedi'u chwyddo gan eira'n meirioli yn y mynyddoedd. Edrychai fel pe bai'r afon ei hun yn boddi ac yn ymladd i ddygymod â'r holl ddŵr a ruthrai rhwng ei glannau.

Doedd Emlyn ddim yn edrych ymlaen at y daith yn ôl i Ardudwy. Byddai'n rhaid iddo yrru heibio i safle'r argae unwaith eto. Y bore 'ma roedd wedi cadw'i lygaid yn ddiwyro ar y lôn newydd o'i flaen gan ymwrthod â'r temtasiwn i edrych i'r dde ar y gwaith mawr. Roedd yr hen ffordd drwy Gapel Celyn wedi'i hen gau erbyn hyn a rhyw rodfa eang wedi'i gosod ar hyd ochr ogleddol y cwm. Lot yn well, meddai rhai, gan fod rhywun yn medru'i choedio hi ar hyd hon a chyda'r gwelliannau i'r lôn drwodd i Traws roedd pethau'n dechrau codi stêm yn y rhan yma o'r byd o'r diwedd....

Rhy boenus o lawer i Emlyn oedd edrych ar y creithiau o gwmpas yr argae, yr adfeilion noethlymun... Codai'r cwbl gyfog arno... Efallai yr âi adre ar hyd ffordd wahanol trwy Ryd Uchaf a Llidiardau, neu hyd yn oed i lawr trwy Ddolgellau am sbin. Rhywbeth i osgoi'r olygfa dorcalonnus 'na.

Fesul un roedd y ffermydd yn dechrau gwagio; yr arwerthiannau pitw ar y buarth yn rhicio terfyn einioes o ymdrech; yr wynebau blinedig llawn straen a thristwch yn gwylio'n bryderus wrth i'r dodrefn, a safasai'n ddi-syfl am genedlaethau yno, adael aelwydydd. Y ffurfafen yn dawel ddymchwel o flaen y dilyw arfaethedig.

Dechreuodd Emlyn fynd dow-dow'n ôl at y maes parcio lle'r oedd wedi gadael y car. Cyraeddasai'r Bala'n rhy gynnar y bore hwnnw ac felly roedd wedi parcio ger Llyn Tegid ac wedi cerdded yn hamddenol am ychydig ar hyd ei lannau.

Hoff stori Emlyn gan ei nain erstalwm oedd yr un am yr hen Degid creulon yn cynnal gwledd yn ei blasty ar lawr y dyffryn yn y dyddiau pan nad oedd y llyn yn bodoli, gan wahodd ei gymheiriaid creulon i gyd o bob cwr o'r deyrnas i ymuno ag o ac i ymdrybaeddu yn eu holl rwysg anghyfiawn. Hoffai Emlyn glywed sut yr hudwyd y telynor bach i ffwrdd o ganol y miri anllad gan aderyn a ganai 'Dial a ddaw' ac wedyn, wrth droi i edrych yn ôl ar y dyffryn, sut y gwelsai don enfawr o ddŵr yn llyncu plasty'r hen 'gythrel Tegid 'ne' chwedl ei nain, gan foddi pob teyrn creulon yn y wlad.

Dial a ddaw, meddyliodd Emlyn, ond eto doedd y gyffelybiaeth ddim… wel ddim yn dal dŵr, nag oedd? Roedd popeth ben i waered ac o chwith.

Doedd yr un teyrn creulon ymhlith gwerin bobl Capel Celyn, nag oedd? A fu cymuned mwy dirodres erioed? Go brin bod ei ffermdai a'i ffriddoedd yn haeddu diflannu dan ryw ddilyw o wneuthuriad dyn. Pobl heb rym nac awdurdod oeddent, a heb y cyfrwystra na'r cryfder i wrthsefyll gorthrwm teyrn, sef Corfforaeth Lerpwl. Yn rhy lawn o gerdd a chân a'r hen chwedlau ac yn rhy hamddenol i ddelio â'r bygythiad a fyddai'n eu chwalu am byth.

Eisteddodd Emlyn am sbel gan edrych dros lwydni'r llyn, ei ddyfroedd yn un â'r cymylau a'r tir o'i gwmpas ac ambell hwyaden yn hwylio'n benderfynol i ganol y niwl ar drywydd dyn a ŵyr beth.

Roedd ar fin datgloi drws ei gar pan ddaeth llais dwfn o'r tu cefn iddo.

"Wel, wel, wel… pwy sy 'da ni fan hyn 'te? Y bradwr bach ei hun ife?"

Twm! Trodd Emlyn a'i gael ei hun yn wynebu tri dyn – Twm a dau foi tipyn llai na'r llabwst mawr ei hun ond â golwg yr un mor ddigyfaddawd flin ar eu hwynebau.

"Gwrandewch, Twm… mi fedra i egluro… Doedd dim byd fedrwn i 'i neud. Doedd dim modd i mi gysylltu…"

"Oni bai amdanat ti, y pwrsyn bach llipa," sgyrnygodd Twm gan gydio yn llabedi'i gôt gyda chymaint o rym nes bod y defnydd tenau'n rhwygo, "bydde'r gwaith ar Dryweryn ar stop ers misodd a'r Cymry'n dechre wmladd am 'u rhyddid."

Roedd gan Emlyn ei amheuon ynglŷn â chywirdeb y gosodiad hwn, ond gyda'r holl arddeliad a feddai dywedodd,

"Ma'n ddrwg iawn, iawn gen i, Twm."

"O, fe fyddi di'n difaru am byth. Alla i addo hynny i ti nawr."

"Buodd fy nain farw – wedi lladd ei hun."

"A tithe'n ŵyr iddi, sa i'n 'i beio hi," meddai'r llall heb wên ar ei wyneb.

"O achos Tryweryn..."

Am ennyd llaciodd Twm ei afael yng nghôt Emlyn gan edrych arno fel pe bai ar fin ei adael yn rhydd.

"Chlywes i eriôd y fath ddwli yn 'y mywyd," meddai o'r diwedd.

Gyda hyn cyrhaeddodd fan Bedford dolciog y maes parcio.

"Iawn, bois," gorchmynnodd Twm. "Miwn ag e i'r fan. Yn glou!"

Doedd dim angen help y corgwn eraill ar Twm. Gallasai fod wedi taflu'r clerc o'r banc ag un llaw. Ond efallai mai rhyw fath o sesiwn hyfforddiant oedd hon i'r hogia ac aethant ati'n frwd i lusgo Emlyn draw at gefn y cerbyd. Roedd maint y ddau ddyn arall yn dwyllodrus; roeddent bron cyn gryfed â Twm ei hun ac yn amlwg am greu argraff arno drwy ddyrnu Emlyn yn giaidd bob cam o'r ffordd.

Wrth gyrraedd drws cefn y fan, ac Emlyn yn strancio am a fedrai, llithrodd un o'r dynion gan golli'i afael ym mraich ei garcharor. Â'i fraich rydd llwyddodd Emlyn i roi ryw fath o swadan letchwith i ochr pen y llall gyda digon o nerth i beri i hwnnw hefyd ollwng ei afael. Roedd yn rhydd!

Ond doedd unman i ddianc. Neidiodd y gyrrwr o'r fan ac yn fuan iawn roedd y pedwar dyn wedi corlannu Emlyn o'r newydd.

"Dwi'n gystal Cymro â chi i gyd," crawciodd Emlyn, a'i anobaith yn amlwg. "Plîs gwrandewch ar be sy gen i i ddeud..."

"Rhy hwyr, gw'boi," meddai Twm.

Ceisiodd Emlyn dorri trwy'u canol nhw, ofn yn rhoi rhyw nerth arbennig iddo, ond roedd digon o freichiau cyhyrog i'w rwystro. Mewn chwinciad roedd o ar lawr a'r pedwar, gan gynnwys Twm, wedi cydio mewn coes a braich yr un. Bob tro y stranciai byddai un o'r dynion yn anelu cic front ato.

"Hei, stopiwch! Gadewch lonydd iddo! Gadewch lonydd!"

Llais dynes. Am ychydig fe'i daliwyd yn sownd wrth i'r pedwar ymosodwr asesu'r ymyrraeth annisgwyl.

"M.O.M, bois. Gadwch y cachgi'n rhydd… am y tro."

Taflwyd Emlyn ar lawr. Glaniodd glatsh ar ei gefn a gwasgwyd pob owns o wynt o'i gorff.

Ceisiodd Emlyn godi ar ei draed ond methodd. Trodd ei ben a gwelodd ddynes yng nghwmni rhywun nad oedd fawr llai na Twm.

Roedd Twm a'i griw yn y fan bellach a honno'n cael ei refio fel pe bai mewn rali, y teiars yn sgrechian a gro'r maes parcio'n tasgu wrth iddi adael.

Cyrhaeddodd y ddynes a'i chydymaith y man lle gorweddai Emlyn.

"Emlyn! O, Emlyn! Wyt ti'n iawn?"

Ceisiodd Emlyn ynganu'i henw. Ond ddeuai'r un sŵn o'i geg. Roedd fel petai mewn breuddwyd.

"Wyt ti'n 'i nabod o, Mefs?" meddai'r dyn mewn acen Wyddelig.

— XVI —

ROEDD MEFINA EISOES wedi gweld Emlyn ar y stryd y bore hwnnw cyn iddi hi a Des ddod ar ei draws ar fin cael ei gipio o'r maes parcio ger y llyn.

Dyma'r tro cyntaf iddi fod yn y Bala. Synnai at yr holl fwrlwm mewn lle mor fach. Doedd dim syniad ganddi pam bod cymaint o bobl o gwmpas, yn enwedig pobl ifanc, pan gyrhaeddodd hi ar y trên. Rhyw sasiwn neu gymanfa, efallai. Roedd tipyn o fynd ar bethau felly yn y Bala, yn ôl pob sôn.

Roedd Des wedi trefnu dod yno o Lerpwl i gwrdd â rhywun – hen ffrind o Derry, meddai o – ynglŷn â chael gwaith ac roedd hithau wedi trefnu ei gyfarfod yn yr orsaf yn nes ymlaen. Y tro cyntaf iddyn nhw weld ei gilydd ers tair wythnos. Aeth Mefina i gael paned mewn caffi ar y stryd fawr.

Oherwydd y tywydd annifyr, cafodd ddwy baned a smocio tua phum sigarét gan fwynhau'r ffaith nad oedd neb yn ei nabod a naws swigen glyd y caffi o'i chwmpas yn darian rhag bywyd a'i holl helbulon – am ychydig, beth bynnag. Eisteddai mewn breuddwyd gan syllu i'r pellter, ei meddwl hi'n segura am y tro cyntaf ers amser, yn anymwybodol bron o fwrlwm swnllyd y cwsmeriaid eraill a'r hyn a ddigwyddai drwy'r ffenest o'i blaen.

Yn sydyn, o bawb yn y byd, pwy welodd hi ond Emlyn yn sefyll yr ochr draw i'r stryd. Deffrodd yn syth o'i myfyrdod llesmeiriol gan graffu trwy'r angar ar y ffenest. Ai drysu oedd hi? Nage, fo oedd o, myn dian i. Doedd dim dwywaith amdani.

Peth rhyfedd ei weld o fel hyn hefyd. Yn nes adre rywsut buasai Mefina'n disgwyl taro ar ei draws. Roedd hi wedi dychmygu ei gyfarfod sawl gwaith a'r math o sgwrs a fyddai rhyngddynt. Ceisiai rag-weld sut y byddai Emlyn yn ymateb i'r newidiadau yn ei bywyd – y ffaith ei bod hi'n ei hôl yn byw o fewn tafliad carreg iddo unwaith eto a'r ffaith bod ganddi gariad newydd. Ceisiodd ymbaratoi'i hamddiffyniad... er pam ddiawl ddylai hi deimlo'n amddiffynnol?

Daliai Emlyn i sgwennu ati'n rheolaidd, a hithau heb ymateb ers amser maith. Dim ond yr wythnos diwethaf roedd ei hen lety yn Lerpwl wedi anfon un o'i lythyrau ymlaen ati. Doedd hi ddim wedi'i agor hyd yn hyn. Bu rhwng dau feddwl a ddylai ei luchio heb ei agor, ond byddai hynny'n weithred rhy faleisus rywsut. Pa ddrwg wnaethai Emlyn iddi erioed? Yn sicr doedd ganddi ddim drwgdeimlad tuag ato. Ar un wedd edrychai ymlaen at ei weld. Ond gallai Emlyn gymhlethu pethau. Roedd yna rywbeth mor ddwys ddifrifol amdano ar brydiau. Gobeithiai na fyddai'n gwneud dim byd gwirion...

Ond roedd o yno. Dim ond rhyw ugain llath oddi wrthi. Golwg ychydig yn flerach arno nag arfer, rhyw gôt ddigon di-raen amdano, a heb eillio'n gwbl lân. Oedd, mi roedd yn dal i fod yn olygus, yn dipyn o bishyn a deud y gwir. Eto i gyd, amhosib fyddai iddi geisio dychwelyd at sut y buasai pethau rhyngddynt cyn iddi adael. Teimlai hynny mor bell yn ôl hefyd erbyn hyn.

Anodd credu iddynt fod mor agos a rhannu cymaint...

Wel, na... doedd hyn'na ddim yn wir chwaith. Hunan-dwyll rhamantus oedd meddwl peth felly. Cywion cariad rhyw haf hirfelyn fuon nhw a dyna'r cwbl. Digwyddodd, darfu. Caws a chalch yn y bôn. Doedd dim gobaith i'r peth bara. Atyniad dros dro – dim byd mwy.

Ac eto, a hithau'n craffu arno o hyd trwy gil ei llygad, yn barod i droi'i phen ar amrantiad pe bai Emlyn yn digwydd sbio draw i'w chyfeiriad, synhwyrai fod yna atyniad o hyd. Rhyw ysfa fach annisgwyl am symlrwydd y dyddiau a fu...

Edrychai Emlyn ar goll braidd yng nghanol rhyw griw

o stiwdants – yn hŷn nag oedd hi'n ei gofio, yn aeddfetach, hwyrach, a'r aeddfedrwydd yn gweddu'n dda iddo. Ddylai hi fynd draw ato, tybed? Byddai'n rhaid iddi dorri'r garw ryw ben. Wedi'r cwbl roeddent yn byw yn yr un ardal bellach. Mater o amser yn unig fyddai hi. Waeth iddi fentro rŵan... tra oedd hi mewn rhyw dir neb o le fel hyn.

Baglodd o'i sedd a thrwy'r drws, pennau'n troi o'i chwmpas, gan anghofio'n gyfan gwbl nad oedd wedi talu am ei choffi. Camodd oddi ar y pafin i groesi'r stryd.

"Wel, wel, wel. Pwy fasa'n meddwl? Y chwaer fawr wedi troi'n Welsh Nash!"

"Gwyn!"

Be ddiawl oedd yn digwydd yn y dre 'ma heddiw?

"Wedi dŵad i ddangos dy ochr?" meddai ei brawd yn goeglyd wrth ei chofleidio'n gynnes yr un pryd. Roedd Mefina'n falch iawn o'i weld, a hynny erstalwm byd hefyd. Bu'r ddau'n agos yn blant, yn ffrindiau da a hithau wrth ei bodd yn ei famïo a'i ddwrdio am yn ail fel pob chwaer fawr arall, debyg iawn, ond llacio wnaeth y rhwymau yn ystod yr adeg y bu Mefina i ffwrdd. Doedd yr un ohonynt yn dda iawn am sgwennu. Rhyw basio'i gilydd yn y nos fuasai eu hanes ar yr adegau prin pan fyddai Mefina wedi digwydd dod adra yr un pryd ag ef yn ystod y cyfnod diwethaf, a Gwyn bellach yn fyfyriwr yn ei ail flwyddyn yn Aberystwyth.

"Ew! Ma'n dda dy weld ti, boi," meddai Mefina a'i balchder yn amlwg yn ei llais. "Gad i mi edrach arnach di. Ti 'di meinio 'm bach, cofia. Ond be da wyt ti 'ma eniwe yn y Bala o bob man? Be da 'di'r holl bobol 'ran hynny?"

"Cefnogi Emyr Llew."

"Pwy?"

"Y boi sy 'di 'i ddal am osod y bom yn Tryweryn."

"O..." Yr enw 'na eto. Bob amser yn dwyn rhyw flas cas yn ei sgil. Byddai hyn yn esbonio presenoldeb Emlyn yn nhref Thomas Charles fel hyn.

"Ma'r achos yn ca'l 'i gynnal yma heddiw. Ti'n mynd i'n joinio ni?"

"Na... na... aros am Des ydw i. Pryd ti'n dŵad adra nesa?"

Newidiodd wyneb ei brawd. Diflannodd yr asbri o'i lygaid a'i lais.

"Sut ma petha acw erbyn hyn?"

"Ddim yn dda, 'sti. Fel y basa rhywun yn disgwyl, am wn i. Fydd hi ddim yn hir rŵan."

"Na fydd, debyg," meddai Gwyn yn ddifrifol a rhyw olwg betrusgar ar ei wyneb. Ar ôl ennyd, sionciodd drachefn:

"Falla do i adra ddiwadd y mis." Chwarddodd yn nerfus. "Falla fydda i wedi ca'l 'y nghicio o'r coleg ar ôl heddiw, beth bynnag."

"Gwyn!" meddai Mefina, ei llais yn llawn gofid. "Paid â gneud dim byd gwirion..." Llais chwaer fawr os bu erioed!

"Rhaid i mi fynd, yli – ma'r chwyldro ar fin dechra," torrodd Gwyn ar ei thraws ac i ffwrdd ag o gan groesi'r stryd i ymuno â'i gymheiriaid. "Sgwenna i ddeud wrtha i pwy 'di Des!" gwaeddodd dros ei ysgwydd.

Sgwenna di, y diawl bach, meddyliodd Mefina.

Teimlai braidd yn flin. Er ei hoffter diffuant o'i brawd roedd ganddo ryw agwedd ddi-hid a allai fynd dan ei chroen. Yn enwedig gyda phethau fel yr oeddent acw erbyn hyn. Iawn iddo fo redeg o gwmpas yn chwarae bod yn Owain Glyndŵr, a hithau yn ei chanol hi yn gorfod delio â holl helynt salwch ei thad a natur anodd ei mam.

Aeth ysgryd drwyddi wrth feddwl am ei sefyllfa. Fesul tipyn roedd y rhyddid a gawsai – yn wir, a greodd iddi'i hun

– wrth fynd i ffwrdd i nyrsio yn cael ei gipio'n ôl oddi arni. Roedd confensiynau, dyletswydd, cydwybod ac anlwc wedi cau pob drws gan ei gadael hi'n fwy o gaethferch nag y bu pan gychwynnodd gyntaf ar ei hantur.

Gallai deimlo dagrau hunandosturi'n cronni o'r newydd yn ei llygaid. Sbiodd draw i ble y bu Emlyn yn sefyll ond doedd dim sôn amdano bellach. Fyddai heddiw ddim yn adeg dda i sgwrsio ag o chwaith o feddwl am yr achos llys. Byddai ei ben o'n llawn syniadau politicaidd hurt. Roedd ei dagrau bron â'i dallu erbyn hyn.

Llyncodd, sniffiodd a thynnodd ei llawes dros ei llygaid. Cododd ei hymbarél wrth i'r glaw ffyrnigo. Teimlai ei thraed yn dechrau gwlychu. Roedd arni eisiau sgidiau newydd a'i phres yn brin... A damia, roedd eisiau talu am y coffi hefyd. Aeth yn ôl i glydwch atyniadol y Cyfnod i setlo'r bil. Roedd wedi trefnu cwrdd â Des er mwyn iddynt gael cwpwl o oriau hefo'i gilydd cyn ei throi hi i'w cyfeiriadau gwahanol unwaith eto. Ond pe bai pethau'n mynd yn iawn i Des heddiw byddai hyn'na'n newid ei sefyllfa cyn bo hir. Oedd, mi roedd 'na bethau i edrych ymlaen atyn nhw hefyd.

Cerddodd draw i'r orsaf gan gyrraedd ar yr amser penodedig. Arhosodd hanner awr ond doedd dim sôn amdano. Aeth hanner awr arall heibio.

Lle ddiawl oedd o? Stampiodd ei throed yn flin ar y platfform dan riddfan yn dawel gwynfanus wrthi'i hun. Roedd tân braf i'w weld yn yr ystafell aros ond am ryw reswm roedd honno dan glo. Byddai'n rhaid iddi sefyll yn yr oerni. Gallai deimlo annwyd yn ymestyn ei afael ynddi... roedd arni eisiau bwyd hefyd.

Dylai Des fod yno erbyn hyn, siawns. Faint o amser roedd ei angen arno i drafod? Roedd o'n nabod rhywun o Derry a soniodd wrtho fod yna waith iddo yma, meddai fo.

"Cwpl o oria'n unig a wedyn gawn ni'r prynhawn i gyd hefo'n gilydd," meddai ar y ffôn.

Roedd Mefina'n ei golli'n enbyd ac roedd bod adra yn y tŷ yn ei gyrru o'i cho... Doedd ganddi neb i droi ati nac ato i rannu'r baich.

Ers dechrau'r flwyddyn roedd Mefina wedi dychwelyd i'r cartref lle y cawsai ei geni a'i magu. Yn ôl yn yr un llofft gyfyng lle y bu'n breuddwydio mor daer am fod yn nyrs ac am briodi â meddyg golygus a chyfoethog. Erbyn hyn roedd rhan o'r freuddwyd honno wedi'i gwireddu. Yn groes i'w holl ddisgwyliadau mewn gwirionedd, yn sgil helbulon rhan gyntaf y flwyddyn, ar ddechrau'r haf y llynedd roedd wedi llwyddo yn ei huchelgais i fod yn nyrs gymwysedig.

Hyd yn oed ar fore rhynllyd fel hyn yn y Bala dirion deg, teimlai Mefina chwys yn torri ar gledr ei dwylo wrth gofio derbyn ei chanlyniadau SRN. Cawsant eu postio i'r blychau llythyrau yng nghartref y nyrsys. Roedd y tyndra'n annioddefol. Y genod yn heidio i'r cyntedd fel adar bach ofnus ben bore yn disgwyl y postmon.

Amlen dew i'r rhai oedd wedi methu – yn cynnwys y papurau i'w llenwi er mwyn ailymgeisio; amlen denau i'r rhai oedd wedi pasio. Amlen denau oedd yn aros Mefina yn ei blwch.

Dyma'r newyddion gorau posibl. Yr holl ymdrech wedi talu ar ei chanfed a'i breuddwyd wedi ei gwireddu. Gwnaeth y cyffro i'w phen droelli a'i chalon garlamu. Roedd hi jest â thorri'i bol eisio'i rannu hefo rhywun... ac wedyn sylweddoli'n sydyn nad oedd ganddi fawr neb adref mewn gwirionedd.

Wel, roedd Des, wrth gwrs, ond fyddai hi ddim yn ei weld o nes iddo ddod oddi ar ei shifft ddiwedd y prynhawn. Roedd ei holl ffrindiau'n ciwio i ffonio eu rhieni, ond doedd ganddi fawr o awydd gwneud. Digon llugoer fu cefnogaeth ei mam iddi hyd yn oed i'r 'busnes nyrsio', a doedd dim diben siarad hefo'i thad am y peth. Chafodd hi na Gwyn yr un gair o ganmoliaeth ganddo fo erioed. Go brin y byddai'n newid ei gân heddiw.

Edliw hyd dragwyddoldeb fyddai'i mam pe na bai hi'n ffonio, wrth gwrs. Byddai'n rhaid iddi roi caniad, ond yn waeth na'r ymateb didaro arferol, gwyddai'n iawn i ba gyfeiriad yr âi'r sgwrs wedyn…

"*Well done* ti… Felly, fyddi di adra cyn bo hir, 'ta?"

Dyma ni. Roedd hi wedi bod yn llygad ei lle – er bod y *well done* yn dipyn o syrpreis.

"Wel, a deud y gwir, dwi'n gobeithio cario ymlaen i wneud *midwifery*."

"I be? Tyrd adra. Gei di job yn y C 'n A neu Sbyty Madog neu rywla. Dim byd haws. Byddi di wrth law wedyn i helpu hefo dy dad…"

Caeodd Mefina ei llygaid a phwyso'n ôl yn erbyn wal y caban ffôn, ei bol a'i chalon yn llenwi â phlwm. Y tu allan deuai sŵn chwerthin afieithus y genod eraill. Roedd rhywun eisoes yn tapio'n ddiamynedd ddireidus wrth y drws.

"Fedra i ddim siarad rŵan, Mam, ma 'na giw o genod eraill eisio ffonio adra…"

Ac felly y llwyddodd Mefina i ddal ei thir gan aros oddi cartref drwy'r haf. Wel, dim yn hollol drwy'r adeg; aethai hi fwy nag unwaith i ogledd Cymru hefo Des yn ystod y cyfnod hwnnw. I'r Rhyl a Llandudno ac ar fws i Feddgelert a Chaernarfon. Roedd y Gwyddel wrth ei fodd yn mwynhau harddwch y mynyddoedd a'r traethau.

"Ga i ddod i fyw yma hefo chdi, Mefs? Ga i?" holai'n bryfoclyd o hyd ac o hyd yn ystod eu teithiau.

Osgoi ateb a wnâi hi bob tro, ond roedd y syniad yn apelio'n fawr ac yn cynnig goleuni o'r newydd ar ddiwedd y twnnel.

Ond dryswch llwyr i Des druan oedd pam na fedrai Mefina

fynd ag o adra gyda hi er mwyn iddo gael cwrdd â'i rhieni. Roedd gan Des feddwl y byd o'i deulu o ac roedd y math yma o ddieithrwch yn anodd iddo ei amgyffred. Pwysai arni i esbonio'n union beth oedd y broblem. Doedd hi ddim yn gwybod lle i ddechrau a daethant yn agos iawn at ffraeo'n ddifrifol ynglŷn â'r mater.

Bu Mefina'n ddigon ffodus i gael gwaith dros dro'n tendio ar hen Gymraes ym Mhenbedw. Roedd y teulu'n garedig iawn wrthi a doedd ei dyletswyddau ddim yn rhai eithriadol drwm nac anodd. Roedd y penwythnosau'n rhydd ganddi ac felly gallai dreulio'i hamser hefo Des, neu'n ymlacio, gan fynd i wrando ar gerddoriaeth yn y clybiau ac ymweld â phobl a fu ar y cwrs hefo hi. Gydag ychydig bres yn ei phoced a'i gwregys du SRN newydd â'i fwcl arian yn hongian ar ochr yr wardrob, er gwaetha'r blas cas a adawyd yn dilyn ei phrofiadau gyda Andrew roedd hi ar ben ei digon yr haf hwnnw. Gallai deimlo rhyw hyder newydd yn cyniwair drwyddi o ddydd i ddydd.

Cyrhaeddodd mis Medi'n rhy fuan a chyn pen dim roedd hi'n wynebu pwysau aruthrol wrth ddilyn cwrs a fyddai'n sicrhau'r cymwysterau iddi fod yn fydwraig – yn gorfod gweithio 96 awr mewn pythefnos yn ogystal â mynychu darlithoedd, yn ogystal ag astudio ar ben hynny. Roedd disgwyl iddi ddod oddi ar ddyletswydd nos, wedi ymlâdd yn llwyr a bod yn bresennol mewn darlithoedd am naw yr un bore. Diflannodd y lliw haul a daeth y cylchoedd du a thraed brain o gwmpas ei llygaid o'r newydd. Eto roedd hi'n mwynhau'r cwrs ac unwaith eto cododd yr hyder hwnnw a gawsai ei dolcio cymaint yn ystod ei charwriaeth ag Andrew.

Ond daeth diwedd ar hyn oll. Drwy gydol yr hydref hwnnw roedd llythyrau ei mam yn pwyso'n fwyfwy taer arni i ddod adra i'w helpu i ofalu am ei thad, fel y dylai pob merch ufudd ac owns o dynerwch a hunan-barch yn ei chalon ei wneud. O ystyried cymeriad garw ac anniolchgar ei thad, Frank Williams, a'i ddifrawder cyffredinol ynglŷn â'i deulu a phawb arall yn y byd heblaw am Frank Williams, dim ond santes bur fyddai'n gallu teimlo'r un dafn o dosturi tuag at greadur mor ddiffygiol.

I ddechrau roedd hi'n benderfynol o ddal ei thir. Anwybyddodd un llythyr gan ateb y nesaf heb ymrwymo i ddim. Roedd hi'n mwynhau bywyd, yn cael hwyl ar ôl yr holl siom a achoswyd gan Dr Andrew Scott. Roedd Des ganddi rŵan, ac er nad oedd o'n gyfoethog nac yn ddoctor, roedd ei natur ddiffuant, ei ddiffyg cymhlethdod, ei sgyrsiau diflewyn-ar-dafod a'i hiwmor heintus yn llawer iawn mwy gwerthfawr nag unrhyw dŷ crand a *three-piece* lledr. Roedd yr awydd i briodi â meddyg, yn wir i fynd yn agos at unrhyw un o'u brid, heblaw yn rhinwedd ei swydd, wedi hen gilio.

Cafwyd tro arall yng nghynffon hanes Dr Scott cyn y diwedd. Nid yn annisgwyl efallai, yn fuan iawn ar ôl y profiad alaethus ar aelwyd ei rieni ac ymddygiad cachgïaidd y coc oen o fab, oeri'n derfynol fu hanes eu perthynas. Nid yn annisgwyl chwaith, efallai, ceisiodd yr hen gena ail fwrw ei swyn dros Nyrs Williams. Cyrhaeddai'r blodau, y llythyrau a'r farddoniaeth yn feunyddiol yn ogystal ag anrhegion a chynigion o bob math. Roedd yn amlwg yn edifar ac eto'n methu ag ymddiheuro mewn ffordd gwbl ddiamwys. Cysgodd hi gydag ef unwaith yn rhagor o ran diawledigrwydd cyn penderfynu bod llanw'i theimladau tuag ato wedi treio am byth.

Roedd cyfaddefiad dagreuol ei chyfeilles, Teresa, yn ystod noson dathlu diwedd yr arholiadau mewnol, fod Dr Scott wedi aflonyddu'n rhywiol arni'n rheolaidd ers dechrau ei chyfnod yn yr ysbyty wedi cau pen y mwdwl.

"Dyma pam ro'n i wedi cael cymaint o fraw y noson y gwelon ni o yn y clwb," baglodd Teresa dros ei geiriau wrth i'r dagrau raeadru i lawr ei gruddiau. Ddeuddydd cyn hynny, mae'n debyg, roedd pawennau'r meddyg da wedi bod drosti mewn cwpwrdd llawn ffyn baglau llychlyd ger y fynedfa i'r adran belydr X.

"Roedd y bastad jest eisio 'i neud o dros fy iwnifform a finna'n gor'od ceisio sbynjio'r sglyfath olion i ffwrdd cyn mynd ar ddyletswydd. Ges i ram-dam gan Sister Barlow un noson achos bod y ffasiwn olwg arna i. Dŵr wedi strempian o gwmpas fa'ma i gyd," cyfeiriodd yn fras at ei mynwes.

Gwrandawai Mefina arni'n anghrediniol.

"Pam nest ti ddim deud wrth rywun?"

"Pwy fasa'n coelio gair *trainee* bach yn erbyn gair doctor? Dim neb!"

"Ond be amdana i? Lasat ti fod wedi deud wrtha i," meddai Mefina'n llawn emosiwn. "Fyswn i ddim wedi mynd ar gyfyl y sglyfath wedyn, na faswn? Allwn i fod wedi cadw golwg amdanat ti hefyd os basa fo o gwmpas."

Roedd yn anodd coelio bod y dyn a fu'n gariad iddi, a fu mor dyner ac mor hael ar un wedd, wedi ymddwyn mewn ffordd mor ffiaidd a chreulon... ac eto, gwyddai'n iawn sut roedd o'n medru troi, a bod rhyw ddeuoliaeth batholegol bron yn perthyn iddo. Fatha Jekyll a Hyde yn y ffilm.

Daliai Teresa i igian crio, heb boeni dim am lygaid gweddill y criw a oedd yn sbecian draw'n bryderus o ben arall yr ystafell... Byddai'n atgof poenus a arhosai yn ei meddwl am byth...

"Welaist ti mono fi?"

A dyna lle'r oedd hi, yn ôl ar blatfform gorsaf y Bala a Des yn sefyll o'i blaen.

"Des!" Taflodd ei breichiau amdano a'i wasgu ati'n dynn. Bu'n barod i roi pryd o dafod iddo, ond yn sydyn roedd ei weld o fel 'na ar ôl hel meddyliau am yr hen Scott anghynnes yn falm i'w henaid.

"Ro'n i'n gweiddi ac yn codi llaw fel peth gwirion ers meitin. Sori 'mod i'n hwyr."

Edrychodd Mefina arno ac wedyn claddodd ei phen yn ei frest.

Ymateb Des oedd ei sgubo oddi ar ei thraed yn ei freichiau a'i throelli fel plentyn trwy'r awyr, er mawr syndod i'r teithwyr eraill ar y platfform. Yna, sylwodd Des ei bod yn wylo. Arafodd y carwsél gan ollwng traed Mefina yn ôl ar y ddaear yn raddol.

"Be sy? Be sy? Dwyt ti ddim yn falch o 'ngweld i ar ôl yr holl amser 'ma?" holodd rhwng digrif a difrif.

"Wrth gwrs 'mod i. Dwi wrth 'y modd. Dwi 'di dy golli'n ofnadwy. Yn meddwl bod rhywbath wedi digwydd, falla..."

"Pam yr holl ddagra, 'te?"

Ceisiodd Des sychu'r perlau bach gwlyb oddi ar ei gruddiau â'i law fawr. Gwthiodd Mefina'r llaw i ffwrdd gan estyn hances o'i phoced.

"Dim rheswm," meddai'n frysiog wrth sychu'i llygaid a chwythu'i thrwyn. Doedd hi ddim wedi sôn fawr ddim am hanes Teresa nac Andrew Scott wrth Des, a doedd yntau ddim wedi mynegi unrhyw ddiddordeb ysol i gael gwybod mwy am yr hyn a fu rhyngddi hi a'r doctor er ei fod yn gwybod iddi gael ail rywsut.

Byddai hi'n rhy swil i ailadrodd hanes Teresa yn y cwpwrdd ffyn baglau ac yn cochi dim ond wrth feddwl am y peth. Hefyd, roedd hi'n ofni beth wnâi Des pe bai'n clywed sut roedd Andrew Scott wedi'i thrin. Er bod Des mor dyner â thedi bêr, roedd yn gawr o ddyn ac un go eiddil oedd Andrew o'i gymharu.

"Sut wyt ti? Sut aeth hi?" holodd Mefina wrth gadw'i hances. Roedd y cyffro o'i weld yn dechrau disodli iselder y bore a'r sioc o weld Emlyn a Gwyn.

Edrychodd Des ar ei wats.

"Does dim lot o amser gen i cyn daw'r trên…" dechreuodd ond boddwyd ei lais gan ddwndwr byddarol wrth i drên arall gyrraedd yr orsaf, stêm yn gollwng, drysau'n clepian a phobol yn gweiddi o'u cwmpas.

"Ma 'nhraed i'n oer," gwaeddodd Mefina. "Awn ni am dro bach at y llyn. Dwi heb weld llyn y Bala o'r blaen. Ma nhw'n deud mai fo ydi'r llyn mwya yng Nghymru."

"Ma chydig dros hannar awr gynnon ni," meddai Des. Suddodd calon Mefina. Cyn lleied o amser ar ôl yr holl ymdrech.

"… ond rhoddwn ni gynnig ar weld y llyn 'ma i ti."

Bu'n rhaid brasgamu fraich ym mraich o'r orsaf i gyfeiriad y llyn. Gafaelodd Mefina yn hen gôt llu awyr Des, gan geisio teimlo cynhesrwydd ei gorff trwy'r defnydd garw.

Roedd ganddo newyddion da, meddai. Oedd, mi roedd o wedi cael gwaith yng Nghwm Tryweryn. Na, nid gwaith labro'r tro 'ma, ond gwaith fel swyddog diogelwch gyda'r nos.

Arafodd Mefina ei cham.

"O, na, Des. Ma hyn'na'n waith peryg. Ma nhw wedi dechra gosod bomia."

"Yn erbyn pethau ac nid pobol. A beth bynnag, ma nhw wedi dal y boi wna'th hynny, 'yn do."

"Ma 'na rai eraill â'u traed yn rhydd o hyd, 'sti. A hyd yn oed os nad ydyn nhw'n targedu pobol ma petha'n gallu mynd yn rong 'yn tydyn? Ar dy rownds allet ti fod yn pasio transfformer lle ma 'na fom… O, Iesu, dwi ddim isio i ti ga'l dy frifo."

"Duw, mi fydda i'n iawn," chwarddodd Des gan ei gwasgu hi'n dynn. "Tân dani," meddai wedyn gan ailgydio yn y brasgamu.

"Be am rywle i aros?"

"Mi wna i aros hefo'r hogia eraill am sbel… nes i mi ga'l lle'n nes atat ti."

"Biti does dim car gen ti."

"Fedra i ddim fforddio car, ond dwi 'di bod yn meddwl. Dwi'n mynd i brynu moto-beic."

"O ddifri?" stopiodd Mefina, ei llygaid yn pefrio. Roedd y syniad o deithio ar gefn moto-beic a'i gwallt yn fflio'n rhydd yn y gwynt yn apelio'n syth.

"…ac mi gei di le yn y seidcar."

"Seidcar! Blydi hel, na, no wê! Hen betha hyll ar y diawl ydyn nhw ac yn beryg bywyd."

"Nonsens!"

Ceisiodd Mefina bwnio'i frest ond heb lwyddo.

"Ydyn, ma nhw. Dwi 'di gweld y llanast yn *casualty*. Ych a fi! Mi fydda i'n ca'l hunllefa am seicars. Ma nhw fel eirch ar olwynion. Na, ar gefn y beic, reit y tu ôl i chdi fydda i. Neu'n gyrru hwyrach."

"Yn sicr, 'na un peth fydd ddim yn digwydd," meddai Des yn bryfoclyd.

"Gawn ni weld," meddai Mefina'n mwynhau'r cellwair a'r sgafnder naturiol rhyngddynt.

Erbyn hyn roeddent wedi cyrraedd y maes parcio ar lan y llyn.

"Be sy'n digwydd draw fan'na?" torrodd Des ar draws eu sgwrs.

Gallent weld pedwar o ddynion yn cario rhyw greadur bach gwinglyd gerfydd ei goesau a'i freichiau tuag at ddrws cefn agored hen fan Bedford llawn tolciau.

"Hei, stopiwch! Gadewch lonydd iddo! Gadewch lonydd!"

Gollyngodd Mefina ei gafael ym mraich Des a dechrau rhedeg

tuag at y dynion. Tasgodd Des ar ei hôl.

Gwelsant bedair gwep syn yn troi tuag atynt, pawb yn sefyll yn stond am ennyd, wedyn llais y dyn mwyaf yn dweud rhywbeth a gollyngwyd eu sglyfaeth yn glatsh ar y gro.

Rhuthr mawr am y fan wedyn a honno'n gadael gan beri i Des a Mefina neidio o'r ffordd. Dim ond wrth gyrraedd y dyn ar y llawr y sylweddolodd Mefina pwy oedd yno a hithau'n methu coelio'i llygaid. Does bosib mai Emlyn oedd y dyn a orweddai ar wastad ei gefn â'i geg yn agor a chau fel pysgodyn.

"Emlyn! O, Emlyn! Wyt ti'n iawn?"

Ceisiai Emlyn ddweud rhywbeth wrthi ond methodd.

"Wyt ti'n nabod o, Mefs?" holodd Des.

"Ym... yndw... yndw... Ro'n ni yn yr ysgol hefo'n gilydd."

Aeth y ddau ar eu cwrcwd i helpu Emlyn i godi ar ei draed.

"Wyt ti'n iawn, gyfaill?" holodd Des yn garedig. Roedd golwg eithaf truenus ar Emlyn; ei gôt yn llaid drosti, ei drwyn a chledrau'i ddwylo'n gwaedu lle'r oedd y gro wedi brathu i'r cnawd.

"A beth oedd gan y pedwar bonheddwr 'na yn dy erbyn di, 'sgwn i?"

Ni chawsant ateb gan Emlyn. O'r diwedd gallai anadlu'n rhydd. Tynnodd Des hances goch â smotiau gwyn drosti o'i boced a dechrau sychu'r gwaed a'r baw oddi ar ei wyneb yn y modd mwyaf tyner a brawdol. Ildiodd Emlyn i'r maldod am ychydig eiliadau ond wedyn camodd yn ôl gan wthio braich y Gwyddel ymaith.

"Iawn... iawn... Diolch yn fawr iawn i chi. 'Na ddigon, diolch."

Ceisiodd Des fynd ati eto:

"'Na ddigon, deudais i," arthiodd Emlyn.

Cododd Des ei sgwyddau a chadw'r cadach smotiog yn ôl yn ei boced.

"Be gebyst sy'n digwydd, Emlyn? Pwy oedd y dynion 'na? Be o'ddan nhw'n trio neud i chdi?"

"Pwy 'di hwn?" gofynnodd Emlyn yn swta gan amneidio'n hy tuag at Des.

Suddodd calon Mefina. Roedd hi'n nabod yr arwyddion – yr olwg bwdlyd, sarrug...

"Ffrind o'r gwaith. Wedi dod i gwrdd â hen ffrind. Gwyddel ydi o," ychwanegodd yn obeithiol. Roedd Emlyn yn hoffi Gwyddelod a'r ffordd roeddent wedi rhoi chwip din i'r Saeson... efallai byddai hynny'n lliniaru'i eiddigedd.

Ond, na, yn ôl yr olwg ffyrnig ar wyneb Emlyn roedd yn amlwg nad oedd cenedligrwydd Des yn mynd i wneud yr un iot o wahaniaeth heddiw.

"Be da ma o fa'ma – hefo chdi?"

"Ddrwg gen i, bobol," torrodd Des yn ymddiheurol ar eu traws. "Dwi ddim yn dallt yr un gair, mae arna i ofn."

"O, sori Des. Roedd Emlyn jest eisio gwbod pwy oeddech di," meddai Mefina'n Saesneg dan wenu'n braf, er yn methu cuddio'i nerfusrwydd.

"O, reit," meddai Des ac yntau'n methu cuddio'i ddiffyg argyhoeddiad.

"Ie, sori, Des," ategodd Emlyn yn watwarus gas.

Bu saib hir. Yr unig sŵn oedd anadl Emlyn a ddaliai i ruglo yn ei frest braidd.

"Yli, Mefs," meddai Des o'r diwedd, "dwi'n gor'od mynd..."

"O... yn barod?"

"Sbia'r amser. Dwi ar ddyletswydd am chwech i fod."

"O, iawn. Mi wna i dy ddanfon di i'r stesion."

Wrth siarad cipiodd draw er ei gwaethaf at Emlyn a ddaliai i edrych yn simsan iawn, yn wir yn llythrennol siglo ar ei draed gan fwytho'i arddwrn yn dringar. Gallai Mefina deimlo rhyw banig yn codi ynddi. Roedd hyn yn ofnadwy. Cael ei rhoi mewn sefyllfa fel hyn; ei hamser prin gyda'i chariad wedi'i ddifetha a'i hawydd i helpu hen ffrind a chael gwybod am hanes yr ymosodiad yn troi'i phen yn un ddrysfa lethol.

"Paid â phoeni, Mefs," meddai Des ychydig yn ddiamynedd. "Mi fydda i'n iawn," ac roedd o eisoes yn cychwyn ar ei ffordd yn ôl ar draws y maes parcio.

Baglodd Emlyn gam neu ddau'n ôl gan bwyso'n erbyn ei gar.

"Fedra i mo'i adael o fel hyn, Des," ymbiliodd Mefina. "Falla 'i fod o wedi cael ei frifo'n wael yn rhywle."

Oedodd Des, ei lygaid yn fflachio'n beryglus. Yna, meddalodd ei agwedd fymryn.

"O'r gorau, ond mae'n rhaid i mi redeg os ydw i am ddal y trên 'na."

Hyrddiodd Mefina ei hun ato gan ei gofleidio fel pe bai'i bywyd yn dibynnu arno.

"Diolch am gael gwaith a bodloni dŵad ata i."

"Ma nhw'n deud dy fod ti werth o," atebodd Des yn gellweirus gan ei chusanu ar ei thalcen ac wedyn yn fwy angerddol ar ei cheg.

Ymlaciodd Mefina, er y gwyddai fod llygaid Emlyn yn twrio'n gyhuddgar y tu cefn iddi. Doedd dim ots ganddi. Hwn oedd ei dyn hi. Ymatebodd i'r gusan ac wedyn cerddodd fraich ym mraich gyda Des cyn belled ag y meiddiai gan godi'i llaw arno wedyn yr holl ffordd nes iddo ddiflannu o'i golwg. Codi ei law a wnâi Des hefyd gan gerdded wysg ei gefn nes iddo gael ei lyncu gan droad yn y ffordd.

Safodd Mefina am dipyn heb droi. Yna, â'i chalon yn drom, trodd i fynd i'r afael â'r her nesa. Doedd dim sôn am Emlyn. Y cena bach. Os oedd o'n smalio bod yn giami… ond wedyn fe'i gwelodd yn ei gar â'i ben yn pwyso ar y llyw.

Rhuthrodd draw gan gnocio ar y ffenest.

"Emlyn! Emlyn! Wyt ti'n iawn? Emlyn!"

O'r diwedd, fel pe bai'n deffro o drwmgwsg, trodd Emlyn ei lygaid tywyll, blinedig i edrych arni a gwelodd ynddynt y fath unigrwydd a phoen bu bron i'w hamddiffynfeydd doddi yn y man a'r lle. Ond llwyddodd i ymsythu a cherdded o gwmpas cefn y car i'r ochr draw a rhoi cynnig ar agor y drws.

Datglodd Emlyn ddrws y teithiwr iddi a daeth Mefina i mewn i'r car. Fe'i trawyd yn syth gan oglau stêl a llaith y cerbyd; roedd rhyw dawch annifyr yn glynu wrth bob dim, tipyn bach fel oglau rhywun a ddylai ymolchi'n amlach. Un glân iawn fyddai Emlyn erstalwm.

Edrychodd ar Emlyn a oedd bellach yn syllu'n syth o'i flaen tuag at ddyfroedd niwlog y llyn. Unwaith eto, gallai Mefina synhwyro rhyw ymdeimlad o unigrwydd affwysol yn ei gylch. Ystyriodd ac wedyn ymestyn ei braich yn araf deg gan adael i'w llaw orffwys am ennyd ar ei ysgwydd cyn ei thynnu i ffwrdd gan droi'i threm hithau i gyfeiriad Llyn Tegid.

"Wyt ti'n iawn?" holodd.

Cododd Emlyn ei sgwyddau'n ddifater.

"Be oedd yr holl fusnes 'na gynna?" gofynnodd Mefina o'r diwedd.

"Camddealltwriaeth."

"Camddealltwriaeth! Pa fath o gamddealltwriaeth sy'n arwain at gael dy lusgo i fan gan bedwar lob fel 'na?"

"Sdim ots. Jest rhywbath ddigwyddodd y diwrnod bu farw Nain."

Gafaelodd llaw oer ym mol Mefina. Roedd hi wedi anghofio'n lân am brofedigaeth Emlyn. Roedd o wedi cynnwys yr hanes yn un o'i lythyrau ynghyd â pherorasiwn hirfaith am sut nad oedd yn cytuno â dyfarniad y crwner mai damwain oedd hi ac mai effaith trawma Tryweryn wnaeth yrru'r hen wraig dros y dibyn yn llythrennol. Doedd hi ddim wedi gorffen ei ddarllen. Newydd ddod oddi ar ddyletswydd oedd hi a darlith ar docsemia cyneclamptig neu rywbeth astrus o'r fath yn ei hwynebu, a doedd hi ddim yn hollol siŵr a fyddai hi'n aros yn effro hyd yn oed pe bai hi'n llwyddo i'w llusgo'i hun i'r ddarlithfa. Roedd cynnwys llythyr Emlyn yn ormod.

Roedd hi wedi llwyr fwriadu dychwelyd at y llythyr a'i ateb – wel, o leiaf mynegi'i chydymdeimlad – ond aethai'r cwbl yn angof.

"O'r arswyd! Roedd hi'n ddrwg calon gen i glywed am dy nain di... a chitha'n gymaint o hen lawiau hefo'ch gilydd... Piti ches i erioed y cyfle i gyfwrdd â hi."

Ymestynnodd ei llaw am yr eildro i gyffwrdd â'i ysgwydd.

"Ro'n i'n pasa sgwennu, 'sti," aeth hi'n ei blaen, yn ymwybodol o gloffni'i geiriau erbyn hyn.

"Yn rhy brysur hefo Paddy McGinty, siŵr o fod," poerodd Emlyn.

"Pwy?" holodd Mefina mewn braw. Roedd y gwenwyn yn ei lais yn amlwg.

"Dy gariad." Ynganodd y gair â'r ffasiwn falais nes bod iasau o ofn ac ansicrwydd yn rasio drwyddi.

Ystyriodd Mefina am ennyd ac yna dechreuodd agor y drws.

"Dwi'n mynd..."

Gafaelodd Emlyn yn ei braich. Fe'i tynnodd ei hun yn rhydd wrth i'w hofn gynyddu.

"Paid â mynd! Paid â mynd. Ma'n ddrwg gen i... Dwi wedi cael sioc, yli... Dwi'n ddiolchgar iawn i chi'ch dau... chdi a'r... Gwyddel... Tasach chi ddim wedi dod heibio fel 'na, does wybod lle baswn i erbyn hyn... na faint o ddannedd fasa gen i ar ôl. Sori am fod yn flin." Roedd y malais wedi diflannu ac yn ei le rhyw ddiffuantrwydd nad oedd Mefina wedi clywed yn ei lais ers eu hamser gyda'i gilydd bedair blynedd yn ôl.

"Rhaid i mi fynd, Emlyn. Rwy'n gorfod dal trên hefyd."

"Gei di bàs adra gen i, yli."

"Na," ysgydwodd ei phen.

"Ty'd 'laen."

Roedd hi eisiau amser iddi'i hun, i ddidoli'i theimladau, i bwyso a mesur y newyddion y byddai Des yn symud i'r ardal, i feddwl am Gwyn a'i thad. Roedd hi am siarad hefo Emlyn, oedd. Roedd y dyn yn unig – a hithau'n rhannol gyfrifol am hynny – ond nid heddiw oedd y diwrnod. Nid dyma'r amser tra oedd o gymaint o dan deimlad, wedi'i gynhyrfu gan sioc. Daliai i boeni am ei gyflwr ond gwyddai fod yn rhaid iddi adael.

Gwthiodd hi'r drws yn agored.

"Na, dwi'n mynd ar y trên. Diolch am y cynnig yr un fath. Mae arna i eisio amser i feddwl. Siaradwn ni eto, iawn?" Gadawodd cyn iddo gael cyfle i ddweud yr un gair arall.

Ochneidiodd Emlyn a phwyso'i ben yn erbyn y llyw cyn codi ei olygon drachefn i'w gwylio'n diflannu'n llai ac yn llai yn y drych. Daliai i syllu i mewn i'r drych gwag ymhell ar ôl iddi fynd o'r golwg.

O'r diwedd taniodd yr injan. Ella doedd pethau ddim mor ddigalon. "Eisio amser i feddwl," meddai hi. Amser i feddwl siŵr o fod a oedd hi wedi gwneud y dewis iawn ar ôl ei weld o a'r Gwyddel hefo'i gilydd fel 'na. Wnaeth o ddim aros yn hir, naddo. Gweld bod rhywbeth rhyngddyn nhw, siŵr o fod, ac yn gorfod meddwl eilwaith. "Siaradwn ni eto..." dyna ddywedodd hi. Roedd 'na obaith o hyd. Ar bob ffrynt, roedd 'na ddal obaith.

Wrth eistedd ar y trên a fyddai'n ei chludo'n ôl i'r arfordir, ochneidiodd Mefina. Ochenaid o ryddhad. Rhoddodd ei llaw ar ei chanol a theimlo sut roedd y cnawd wedi tewychu ac ymledu dros y pythefnos diwethaf. Diolch byth bod Emlyn heb sylwi ei bod yn feichiog ac yn cario babi Des.

— XVII —

"Stop, Joe! Stop!"

"Be 'di'r broblem?"

"Jyst stopia'r blydi fan!"

Yn fwriadol araf a chan ddilyn pob cymal o reolau'r ffordd fawr am y tro cyntaf yn ei fywyd, tynnodd Joseph McGilloway i ochr yr A4212 ryw ddwy filltir a hanner y tu allan i'r Bala.

"Paid â chymyd drwy'r dydd. Stopia rŵan hyn!"

"Iesu Grist, Des! Be sy arnat ti? Wyt ti'n teimlo'n sâl neu rywbath?"

Wnaeth Des ddim ateb. Hyrddiodd ei ystlys yn erbyn drws fan hynafol Joe, ond roedd yn gwrthod ildio i'w bwysau.

"Be ffwc sy o'i le hefo'r drws 'ma?"

"Ti'n gor'od gwthio'r handal ffordd rong," cynghorodd Joe. "Ond dydi o ddim yn tycio bob amser, cofia."

Hergwd nerthol arall i'r drws ac fe dyciodd.

Gyda'r colynnau'n sgrechian eu protest llamodd Des o'r fan.

"Lle ddiawl wyt ti'n mynd rŵan?"

Dim ateb. Roedd Des eisoes wedi diflannu i'r ddrycin.

Ochneidiodd Joe gan dynnu sigarét o'r pecyn ar ben y *dashboard*, ei gosod rhwng ei wefusau a'i thanio. Tynnodd ddrag hir gan hisian yn ddiamynedd wrth chwythu'r mwg allan mewn cwmwl blin o gwmpas ei ben.

"Diolch yn fawr, Joe," mwmiodd hwnnw rhyngddo fo a fo'i hun. "Diolch, Joe, am ddod o hyd i waith i mi, ac am roi lifft i mi weld y dyn ei hun a lifft yn ôl i'r stesion rŵan i weld 'y nghariad i… ac felly Joe, i dalu'r pwyth yn ôl yn deg i ti, dwi am fynd ffycin AWOL yng nghanol y wlad. Wedyn byddi di'n hwyr yn ôl yn dy waith ac mi gei di'r ffycin sac am dy drafferth! O, diolch yn fawr, Des O'Farrell, yr hen fêt, yr uffarn bach."

Ond roedd Des eisoes yn ei ôl â'i wynt yn ei ddwrn.

"Hwn ydi o, yn bendant!"

"A lle wyt ti 'di bod?"

"Yn darllen yr arwydd."

"Pa arwydd, yn neno'r tad?"

"Enw'r pentre."

"Be amdano fo?"

"Wel, Fron-goch, 'ta!"

"Be sy? Jest rhyw bentre dim byd dinad-man... hefo enw arall i ddyn dorri'i ddannedd arno fo."

"Fron-goch ydi lle buodd Taid."

"Dy daid? Pryd?"

"Wel, ym 1916, wrth gwrs – hefo'r bois!"

"Be da oedd o fa'ma 'ta?"

Doedd yr enw Fron-goch yn golygu dim byd i Joe. Roedd o eisoes wedi ailgychwyn ar ei daith i'r dre ac yn amlwg yn ceisio perswadio'r hen siandri flêr o gerbyd mai Ferrari oedd o go-iawn. Protestiai pob cymal o'r hen Morris o gael ei gam-drin yn y fath fodd yn ei henaint.

Erbyn hyn, roedd hi'n tresian bwrw hefyd a'r weipars annigonol yn cael eu trechu'n hawdd gan y dilyw. Gwyrth oedd bod Joe'n llwyddo i'w gadw ar y ffordd o gwbl.

"Joe! Slofia er mwyn Duw!" gwaeddodd Des gan anghofio am arwyddocâd y Fron-goch am ychydig.

"Dwi'n hwyr fel ma hi. Os ca i 'nal gan y cythral Taff 'na, y fforman, fi fydd yn chwilio am waith fory, dim chdi, washi."

"Os na slofi di i lawr fyddi di ddim yn cyrraedd 'run gwaith na nunlle byth eto – yn hwyr na'n hwyrach."

Rywsut, cyrhaeddwyd y Bala'n ddiogel. Ffarweliodd Des â'i gyfaill ar y bont. Gyda'r teiars yn sgrechian dechreuodd Joe druan ar ei ffordd yn ôl i Gwm Tryweryn i wynebu'r fforman blin.

Oedodd Des ar y bont gan bwyso ar y parapet i edrych ar yr afon, yn union fel y gwnaethai Emlyn ychydig ynghynt y prynhawn hwnnw. Rhaid mai hon oedd yn llifo i lawr y cwm o'r argae, a hon hefyd oedd yr afon a lifai heibio i'r Fron-goch o ran hynny.

Yn aml, byddai ei daid yn sôn am sŵn yr afon yn y nos pan fyddai twrw'r awyrydd yn distewi. Sŵn rhyddid yn gefndir i synau cwsg rhwyfus ei gydgarcharorion a sgathru diflino'r llygod mawr.

Oriau du oedd y rheiny hanner can mlynedd yn ôl yn dilyn Gwrthryfel y Pasg yn Nulyn – a dim syniad gan Colm O'Farrell, taid Des, beth fyddai ei dynged yntau na'r deunaw cant o ddynion eraill, carcharorion rhyfel Gwyddelig, a oedd yn rhannu'i gaethiwed hefo fo. A fyddent yn cael eu dienyddio fel oedd wedi digwydd yn achos yr arweinwyr gweriniaethol?

Faint o weithiau roedd o wedi clywed ei daid yn adrodd yr hanes am gael ei gipio liw nos o'i gartref yn Swydd Mayo gan luoedd y Goron ar ddiwedd mis Ebrill 1916 – er nad oedd ei daid nac amryw o rai eraill yn y Fron-goch ar y pryd wedi cymryd unrhyw ran yn y digwyddiadau yn Nulyn; a sut y cafodd ei anfon dros y môr mewn llong wartheg ddrewllyd i garchar Knutsford yn Swydd Gaer ac yna ymlaen i wersyll y Fron-goch, lle y cedwid yr holl garcharorion gweriniaethol ar safle hen ffatri wisgi stad y Rhiwlas ger y Bala.

Yn fechgyn ifainc byddai Des a'i frodyr wrth eu boddau yn gwrando ar y storïau hyn a hanesion yn ymwneud â'r Rhyfel

Annibyniaeth yn erbyn y Prydeinwyr.

"Deudwch sut ddaru chi ladd dwsin o lygod mawr yn y gwersyll, Taid."

"Wnaethoch chi ladd unrhyw Black 'n Tans, Taid?"

"Fuoch chi'n siarad hefo Michael Collins yn y Fron-goch?"

"Deudwch hanes y *flying column*, Taid."

A byddai Taid wrth ei fodd, yn ymestyn a gorliwio a dramateiddio pob manylyn o'i anturiaethau er mawr foddhad i'w wyrion.

Bob haf gydol y pum degau, byddai Des a'i frodyr a'i chwiorydd yn treulio'u gwyliau ar fferm yn Swydd Leitrim ger y ffin â chwe sir y Gogledd lle y gwnaeth Colm setlo ar ôl helyntion degawdau gwaedlyd cynta'r ganrif.

Byddai Des wrth ei fodd ar y fferm. Yno i weithio roedden nhw, wrth gwrs, ac roedd y gwaith yn galed a'r oriau'n hir a'u taid yn bytheirio arnynt bob munud o'r dydd; ond o'i gymharu â diflastod strydoedd Derry yn y pum degau roedd fferm taid fel Gardd Eden, a hiraethai Des amdani yn ystod gweddill y flwyddyn pan na fyddai yno.

Nid bod Derry yn ddrwg i gyd wrth reswm – hyd yn oed yng nghanol holl gyni'r cyfnod. Roedd yn lle cyfeillgar ac agos atoch a doedd y rhaniadau a'r gorthrwm a greithiai gymunedau'r chwe sir ddim mor gignoeth amlwg ag yr oeddent mewn rhai mannau eraill ar y pryd. Mudlosgi'n unig fyddai'r hen anniddigrwydd, wrth reswm, fel tymer wyllt Colm O'Farrell, ac yn fuan byddai'n ffrwydro o'r newydd yn y modd mwyaf dramatig ac ofnadwy.

Yn ystod yr holl flynyddoedd y buont yn byw yn y ddinas, rhyw flwyddyn o waith yn unig a gawsai tad Des lle y gallodd ddod adra at ei deulu ar ddiwedd y dydd. I ffwrdd dros y dŵr y byddai fo weddill yr amser, ar grwydr yn yr Alban, Gogledd Lloegr neu weithiau yn ne Iwerddon, yn chwilio am waith tymhorol ar ffermydd, ar y traffyrdd, yn tanio boeleri neu ar safleoedd adeiladu.

Gweithio'n ysbeidiol yn ffatri grysau Glenaden yn Derry a wnâi Mary, ei fam, ond, a hithau'n fam i wyth o blant, bu ei hiechyd yn fregus erioed, a chafwyd sawl cyfnod anodd iawn gyda'r tad a'r fam ill dau allan o waith. Oeddent, roeddent yn dlawd ym mysg tlodion. Difreintiedig fyddai'r gair erbyn hyn, siŵr o fod, ond, yn blant, roedd Des a'i frodyr a'i chwiorydd yn ddedwydd ac yn iach a chariad cymuned a theulu'n eu hymgeleddu rhag caswir eu cyflwr a'u statws.

Rhwng llif hypnotig dŵr llwyd afon Tryweryn a'r llif atgofion yn ei ben, roedd Des wedi loetran ar y bont yn hirach o lawer nag a fwriadai... Edrychodd ar ei wats. Dros awr yn hwyr erbyn hyn. Byddai Mefina o'i cho'. Ond o leia roedd ganddo newyddion da o lawenydd mawr iddi. Rhedodd weddill y ffordd i'r orsaf. Gallai ei gweld hi'n blaen ar y platfform... dechreuodd chwifio arni...

Rhaid ei fod yn magu annwyd neu ffliw o ryw fath. Erbyn hyn roedd y nos wedi cau am y wlad a'r cwbl medrai Des ei weld drwy ffenest y trên oedd adlewyrchiad gwan ohono fo'i hun a'i gyd-deithwyr yn cael ei daflunio yn erbyn cefnlen y nos a goleuadau ysbeidiol y trefi a'r pentrefi ar hyd y daith. Hofran rhwng rhyw gwsg ac effro annelwig wnâi'i feddwl, a'r delweddau rhyfeddaf yn ffrydio drwy'i ben i gyfeiliant clecian yr olwynion: atgofion plentyndod, Mefina'n crio yn yr orsaf gynnau bach, yn noeth yn ei freichiau, y babi nad oedd eto wedi'i eni, Frongoch yn y glaw, y ffrwgwd anesboniadwy ar lan y llyn, boeleri'r ysbyty, sŵn drymiau Lambeg yn y pellter... olwynion y trên unwaith eto.

Roedd atgofion y prynhawn yn syrcas wirion yn ei ben erbyn

hyn. Agorodd ei fag gan dynnu potel fach ohono. Llowciodd jioch go lew gan adael i'r hylif lifo ar hyd ei wddf dolurus cyn setlo'n gysurus braf yn ei stumog.

Pwy oedd y llanc wrth y llyn? Roedd yn amlwg fod 'na rywbath rhyngddo a Mefina; Emlyn, ia? Ia, dyna oedd yr enw. Oedd, mi roedd hi wedi sôn amdano fo fwy nag unwaith. Sôn amdano fel tipyn o lembo, falla... a'i fod yn dipyn o genedlaetholwr. Doedd o ddim yn ddrwg i gyd felly.

Tybed ai dyna pam bod yr Emlyn 'ma yn y Bala heddiw, a bod y ffrwgwd a welsai wrth y llyn efallai'n gysylltiedig? Roedd Joe wedi sôn bod un o'r rhai a fu'n gyfrifol am y bom ar safle'r argae o flaen ei well yn y dre y diwrnod hwnnw a'r lle'n llawn protestwyr.

"Druan o'r diawl bach," meddai Joe wrtho. "Tydi'r Saeson ddim yn eu trin nhw'n llawer gwell nag y gwnaethon nhw ein trin ni, nag ydyn? Dwi ddim yn amau nad eith hi'n rhyfel fan hyn ryw ddiwrnod. Ond ar ôl i ni orffen ein gwaith, gobeithio."

"Ti'n meddwl wnei di aros, Joe?"

"Debyg iawn, achan. Ma'r cyflogau'n well a'r tai'n well na draw yn Derry. A thitha?"

Roedd tynged Des wedi'i selio braidd, gan fod Mefina'n feichiog. Ond byddai'n ddigon hapus i aros yma, er ei fod yn hiraethu'n ofnadwy am ei deulu. Roedd o wrth ei fodd â harddwch cefn gwlad Cymru a daniai atgofion am Swydd Leitrim ei blentyndod, ac erbyn hyn roedd yn ysu am gael dianc o Lerpwl.

Roedd rhai agweddau ar fywyd y ddinas y byddai'n eu mwynhau. Hoffai'r sîn gerddorol yn fawr ac roedd hynny'n rhywbeth y gallai ei rannu â Mefina, a doedd Lerpwl ddim mor bell â hynny o Gymru... er bod y trên yma fel pe bai'n cymryd oes i gyrraedd pen y daith hefyd.

O, Arglwydd, sut oedd o'n mynd i wynebu shifft nos yn teimlo fel hyn?

Efallai y byddai gwres y boeleri'n help iddo chwysu'r hen aflwydd yma o'i gorff. Cymerodd lwnc arall o'r wisgi. Gwell iddo beidio â chymryd gormod neu gysgu ar y jòb fyddai'i hanes, ond siawns na fyddai cwsg yn llesol rŵan.

Ond cadw ei bellter a wnâi unrhyw gwsg iachusol; yn lle hynny hepiai Des yn fas gan ymrwyfo yn erbyn rhyw afon ddiatal o atgofion a meddyliau digyswllt.

— XVIII —

"GLYWAIST TI'R NEWYDDION, Emlyn?"

Atebodd Emlyn ddim. Roedd wedi cael digon ar newyddion drwg am un diwrnod.

"Ma nhw 'di dal y lleill 'sti."

Dim ymateb o hyd gan Emlyn.

"Y rhai ddaru fomio'r transfformer 'na a'r peilon yn Gellilydan," aeth y negesydd yn ei flaen â thinc diamynedd yn ei lais yn wyneb y diffyg ymateb. "Boi o Bwllheli ac un o Benrhyn, meddan nhw. Un ohonyn nhw 'di bod yn blismon yn yr RAF. Pwy fasa'n meddwl, 'de?"

"Bechod," meddai llais dynes gerllaw. "Dim ond gneud be oeddan nhw'n teimlo oedd yn iawn ddaru nhw."

"Hen bryd i'r tacla ga'l eu dal," meddai'r tafarnwr wrth ddiflannu i'r seler i newid casgen.

Suddodd calon Emlyn. Am ddiweddglo cachlyd i ddiwrnod cachlyd drwyddi draw. Roedd sawl wythnos wedi mynd heibio ers y digwyddiadau ar lan Llyn Tegid a'r cyfarfyddiad annisgwyl â Mefina a'i chariad. Teimlai Emlyn fel pe bai ei fywyd yn datgymalu a'i fyd yn chwalu'n yfflon. Er gwaethaf yr holl arwyddion amlwg roedd wedi llwyddo i dwyllo'i hun y byddai Mefina'n dychwelyd i'r fro ryw ddydd gan gael ei denu'n ôl ato o'r newydd fel gwyfyn i'r fflam, gan ollwng y boi arall ar hyd y ffordd rywle.

Ond ar ôl heddiw roedd y freuddwyd gwrach honno wedi'i sigo unwaith ac am byth, fel nad oedd modd bellach cynnal yr hunan-dwyll ac roedd gorfod wynebu'r byd heb hwnnw yn fwy poenus nag roedd Emlyn wedi'i ddychmygu.

Pan welsai o Mefina ar y stryd y bore 'ma, roedd ei galon wedi neidio'n llawen wrth i'r cyffro cyfarwydd gyniwair drwyddo. Roedd hi ar ei phen ei hun. Dim sôn am neb arall ar ei chyfyl. Gallen nhw fynd i gael paned yn yr hen le, fel y bydden nhw erstalwm...

"S'ma 'i, Emlyn?" meddai hi gan arafu'i cham wrth ei weld.

Sylwodd Emlyn fod yna ryw gryndod neu grygni yn ei llais. Bach yn nerfus, siŵr o fod, meddyliodd. Da iawn. Buan iawn byddai fo'n dangos iddi nad oedd raid iddi fod yn nerfus, nad oedd yntau fymryn dicach oherwydd iddi grwydro fel y gwnaethai ac nad oedd o ond yn rhy falch o'i derbyn hi'n ei hôl.

"Iawn," atebodd ac wedyn aeth ei feddwl yn wag â'i dafod yn rhwym.

Yn yr awyr uwch eu pennau roedd mintai o wylanod yn ymgecru'n ffyrnig am ryw reswm neu'i gilydd; roedd gwynt oer yn plycio wrth wallt Mefina.

"Ma'n ddigon oer, tydi? Er 'i bod hi'n fis Mai arnon ni'n barod," meddai hi gan wthio'r cudynnau tramgwyddus o'r ffordd. Roedd hi'n gwisgo côt fawr a wnâi iddi edrych yn dewach nag arfer, meddyliodd Emlyn.

"Yndi," atebodd yntau gan gribinio'i ymennydd am y ffordd ymlaen.

"Wyt ti'n iawn ar ôl be ddigwyddodd yn y Bala?" gofynnodd hi o'r diwedd.

"Yndw... diolch." Iesgob, roedd ei hwyneb wedi llenwi hefyd, fatha lleuad lawn rywsut, a'i gwallt blêr yn dangos diffyg gofal. Falla ei bod hi'n sâl.

"Tisio paned?"

Dyna'r geiriau roedd o wedi dyheu am eu clywed ers cyhyd. Haleliwia! Chwarae teg iddi, y galon aur.

"Oes."

Arweiniodd y ffordd i'r hen le, gan dalsythu a brasgamu unwaith eto ar ôl ymlusgo truenus yr wythnosau diwethaf. Daliodd y drws yn agored iddi gan wenu'n braf. Craffu arni eto wrth iddi fynd heibio. Mam bach, roedd hi'n edrych fel sa hi'n... O, na, doedd bosib...!

Roedd ei ben yn corddi a'i ymysgaroedd yn toddi. Wrth eistedd i lawr, tynnodd Mefina ei chôt. Doedd dim amheuaeth. Pedwar mis wedi mynd... mwy ella. Fe'i daliodd yn sbio ar dwmpath digamsyniol ei bol.

Trefnodd ei chôt yn ofalus ar y sedd wrth ei hymyl ac wedyn edrychodd yn syth i'w lygaid. Hyd yn oed yng nghanol yr hunllef yma, daliai'i golwg i'w gynhyrfu a'i gyfareddu.

"Yndw, dwi'n disgwyl. Plentyn Des ydi o."

Ceisiodd Emlyn fustachu ar ei draed, ond gafaelodd Mefina mor dynn ag y gallai yn ei arddwrn.

"Be alla i gael i chi?"

Roedd y weinyddes ifanc wedi cyrraedd, pensil a phad yn barod, gwên groesawgar ar ei hwyneb. Rhewodd y wên braidd wrth weld osgo'r ddau o'i blaen – y naill ar fin cymryd y goes a'r llall yn gafael ynddo fel pe bai ei bywyd yn dibynnu ar hynny.

"Dwy banad o goffi drwy lefrith... ynte, Ems?... a dwy Eccle," meddai Mefina'n gadarn gan syllu'n ddiwyro i wyneb Emlyn.

Ddywedodd Emlyn ddim byd, ond suddodd yn ufudd ac yn araf i'w sedd drachefn. Syllai ar ben y bwrdd llwydwyn o'i flaen. Roedd Mefina'n methu dal ei lygaid.

"Emlyn?" hudai Mefina gan blygu yn ei blaen ac yn nes ato. Dim ymateb.

Roedd un o'i ddwylo'n pwyso ar y bwrdd. Rhoddodd Mefina ei llaw hithau arni gan wasgu'n dyner. Ceisiodd Emlyn dynnu'i law oddi yno. Cynyddodd Mefina'r pwysau a theimlo'i law'n ymlacio. Ac fel hyn y buont yn eistedd am ychydig nes i'r ferch ddychwelyd â'r paneidiau.

"Dwy baned a dwy Eccle," meddai'n glên, ei llygaid yn gwibio o'r naill i'r llall er mwyn cofnodi'r datblygiadau diweddaraf a dyfalu beth yn union oedd y sefyllfa.

"Diolch yn fawr iawn i chi," meddai Mefina.

Gollyngodd ei law a chymryd llwnc o'i choffi. Tynnodd stumiau'n syth.

"Ach y fi. Fiw i mi yfad coffi. Dim ers..." Damia'n las, hithau â'i cheg fawr. Doedd hi ddim eisio rhwbio'i drwyn ynddo fo. Ond doedd Emlyn ddim fel pe bai wedi sylwi ar ei cham gwag. Eisteddai fel delw o hyd, ei wyneb yn hollol ddifynegiant. Ei lygaid bron â bod ynghau.

Ar ôl ychydig, dyma Mefina'n rhoi cynnig arall arni.

"Plîs, siarada hefo fi, Emlyn. Dwi'n gwbod bo chdi'n siomedig. Doeddwn i ddim isio dy frifo di... ond ma hi dros dair blynadd ers i ni orffan..."

"Ers i chdi orffan..." meddai Emlyn yn dawel.

Ochneidiodd Mefina. Roedd hyn yn amhosib.

Heb sylwi bron, torrodd hi ddarn o'r deisen Eccle a'i bwyta. 'Randros, roedd hi'n blasu'n dda, yn lled gynnes a'r ffrwythau wedi chwyddo'n suddog synhwyrus. Doedd dim digon o fwyd i'w gael iddi y dyddiau 'ma – yn enwedig pethau melys. Bwyta i ddau, myn dian i. Roedd hi fel tasa hi'n bwyta dros Gymru gyfan.

Rhoddodd gynnig ar drywydd arall.

"Mi gafodd Emyr Llew flwyddyn o garchar, 'yn do? Un bach ffeind ei olwg ydi o. Biti 'fod o'n gor'od mynd i'r jêl, tydi?"

Gwyliodd wrth i'r abwyd ddechrau denu. Symudodd Emlyn ei ddwylo gan stwyrian ychydig ar ei sedd.

"Be 'di o i chdi? Dwyt ti ddim yn malio am Dryweryn."

"Dwi ddim yn cytuno hefo plannu bomia aballu… ond falla bo fi'n gweld petha… yn wahanol erbyn hyn."

Dim ymateb.

"Be ma'n nhw 'ddeud, dŵad?… Gora Cymro, Cymro oddi cartra, ynta? Siŵr bod hyn'na'n wir am Gymraes hefyd," ychwanegodd Mefina gan stwffio darn arall o Eccle i'w cheg.

"Gwell i chdi aros yno, 'de," poerodd Emlyn.

Roedd hyn yn welliant ar y mudandod blaenorol.

"Wel, naci, adra ydw i rŵan, Ems," meddai Mefina'n dawel. "Ma Des yn dŵad i weithio ffor 'ma a byddwn ni'n priodi, 'sti." Craffodd i weld yr ymateb i'r newydd hwnnw. Tybiai iddi sylwi ar ryw ysgryd bach yn mynd drwyddo. "A dwi'n gor'od gofalu am 'Nhad, 'sti. Ma o'n bur wael erbyn hyn. Fydd o ddim yn para'n hir."

"Ddrwg gen i glywed," mwmiodd Emlyn yn reddfol gan godi'i lygaid fymryn.

"Anodd ydi hi acw, 'sti. 'Dan ni erioed wedi bod yn agos, fel ti'n gwbod yn iawn, ond mae o'n diodda. A ti'n gwbod hefyd sut un 'di Mam a'r holl hen grefydd yn llenwi 'i phen a'i sgwrs… Ma'n braf ca'l dianc o'r tŷ… i siarad hefo rhywun… call – fatha chdi."

Ar hap, dalion nhw lygaid ei gilydd ac yn sydyn chwarddodd y ddau. Dim chwerthin mawr o'i hochr hi, dim ond rhyw biffian bach nerfus, trwsgwl yn tagu yn y gwddf, ond roedd rhyw ias wedi'i thorri. Cododd Emlyn ei gwpan a chymryd llymaid neu ddwy ohoni. Aeth Mefina ati i larpio gweddill ei theisen Eccle ac, er ei gwaethaf, dechrau llygadu teisen Emlyn a oedd yn aros heb ei thwtsh ar ei blât.

Bu tawelwch hir. Roedd y gwylanod yn dal wrthi uwchben y stryd y tu allan.

"Sut ma petha hefo chdi, eniwe?" gofynnodd Mefina. "Mr a

Mrs Roberts yn iawn?"

Cymerodd Emlyn lwnc arall o'i goffi. Mor braf oedd blasu coffi fel hyn ar ôl y dŵr lliw-cachu-llo-bach a llugoer a yfai yn y garafán.

"Dwn i'm. Dwi ddim yn byw hefo nhw bellach."

"Be? Lle wyt ti'n byw 'lly?"

"Mewn carafán... ar fferm." Doedd o ddim eisio datgelu lle'n union.

"Be? Yn y tywydd oer 'na gafon ni?"

Byddai hyn yn egluro'r olwg ddi-raen arno a'r diffyg glanweithdra.

Cododd Emlyn ei sgwyddau:

"Snam dewis gen i."

"Wel... pam nest ti adael?"

"Mi ges i 'nhaflyd allan."

"Taflyd allan? Pam er mwyn Duw?"

"Anghytundeb."

"Ynglŷn â be?"

"Tryweryn."

"O." Wel, ia, be arall o ystyried? meddyliodd Mefina.

Roedd y deisen yn dal i segura ar blât Emlyn. Fedrai hi ddim maddau iddi ragor.

"Ga i dy deisen di, plîs? Os nad wyt isio hi? Gei di orffan 'y nghoffi i os oes awydd gen ti."

Roedd y fargen wedi'i tharo. Cyfnewidiwyd cwpan a phlât dros y bwrdd.

Yn sydyn trawyd Mefina, yng nghanol ei hail Eccle, mai canol y bore ganol yr wythnos oedd hi, ac nad oedd Emlyn yn ei siwt.

"Wyt ti ar dy wylia?"

"Na, wel yndw, mewn ffordd… dwi wedi ca'l y sac."

"Sut? Pryd? Be nei di rŵan?" Roedd pryder go-iawn yn ei llais erbyn hyn.

"Mi wnes i regi cwsmar."

"Rhegi cwmsar! I be?"

"Mi oedd o'n lladd ar Emyr Llew."

Roedd Mefina ar fin edliw iddo, ond, yn sydyn, cofiodd berorasiwn ffiaidd tad Andrew yn y tŷ crand ar gyrion cwrs golff Hoylake. Y llifeiriant gwenwynig a'r diffyg cydymdeimlad bwriadol. Oedd, roedd hi'n dallt y cymhellion. Buasai hi eisiau tagu'r hen golbar hunangyfiawn hwnnw y noson honno heb sôn am ei regi.

"Ond be wnei di – heb jòb 'lly?"

"Dwi'n iawn am y tro, 'sti."

"O, Emlyn. Am lanast! Be wna i hefo chdi?"

Bu saib hir. Yn sydyn roedd Emlyn wedi codi ar ei draed ac yn tyrru uwch ei phen gyda golwg fel taran ar ei wyneb.

"Ia, am lanast!" ebychodd dan deimlad mawr gan anelu am y drws a'i hyrddio ynghau ar ei ôl. Rhedodd y weinyddes i arbed y clepian, yn rhy hwyr wrth i'r arwydd *Open / Closed* ddawnsio'n wyllt ar ei gadwyn. Roedd Mefina'n rhy syfrdan i ddweud dim. Fe'i gwyliodd yn diflannu ar hyd y stryd a suddodd ei chalon wrth ei weld yn troi i mewn i'r dafarn.

Ochneidiodd Mefina gan lyncu darn ola'r deisen yn fyfyriol ond heb sylwi bellach ar ei melyster.

"Ti'n meddwl bod 'na ragor ohonyn nhw, Ems?"

Roedd y negesydd wedi eistedd wrth ei ymyl o erbyn hyn ar y fainc yn y gornel, ei wyneb brwd yn welw yng ngolau gwan y dafarn.

"Sut wn i?"

"Wel, ti o'u plaid nhw, dwyt? Pawb yn gwbod hynny."

"Yndw, ond dwi ddim yn gwbod dim amdanyn nhw a faswn i ddim yn deud wrth ryw goc wadin fatha chdi taswn i'n gwbod, na faswn?"

Roedd yr ymosodiad chwyrn yn sioc i'r llall. Cododd ar ei draed yn wyllt.

"Dos i'r diawl, y bastad blin!" meddai gan gilio i ben pella'r dafarn i rannu'i gŵyn hefo'r criw oedd yn chwarae darts.

Oedd, meddyliodd Emlyn, mi oedd yn troi'n fastad uffernol o flin. Roedd fel pe bai'i ddicter heb ffiniau y dyddiau hyn. Croen ei din yn sownd ar ei dalcen drwy'r adeg. Roedd hyd yn oed y josgin o landlord oedd ganddo yn ei ofni braidd a heb ei boeni am rent y garafán ers y llond ceg gafodd o'r tro diwethaf iddo fentro galw heibio.

Gwagiodd Emlyn ei beint gan fyseddu'r siortyn a oedd i'w ddilyn yn y gwydryn bach wrth ei ymyl. Ers colli'i waith yn y banc tua mis yn ôl roedd ei ddibyniaeth ar anesthetig y pot peint a'r botel wisgi wedi cynyddu'n aruthrol. A deud y gwir, roedd wedi dechrau magu rhyw orhoffter at y ddiod gadarn ymhell cyn hynny, ond erbyn hyn doedd y rheidrwydd i fod yn bresennol ac o gwmpas ei bethau yn y gwaith bum niwrnod yr wythnos ddim yno i'w gadw rhag mynd i eithafion.

Dylanwad meddwi'r noson cynt fu'n rhannol gyfrifol iddo regi'r cwsmer.

Cymro oedd y diawl hefyd. Yn ddyn busnes lleol; pawb yn ei nabod; dyn eang ei ddylanwad ond heb fod mor uchel ei barch. Roedd Emyr Llew newydd ei ddedfrydu i flwyddyn o garchar gan y llys yng Nghaerfyrddin ac roedd hwn ar ben ei ddigon, yn uchel iawn ei gloch wrth hefru a dwrdio am sut y dylsai Emyr fod wedi cael deng mlynedd a llafur caled ar ei ben o.

"O, jest cau dy blydi geg, yr hen lolyn boldew!" gwaeddodd Emlyn ar ei draws gan ddal ati i gyfrif arian i'r ddynes fach syn a safai o'i flaen wrth y cownter.

Rhyw frawddeg fach ddigon diniwed ar ryw olwg, ond un a fyddai'n newid cwrs ei fywyd am byth.

"Dyna fo, Mrs Griffiths, tri deg o bunnoedd mewn papurau pum punt. Dydd da i chi rŵan."

Cymerodd Mrs Griffiths ei harian yn frysiog a'i heglu hi am y drws mewn tipyn o fraw.

Yn y tawelwch llethol a lenwodd y banc ar ôl hynny, cofiai Emlyn iddo fod yn ymwybodol o wynebau gwelw'i gyd-weithwyr o'i gwmpas. Pawb wedi'u syfrdanu'n stond.

Parodd y distawrwydd buddugoliaethus hwn yn hirach na'r disgwyl ar ôl i Mrs Griffiths ffoi am ei bywyd i adrodd yr hanes wrth y byd a'r betws. Gellid clywed lleisiau pobl ar y stryd a mewian gwylan unig ar do'r adeilad dros y ffordd; collodd rhywun ychydig o arian gleision a fu'n rholio am hydoedd hyd y llawr pren nes bwrw'r cownter a stopio'n stond.

O'r diwedd aeth y dyn busnès boldew i ben ei gaetsh go-iawn, a bu'r storom yn rhuo yng nghlustiau pawb am sbel go hir wedyn nes i'r rheolwr frysio i'r fei i gorlannu'r troseddwr a'r dioddefydd yn ei swyddfa.

Wrth i Emlyn adael y banc yn gynamserol y diwrnod hwnnw, gyda cherydd terfynol y rheolwr a bygythiadau'r Boldew yn atseinio yn ei ben, fe'i goddiweddwyd gan ryw deimlad anhygoel o lawenydd a phenrhyddid.

Roedd wedi herio'r bwystfil ac wedi aberthu ei yrfa yn enw'r hyn a gredai ynddo. Na, doedd o ddim yn yr un cae â'r dewrion a oedd wedi ymlusgo ar eu boliau trwy'r eira i osod y bom ac a oedd yn fodlon mentro eu rhyddid mewn ymgais seithug i atal 'hagrwch cynnydd' a thraha'r hen elyn... Eto, roedd o wedi gwneud rhywbeth! Doedd o ddim wedi cadw'i geg ynghau yn nhraddodiad gorau'r Cymry. Roedd wedi lleisio'i ddicter yn groyw ac yn hyglyw i bawb, gan gadw'n driw i'w egwyddorion.

Teimlai'n union fel y tro hwnnw y gwelsai Mefina ar y stryd erstalwm ar drothwy haf eu carwriaeth, fel pe bai'n gweld bod popeth yn gwneud synnwyr ac yn eithriadol glir a dim byd i'w ofni mwyach.

Byrhoedlog oedd y cyflwr gwynfydus hwn, serch hynny. Yn lle dychwelyd i'r garafán y diwrnod tyngedfennol hwnnw, aeth i'r dafarn i ddathlu'i ergyd yn erbyn difrawder a chyfaddawd. Mor braf oedd bod heb boen yn y byd am unwaith. Dim ond sgwrsio'n glên â hwn a'r llall. Siarad am bêl-droed a phethau dibwys eraill.

Tua diwedd y noson, daeth criw o genod o waith Cooke's i mewn gan fynd draw i eistedd wrth fwrdd yn y gongl bellaf. Drwy wawr ei feddwdod a mwg trwchus y dafarn syllai Emlyn arnynt ac am y tro cyntaf ers blynyddoedd cafodd ei fod yn gallu edrych ar ferched heb feddwl am Mefina, heb gael ei lethu gan hiraeth a chenfigen.

Daliodd un o'r genod ei lygad dan hanner gwenu. Roedd o'n ei nabod hi o ran ei gweld. Y tro nesaf iddi ddod at y bar lle'r eisteddai Emlyn ar stôl uchel a'i gefn yn pwyso yn erbyn y wal, dyma fo'n mentro torri gair.

"S'ma 'i?"

"Iawn, diolch yn fawr."

Roedd Emlyn yn rhy feddw i sylweddoli nad oedd y ffordd roedd yn edrych arni'n ei phlesio.

"Sori, dach chi isio rhywbath?"

"Na... jest..."

"Dim yn gweld 'ych teip chi yma'n amal."

"'Y nheip i?"

"Pobl y banc 'ta."

Ac i ffwrdd â hi â rownd o ddiodydd ar hambwrdd gan chwerthin yn gras wrth ei ffrindiau ar ôl cyrraedd y bwrdd yn y gongl.

Ar amrantiad roedd y swigen fodlon wedi'i sigo gan adael Emlyn yn teimlo fel rhyw froc môr yn crino ar y traeth, a'i hyder a'i hwyl yn darfod. Yn sydyn, roedd holl awyrgylch y dafarn yn codi cyfog arno. Roedd y mân siarad wedi troi'n gleber wag. Siarad am bysgota a bingo, Beeching a gwaith yn Atomfa Traws ac ar y lein... neb yn sôn am yr hyn a oedd yn wirioneddol bwysig. Neb yn sôn am ddedfryd Emyr Llew na thynged Cwm Celyn.

Cleciodd ei beint gan faglu o'i stôl wrth y bar ac allan i'r nos; clywodd fonllefau o chwerthin yn dod o'r gongl lle'r oedd y genod wrth iddo adael. Rhaid mai fo oedd y cocyn hitio. Hen bethau coman – roedd Mefina'n werth deg o'u teip nhw, myn coblyn.

I mewn ag o i'w gar, ffwndro am yr agoriadau, tanio'r injan ac allan ag o i'r lôn. Asu, mi oedd hi fel y fagddu! Gola! Mi fasa gola'n help, 'yn basa? Ymbalfalu am y switsh. Argol! Ar ba ochor y lôn ma hwn? Corn yn canu. Ffŵl gwirion. Gola ymlaen rŵan. Ara deg hefo'r clawdd bia hi.

Trodd oddi ar y briffordd a thrwy ryw ryfedd wyrth llwyddodd i gyrraedd y groesffordd lle y dylai droi am y lôn fynydd at y fferm. Y peth nesa roedd y car wedi bwrw carreg fawr ar ganol y lôn gan wyro'n wyllt dros y ffordd ac i lawr y llethr serth yr ochr draw... yn sydyn roedd byd Emlyn fel pe bai'n troi ben i waered ac roedd 'na sŵn fel y môr neu afon fawr yn sgubo drosto ac wedyn hedd perffaith hedd heblaw coethi'r cŵn ar fuarth rhyw fferm gyfagos.

Drwy ryw lwc daeth o'r ddamwain yn ddianaf – yn wahanol i'r car a oedd y tu hwnt i bob achubiaeth. Roedd yr yswiriant wedi darfod hefyd tua phythefnos ynghynt. Doedd allanolion megis talu yswiriant car ddim yn ymddangos mor bwysig ag y byddent a chan nad oedd ei bost bob amser yn cyrraedd y garafán roedd o heb dderbyn y llythyr i'w atgoffa ei bod yn amser ei adnewyddu.

Bid siŵr, doedd yr ychydig gelc oedd ganddo ddim yn mynd i ymestyn i brynu car arall iddo. Yn y cyfamser gorweddai sgerbwd yr hen gar â'i drwyn mewn nant yn union lle'r oedd wedi cropian ohono ryw fis yn ôl. Byddai'n gorfod cerdded heibio iddo bob dydd ar ei ffordd i'r dafarn, ac eto wrth faglu ei ffordd adra ddiwedd y nos – hen brofiad annifyr.

Ddylai fo gael peint arall heno? Siawns nad oedd yn haeddu un ar ôl y sioc o gyfwrdd â Mefina ar y stryd fel 'na a'r ergyd ddwbwl o glywed nid yn unig bod y Gwyddel yn dal i fod yn ei bywyd, ond ei bod yn ogystal yn disgwyl ei blydi blentyn o.

Heb sôn am yr hogia a oedd wedi'u dal ynglŷn â Thryweryn...

Twriodd yn ei boced am bres peint. Dim byd, myn uffarn. Twrio drwy'i bocedi i gyd. Hances ffiaidd, hen docyn bws. Dyna i gyd. Tsiecio'r poced arferol eto a'i fysedd yn dod o hyd i'r rhwyg yn y leinin. Daria! Roedd yn amau iddo glywed rhywbeth yn gollwng ar y pafin rywdro yn ystod y dydd. Arswyd! Roedd tua deg swllt ganddo pan adawodd o'r fferm yn y bore.

Blydi hel! Doedd dim pwynt aros fan hyn 'lly. Cafodd bàs i mewn gan Dic yr Hafod y bore hwnnw, ond heb bres am docyn bws byddai'n rhaid iddo gerdded y pum milltir yn ôl adra – taith yn tynnu ar i fyny bob cam.

"Mynd i blannu'r bom nesa, ia?" gwawdiodd ei gyfaill o ben

pella'r dafarn wrth i Emlyn ymbalfalu am ei gôt a mynd am y drws.

Gwawdia di, y cwd, meddyliodd. Dyna oedd yn ei gael gan bawb y dyddiau 'ma am fod yn driw i'w wlad ac iddo'i hun.

Y tu allan roedd hi'n dal i fod yn oer ond yn sych o leiaf. Hongiai rhyw glip bach o leuad uwchben crib y mynydd a digon o sêr iddo gael gweld ei ffordd yn eithaf clir. Noson braf i gerdded. Doedd popeth ddim yn gachu yn y byd 'ma wedi'r cwbl.

Digon ling-di-long oedd ei gamau a doedd ei drywydd ddim yn syth iawn chwaith. Sawl gwaith fe'i cafodd ei hun yn bustachu i'r clawdd neu'n colli'i gyfeiriad.

"Os wyt ti'n cerdded yn y nos dylat ti bob amsar sbio i fyny i'r awyr," oedd un o'r ychydig gynghorion doeth a gafodd gan ei dad erioed. Sbiodd i'r garthen ddulas dros ei ben, a gweld ei bod yn haws llywio'i ffordd wrth edrych ar lewyrch y sêr na cheisio troedio ymlaen â'i lygaid ar fetlin tywyll y lôn.

Cyrhaeddodd y grid gwartheg a olygai nad oedd ymhell o'r groesffordd erbyn hyn.

"Y groesffordd!" ebychodd yn felodramataidd dan chwerthin wedyn. Llwyddodd yr ymarfer corfforol wrth dynnu i fyny'r rhiw i symud ychydig ar y felan. Roedd hi'n noson hyfryd, Pen Llŷn a goleudai Sant Tudwal a'r myrdd o bentrefi a ffermydd i'w gweld yn glir. Anadlodd yn ddwfn gan lenwi'i sgyfaint a sylwi nad oedd yr awel mor fain ag y bu a bod naws y gwanwyn yn gryf erbyn hyn.

Yn sydyn, o'r tywyllwch y tu ôl iddo, clywodd sŵn fel peswch. Rhewodd gan atal ei anadl am ennyd. Dafad siŵr o fod. Hyd yn oed trwy'i synhwyrau chwil, sleifiodd rhyw ias drwyddo. Ai dynion Twm oedd allan fan'na, yn barod i ddial arno go-iawn y tro hwn?

Ond nid dynion Twm oedd y prif reswm am yr ofn a afaelai ynddo bellach. Roedd hwn yn rhywbeth dyfnach, yn codi o'r tu mewn iddo; rhywbeth gwaelodol yn ei gyfansoddiad. Daeth y sŵn eto. Nid dafad yn peswch oedd honno. Dechreuodd redeg. Cofiai benillion ei nain am y ci du a'r ci gwyn ar y lôn... Dyna oedd Nain yn ei ofni ar hyd ei hoes bron. Dyna oedd allan fan'na heno. Y ci du.

Daliai i redeg, yn gwyro o'r naill ochr o'r ffordd i'r llall.

Roedd y lleuad fel pe bai wedi'i llyncu gan gymylau mawr a rheiny'n llifo fel afon ddu dros drum y mynydd. Aeth hi'n fwyfwy anodd gweld y ffordd. Sbio i fyny dyna'r gamp. Cododd ei olygon ond roedd rhyw orchudd dudew dros bob man ac ni allai wahaniaethu bellach rhwng y mynydd a'r awyr, y clawdd a'r lôn. Ond fiw iddo arafu, rhaid cyrraedd y groesffordd. Byddai popeth yn iawn wedyn.

Yn ddirybudd, yr ochr draw i glip bach serth yn y lôn, ffrwydrodd y nos yn wynias o'i flaen. Gwaeddodd mewn braw a baglu ar ei hyd ar y ffordd garegog. Roedd yr awyr yn llawn sŵn sgrech breciau ac igian afreolus Emlyn.

Aeth sŵn y breciau ymlaen ac ymlaen. Fe'i cipiwyd gan greigiau'r mynydd a'i drybowndio o'r naill i'r llall. O'r diwedd bu gosteg. Yr unig sŵn wedyn oedd injan car yn segura, drws yn agor a llais dynes:

"Dach chi'n iawn?"

Gorweddai Emlyn ar ei fol â'i ddwylo'n dal ei ben.

"Dach chi'n iawn?"

"Yndw," atebodd Emlyn o'r diwedd gan godi'n simsan ar ei draed. Swniai'i lais yn syndod o gryf o ystyried ei gyflwr.

"Dach chi'n siŵr? Funud ola welish i chi..."

"Peidiwch â phoeni. Ges i bach o fraw. 'Na i gyd," ychwanegodd rhag ofn fod y ddynes wedi'i glywed yn sgegian fel babi blwydd gynnau bach.

"Welais i monoch chi," aeth y wraig yn ei blaen. "Dylech chi wisgo rhywbeth golau ar yr hen lonydd 'ma wchi."

Safai Emlyn yn ei unfan gan hel ei nerth a'i nerfau at ei gilydd i fwrw ymlaen ar ei daith.

"Ga i'ch danfon chi adra? Lle dach chi'n byw?"

Enwodd Emlyn y fferm.

"Arswyd mawr! Mae fan'na'n bell. Tair milltir – fan lleia."

"Llai na hyn'na. Mi fydda i'n iawn."

Cymerodd gam neu ddau sigledig ymlaen ond baglodd yn syth.

Rhedodd y ddynes ato a chydio'n gadarn yn ei fraich.

"Dewch," gorchmynnodd â thraw ei llais yn awgrymu nad oedd rhoi gorchmynion yn ddiarth iddi. "Dach chi'n dŵad adra hefo fi."

A gadawodd Emlyn iddi ei arwain at y car.

— XIX —

ROEDD YR ARGAE wedi'i orffen a'r dŵr yn dechrau cronni. Safodd Emlyn ar ben codiad bach o dir gerllaw gan wylio hynt y llif yn ofalus.

"Panad?"

Ymddangosodd Gwyneth ar ben y llwybr a arweiniai i lawr o ran ucha'r ardd i'r goedlan fach ar lan y nant.

Ers deuddydd buasai Emlyn yn palu'r mawndir o'i chwmpas i greu llyn bach. Roedd wedi codi clawdd sylweddol o dywyrch o gwmpas y gronfa ac erbyn hyn roedd yn ceisio rheoli'r ffrwd wrth ddeupen y pwll er mwyn sicrhau cyflenwad cyson.

"Ew! Dach chi bron â gorffan."

"Dim ond unioni rhediad y dŵr sy eisio 'ŵan."

"Dach chi'n rîal giamstar hefo'r petha 'ma, 'yn tydach?"

"Dwn i'm." Gwenodd Emlyn yn swil. "Dwi heb neud rhyw lawar o betha fel hyn o'r blaen, cofiwch."

Cymerodd y banad a gynigiai iddo gan gyrcydu uwchben y pwll i wylio'r llanw tawel yn ymledu dros y pridd a lefel y dŵr yn codi'n raddol i fyny waliau tywyll y cloddiau. Bu'n brofiad rhyfedd – creu ei Dryweryn bach ei hun, ond o leiaf doedd neb yn byw yn y patshyn bach o dir a gâi ei foddi fan hyn.

Gwyliai Emlyn wrth i Gwyneth Ellwell bigo'i ffordd yn ofalus ar hyd y dorlan gan edmygu gwaith ei handiman preswyl. Helygen o ddynes oedd hi, yn osgeiddig o dal, ac yn ei ffrog werdd laes a'i gwallt hir, brithwyn a chwipiai y tu ôl iddi yn yr awel edrychai braidd fel un o dduwiesau'r cynfyd.

"Fydd o'n ddigon dwfn i 'mdrochi ynddo fo, tybad?" meddai gan wenu arno.

"Go brin. I blant ella."

Cymylodd y wên ychydig a daeth hi'n ôl at y man lle'r oedd Emlyn yn cyrcydu.

"Mi fydd yn hyfryd. Diolch yn fawr iawn i chi, Emlyn."

"Peidiwch sôn," mwmiodd Emlyn gan gymryd llwnc o'i banad.

Yn wir, ganddo fo roedd y lle i fod yn ddiolchgar, meddyliodd. Oni bai iddo gyfarfod â Gwyneth y noson honno ger y groesffordd, does wybod sut gyflwr fyddai arno fo erbyn hyn. Yn dal i slotian fel ych, mae'n siŵr, a thros ei ben a'i glustiau mewn dyled, ac yn dal i bydru byw yn yr hen garafán 'na. Yn lle hynny roedd ganddo do uwch ei ben, bwyd yn ei fol, a hwnnw'n cael ei baratoi ar ei gyfer, a chyfle i ddarganfod sgiliau gwaith newydd a chyffrous wrth helpu Gwyneth i adnewyddu'r tŷ a chreu gardd o'r drain a'r drysni caregog a oedd yn ei amgylchynu.

Dynes llawn dirgelwch oedd Gwyneth na fynnai siarad rhyw lawer amdani'i hun. Cymraes lân, loyw oedd hi, er bod peth llediaith weithiau i'w chlywed, yn enwedig wrth iddi ynganu geiriau Saesneg. Fel arall y cwbl a wyddai Emlyn amdani oedd mai gweddw i ddiplomydd Seisnig ydoedd, ac wrth sylwi ar rai o'r lluniau, llyfrau a thrugareddau eraill o gwmpas y tŷ, roedd hi'n amlwg wedi treulio llawer o'i hamser yn y Dwyrain Canol ar ryw adeg.

Un tro, o weld drws ei llofft yn agored a hithau yn yr ardd, sleifiodd Emlyn yn betrus dros y trothwy i weld be welai. Doedd yna fawr o gliwiau i'w hanes yn y fan honno chwaith, heblaw am lun ohoni mewn rhyw fath o iwnifform yn sefyll yng nghwmni dyn ifanc Arabaidd ei olwg â ffês am ei ben yng nghanol rhyw adfeilion hynafol yn yr anialdir. Edrychai'r ddau yn hapus iawn yng nghwmni ei gilydd. Nid y diweddar Mr Ellwell oedd hwn, yn sicr, meddyliodd Emlyn. Clywodd sŵn drws yn cau i lawr grisiau a llithrodd o'r stafell cyn iddo gael ei ddal.

Doedd Emlyn ddim yn siŵr chwaith ai wedi etifeddu'r tŷ neu wedi'i brynu oedd hi. Yn sicr, câi ddigon o arian o rywle. Mewn rhai o'r stafelloedd yng nghefn y tŷ roedd hen ddodrefn drudfawr wedi'u pentyrru dan gynfasau llychlyd – mwy na digon i lenwi'r tŷ hwn deirgwaith drosodd, er bod hwn yn lle eithaf mawr.

Byddai potelaid o win ar y bwrdd bob nos ac er na wyddai Emlyn ddim oll am winoedd, roedd y dyddiadau ar y poteli a golwg chwaethus y labeli heb sôn am flas rhagorol y cynnwys yn awgrymu eu bod yn winoedd gwell na'r rhelyw.

Treuliai Gwyneth ei hamser yn arlunio a pheintio, rhyw dirluniau haniaethol nad oedd Emlyn yn siŵr a oedd yn eu hoffi ai peidio.

"Fyddwch chi'n trio'u gwerthu nhw weithia?" gofynnodd.

"'U gwerthu nhw?" meddai Gwyneth yn syn, fel pe bai'r syniad yn hollol wrthun i unrhyw artist gwerth ei halen.

Un tro, roedd hi wedi gofyn iddo a gâi ei beintio fo wrth ei waith yn yr ardd.

"Ro'n i'n meddwl bod rhywun yn gor'od eista'n llonydd i ga'l peintio'i lun," meddai'n anfoddog.

"Dwi'n licio dal yr egni. Dach chi ddim yn rhywun sy'n licio bod yn llonydd, nag ydach, Emlyn?"

Doedd Emlyn ddim yn siŵr am hynny, ond doedd dim dwywaith, mwya i gyd o waith a wnâi o gwmpas y lle mwya i gyd roedd yn dyheu am wneud rhagor. Doedd o ddim yn llonydd am yn hir iawn y dyddiau hyn. Felly, ar brynhawn braf yn y gwanwyn, dyma Gwyneth yn mynd ati i dynnu'i lun wrth iddo glirio peth o'r brwgaitsh yng nghefn y tŷ â chryman.

Eisteddai ar stôl fechan ar ddarn o dir anwastad ychydig lathenni oddi wrtho gan fraslunio'n brysur mewn llyfryn trwchus o bapur gwyn.

"Beth sy'n 'ych corddi chi, Emlyn?"

"Be dach chi'n feddwl?"

"Dwi'n synhwyro bod 'na rywbath – rhywbath yn aflonyddu arnoch chi. Yn 'ych gyrru chi drwy'r adag."

Nid Gwyneth oedd yr unig un yn y tŷ fu'n gyndyn o ddatgelu dim byd amdani'i hun. Digon gochelgar fu Emlyn hefyd hyd yn hyn rhag ateb gormod o gwestiynau. Y bore cyntaf, drannoeth y digwyddiad ar y lôn, wrth frecwasta yn y gegin fawr, roedd o wedi esbonio iddi ei fod yn ddigartref ac yn ddi-waith ond heb ymhelaethu bron dim ynglŷn â'r amgylchiadau. Doedd hi chwaith ddim fel pe bai am holi gormod beth bynnag. Ar ôl tawelwch maith, roedd Gwyneth wedi codi o'r bwrdd a mynd at y ffenest i edrych ar y diffeithwch lle gynt bu gardd. O'r diwedd, gofynnodd:

"Liciech chi ddŵad yma i roi trefn ar y lle i mi? 'Nenwedig yr ardd. Ma gen i blania mawr ond ma angen rhywun cry arna i."

"Duw mawr! Dach chi'n siŵr?"

Trodd yn ôl o'r ffenest dan wenu o glust i glust, ei hwyneb yn llawn cyffro, fel merch ifanc.

"Yndw, yn berffaith siŵr."

Ac erbyn canol y bore roedd o wrthi'n symud llwythi o rwbel o weddillion hen feudy hefo berfa i greu patio ac yn dechrau cael blas ar fywyd am y tro cyntaf ers hydoedd.

"Sdim byd yn fy nghorddi," meddai Emlyn yn swta mewn ateb i'w chwestiwn, gan obeithio rhoi taw ar yr holi. Y busnes tynnu llun oedd yr unig beth a wnâi aflonyddu go-iawn arno ar y funud. Doedd o ddim yn mwynhau'r profiad.

Bu tawelwch hir a dechreuodd Emlyn ddifaru iddo fod yn anghwrtais braidd. Cymerodd hoe a mynd i eistedd ar hen wal a ddaeth i'r fei yn sgil y gwaith clirio.

“Ddrwg gen i. Do’n i ddim eisio swnio’n ddiamynadd.”

“Hidiwch befo,” meddai hi gan ganolbwyntio ar yr arlunio.

Yn sydyn, roedd Emlyn eisiau dweud wrthi; eisiau rhannu’i ofidiau â’r ddynes unigryw yma; eisiau dweud wrth rywun.

“Poeni am… Gymru ydw i fwya.”

Swniai’n beth hurt i’w ddweud rywsut. Yn orddramatig a sentimental.

Cododd Gwyneth ei phen gan atal symudiadau’i phensil.

“Am Gymru? Ym mha ffordd?”

“Ym mhob ffordd. Yr hyn sy’n digwydd yn Nhryweryn am un peth.”

Dechreuodd y pensil symud drachefn ac roedd Emlyn yn ofni mai’r ymateb arferol a gâi – difaterwch, twt-twtian am brotestiadau cenedlaetholwyr, pregeth am yr angen i fod yn gymdogion da…

“Peth ofnadwy ydi dadwreiddio pobol,” meddai Gwyneth ymhen ychydig.

Ddywedodd Emlyn yr un gair. O’r diwedd dyma ymateb ystyrlon yn llawn cydymdeimlad. Prin y gallai goelio’i glustiau.

“Dwi wedi gweld hen ddigon o hyn’na yn ’y mywyd i,” ychwanegodd hi wrth graffu ar ganlyniadau’i hymdrechion ar y papur.

“Sut ’lly?”

“Gweithio hefo ffoaduriaid. Yn Ewrop ar ôl y rhyfel ac wedyn allan yn y Dwyrain Canol – Cyprus, Libanus a Transjordan.”

“Gwaith anodd, mae’n siŵr.”

“Dirdynnol. Ma pobol Capel Celyn yn lwcus o’u cymharu.”

Cododd gwrychyn Emlyn yn syth. Lluchiodd y cryman o’r neilltu a brasgamu draw at yr arlunydd ar ei stôl simsan.

Tyrrodd uwch ei phen.

"'Na fo! Yr hen diwn gron. Does gan bobol Celyn ddim hawl i brotestio 'ta?"

"Nid dyna oedd gen i o gwbwl." Edrychai Gwyneth i fyny arno â'i hwyneb yn hollol ddigynnwrf.

"Na? Wel, dyna sy'n fy nghorddi, i chi ga'l dallt. Bod Cymru'n ca'l ei thrin fel cadach llawr gan Loegr a bod pobol gall fatha chi'n meddwl nad oes ganddi reswm i gwyno."

"Wel, o'i chymharu..."

"Tydw i ddim yn sôn am betha cymharol, nac ydw? Cymharol ydi pob dim yn y byd 'ma o ran hynny. O'i chymharu â rhai llefydd ma Cymru'n ca'l ei thrin yn wael. Pan gododd Edward ei blydi cestyll, y rheina oedd y cestyll cryfa, mwya effeithiol *o'u cymharu* â chestyll eraill yn ei deyrnas. Sbiwch chi ar gastall Harlech acw. 'Na chi gastall i gadw pobol yn eu lle, i godi ofn arnyn nhw, i ddangos iddyn nhw pwy 'di'r bòs."

Daliai Gwyneth i edrych arno'n ddiwyro. Gostegodd ei dymer ychydig.

"Ia, hynny sy'n 'y nghorddi i," ategodd yn fwy meddal.

"Dwi ddim yn anghydweld, Emlyn. Dydw i ddim, ylwch. Dwi'n gwbod bod Cymru'n ddi-rym. Dwi'n meddwl bod Lerpwl 'di ymddwyn yn warthus o ansensitif. Cwilydd gen i 'mod i wedi 'ngeni a 'magu yno..."

"Be? O ddifri?" Fflachiai llygaid Emlyn yn ddicllon unwaith eto.

"Wel ia... o ffor 'ma oedd Mam a 'Nhad yn dŵad, 'Nhad hefo cwmni yswirio llongau..."

"Felly, dyna pam 'ych bod chi cymaint o'u plaid nhw."

"Emlyn!" gwaeddodd Gwyneth â chymaint o fin ar ei llais nes bod Emlyn wedi camu'n ôl yn syn. "Newch chi wrando ar be dwi'n 'i ddeud wrthach chi, yn lle dwrdio'n wirion?"

Cododd oddi ar y stôl. Roedd hi bron mor dal ag yntau.

Roedd ei hwyneb wedi tynhau a'i llygaid llwydlas a'i haeliau cryf yn gadarn.

"Does gen i ddim rhithyn o gydymdeimlad â Bessie Braddock, Henry Brooke nac Edward y Cyntaf, coeliwch chi fi. Dwi ddim yn credu y bysa pobol Lerpwl yn marw o syched chwaith tasa Tryweryn ddim yn ca'l ei foddi. Dwi wedi gweld pobol yn marw o syched a lle ma dŵr yn wirioneddol brin, yn ddigon prin i gwffio drosto, a does dim... wel, dim cymhariaeth! Yr hyn dwi'n 'i ofni ydi gwrthdaro rhwng pobol. A bod pobol yn dechra plannu bomia..."

Daeth golwg ddilornus i wyneb Emlyn. Torrodd ar ei thraws.

"O, ma'n iawn i lywodraethau'r byd ddefnyddio bomia – bomia sy'n gallu chwythu'r byd yn greia mân, wrth gwrs. Ond fiw i'r bobol droi atyn nhw i'w hamddiffyn eu hunain."

Roedd Gwyneth hefyd yn dechrau colli limpin.

"Dwi'n gwbod mwy na chdi am ddiodda bygythiada bomia, 'ngwash i... mi fues i yng nghanol y *blitz* yn Lerpwl..."

"Ia, a biti bod y Jyrmans ddim wedi bomio'r blydi lle'n chwilfriw," gwaeddodd Emlyn cyn troi ar ei sawdl a stompian i ffwrdd wedi ffromi.

Gwyliodd Gwyneth y dyn ifanc wrth iddo fartsio trwy'r llidiart ym mhen ucha'r ardd a brasgamu i fyny'r llethr ac o'r golwg dros ael y bryn. Doedd hi ddim wedi cael cyfle i sôn wrtho mai tynnu cyrff a darnau o gyrff allan o adeiladau oedd ei gwaith hi ar y pryd. Ochneidiodd gan edrych eto ar ei brasluniau. Trueni, roedd hi wedi cael hwyl ar y llun hefyd.

Am ychydig safai'n edrych tua'r môr. Roedd ei hwyneb wedi crychu fel pe bai mewn poen ac roedd ei llygaid yn llawn dagrau. O'r diwedd cododd oddi ar y stôl a cherdded yn ôl yn araf at y tŷ.

Am ryw dridiau bu pethau'n fregus iawn. Doedd dim sôn am unrhyw waith ar y tŷ nac yn yr ardd ac ar yr ail noson bu Emlyn i ffwrdd trwy'r nos. Y prynhawn canlynol, fe'i clywodd yn dychwelyd i'r tŷ gan ddringo'r grisiau i'w lofft. Gadawodd Gwyneth ei pheintio a gwneud panad. Â'i chalon yn ei gwddf, aeth i fyny i'w stafell wely a chnocio.

"Helô?"

"Ga i ddod i mewn? Ma gen i banad i ni os dach chi isio."

Bu saib ac wedyn agorwyd y drws a safai Emlyn o'i blaen. Roedd golwg wael arno fel pe bai heb gysgu ers hydoedd a sofl tridiau ar ei ên. Gallai synhwyro nad oedd wedi ymolchi ers dyddiau chwaith.

"Cadoediad?"

Safodd Emlyn yn ôl o'r drws i adael iddi ddod i mewn. Eisteddodd ar y gwely wrth iddi dywallt y te a thorri'r deisen.

Ar ôl cael trefn ar y te, sylwodd Gwyneth ar y cês agored a'r pentwr dillad gerllaw.

"O! Peidiwch â mynd!" Swniai fel merch fach yn sydyn, a gwir ofn yn ei llais.

"Mi fues i'n rŵd iawn... ar ôl pob dim dach chi wedi'i neud i mi... Well i mi symud o 'ma dwi'n meddwl."

"O, nefi! Hen ffrae wirion. Pawb yn deud petha byrbwyll weithia, tydyn? Fedrwch chi byth fynd yn ôl i'r twll carafán 'na. Croeso i chi aros. Dwi ddim yn dal dig... na llyncu mul."

"Na finna chwaith."

"Wel, mêts 'ta!"

"Mêts."

Trawyd y mygiau te yn erbyn ei gilydd i selio'r fargen a daeth y byd yn ôl ar ei echel.

Yn y pen draw bu'r ffrwgwd yn fodd iddynt glosio er nad oedd yr un ohonynt yn awyddus i wyntyllu helyntion Tryweryn eto am sbel. Ond mater heb orffen ei drafod oedd o, a byddai'n rhaid iddo frigo eto'n hwyr neu'n hwyrach.

Gwyneth oedd y gyntaf i sôn amdano, a hynny'n gellweirus wrth edmygu gorchestwaith Emlyn wrth greu'r pwll.

"Fyddwch chi ddim eisio rhoi bom o dan honna, na fyddwch?"

Dychrynodd wrth weld yr ymateb ar wyneb Emlyn a thybiodd am ennyd fod ei hymgais at wneud jôc wedi aildanio'r gynnen, ond, na, cliriodd y cymylau a chafodd gip ar ryw fymryn o wên yn crychu'i wyneb. Ar ôl ychydig, dywedodd Emlyn:

"Dwi wir eisio rhoi bom dan y lle 'na, cofiwch. Dwi am wneud rhwbath. Rhaid i mi neud rhwbath."

Suddodd calon Gwyneth.

"Dwi'n dallt sut dach chi'n teimlo," meddai o'r diwedd. "Ond does dim rheolaeth dros fomia, nag oes?"

"Be dach chi'n feddwl? Dwi ddim eisio lladd neb. Hyd yn oed Bessie Braddock!"

Chwarddodd Gwyneth cyn difrifoli eto.

"Ma trais yn magu trais, tydi?"

"Ond, siawns bod pobol yn cael taro'n ôl. Pan oeddech chi yn y *blitz* yn Lerpwl, doeddech chi ddim yn falch bod Prydain yn taro'n ôl yn yr un modd – yn waeth hyd yn oed?"

Ystyriodd Gwyneth. Roedd y cwbl yn teimlo mor bell yn ôl a chymaint wedi digwydd yn y byd ers hynny.

"Oeddwn, am wn i," atebodd yn dawel. "Ar y pryd, hwyrach... erbyn hyn... wel, falla fyswn i'n gweld petha'n wahanol."

"Ia, ond ar y pryd doedd dim ffordd arall i ddelio hefo Hitler, nag oedd?"

"Nag oedd."

"Wel, 'na fo 'ta!" meddai Emlyn yn fuddugoliaethus.

Gwelodd Gwyneth ryw draha annisgwyl yn ei olwg ac yn sydyn fe fflamiodd hi fel matsen.

"Ylwch, y diawl bach smyg..." ond yn hollol ddisymwth aeth dagrau'n drech na hi.

Edrychai Emlyn arni mewn braw. Symudodd yn nes ati. Cydiodd yn drwsgwl yn ei sgwyddau a cheisio sychu'r dagrau â'i fysedd priddlyd gan adael strempiau mawr ar draws ei gruddiau.

"Ddrwg gen i. Ddrwg iawn gen i," meddai Emlyn yn floesg. "Be dwi wedi'i ddeud? Dwi ddim yn dallt, sori... sori. Peidiwch â chrio... plîs..."

Gafaelodd Gwyneth yn nwylo Emlyn a'u tynnu'n araf oddi ar ei sgwyddau a'u dal yn llac. Safai Emlyn yn benisel gan edrych ar ei bysedd hirion a'u holl fodrwyau.

Mewn llais bach plentynnaidd bron, dechreuodd Gwyneth siarad:

"Amsar maith yn ôl ro'n i mewn cariad hefo rhywun, oedd yn genedlaetholwr mawr, ac yn frwd iawn dros adennill tiroedd ac unioni pob camwedd a wnaed yn erbyn ei bobol. Un diwrnod, fe gafodd ei ladd, nid gan fwledi na bomia ei elynion, ond gan fom a osodwyd gan ei bobol ei hun. Bom a laddodd Iddew ac Arab heb wahaniaethu o ran hil nac oedran na rhyw na dim; mamau a phlant... cariadon, heb gyfri unrhyw gost, heb barchu unrhyw hawliau."

Gallai Emlyn weld y trallod yn hagru'i hwyneb, ac er bod y gwrthddadleuon yn hofran ar flaen ei dafod, roedd tristwch Gwyneth wedi'i ysgwyd mewn ffordd uniongyrchol iawn. Llyncodd ei boer gan holi:

"Ai'r dyn yn y llun yn 'ych stafell chi oedd hwnna?"

Nodiodd Gwyneth.

"Yn hen ddinas Jerash yn Jordan y cafodd y llun 'na'i dynnu.

Toc cyn y rhyfel rhwng Israel a'r gwledydd Arabaidd. Iesgob, ma dros bymtheng mlynedd ers hynny'n barod. Blwyddyn ar ôl tynnu'r llun cafodd o ei ladd – ddeuddydd yn unig cyn dydd ein priodas."

"Ma... ma o'n edrych yn ddyn clên iawn," meddai Emlyn.

"Mi oedd o – y clenia dan haul."

"Nid fo oedd 'ych gŵr chi, 'ta?"

Sychodd Gwyneth ei dagrau cyn ymateb, dan chwerthin ychydig wrth wneud.

"Naci, naci! Nid y fo oedd 'y ngŵr i. Dyn gwahanol iawn oedd hwnnw. Ac Iddew oedd o – wel, o dras, beth bynnag."

Gwnaeth ymdrech fawr i sionci gan bwyntio at y dyfroedd a oedd yn dechrau cyrraedd rhimyn yr argae.

"Gwatsiwch! Bydd y pwll 'na'n gorlifo os na newch chi rywbath yn o fuan. Mi wna i adael llonydd i chi rŵan. Diolch am 'ych campwaith yma. Hen bwll bach gwerth chweil, tydi? Bydd hon yn ddigon o gronfa i ni."

Ac i ffwrdd â hi'n ôl i'r tŷ gan adael Emlyn â'i ben yn corddi'n fwy nag erioed.

Pan ddaeth Emlyn i mewn i'r gegin y noson honno, roedd yn synnu gweld y lle'n cael ei oleuo gan ganhwyllau.

"Argol! Does dim lectric?"

"Oes," chwarddodd Gwyneth. "Ond bod gola cannwyll yn llai hegar rywsut. Steddwch, mae hwn bron â bod yn barod. Os dach chi eisio cewch chi dollti'r gwin i ni."

Ar ôl yr holl waith labro drwy'r prynhawn roedd eisiau bwyd yn arw ar Emlyn ac roedd oglau'r swper yn tynnu dŵr i'w ddannedd go-iawn.

Yn ôl eu harfer amser swper, buont yn siarad am gynlluniau

diweddaraf Gwyneth ynglŷn â gwaith ar y tŷ a'r ardd. Roedd digwyddiadau emosiynol y prynhawn fel pe baent yn angof.

Ond roedd rhywbeth yn wahanol i'r arfer heno hefyd. Roedd Gwyneth fel pe bai wedi'i chynhyrfu rywsut a hanner ffordd trwy eu swper ymddangosodd ail botel o win ar y bwrdd er bod Emlyn prin wedi cyffwrdd â'i ail wydraid. Roedd o'n flinedig ar ôl ei ymdrechion yn yr awyr agored a gwyddai y byddai cymryd gormod i'w yfed yn ei lorio erbyn bore trannoeth.

Wrth helpu i glirio'r bwrdd cyn coffi, ac Emlyn wedi ymlacio ac wedi mentro ar drydydd gwydraid, dyma fo'n gofyn yn ddisymwth ac er mawr syndod iddo'i hun:

"Oedd Mr Ellwell yn glên?"

Oedodd Gwyneth ychydig cyn ateb.

"Oedd, 'yn tad. Yn glên iawn. Yn garedig tu hwnt."

"Ond doeddach ddim yn ei garu o yn yr un ffordd â'r dyn yn y llun, nag oeddach?"

Bu seibiant eto. Yna, trodd Gwyneth ato a'i lygadu mewn rhyfeddod.

"Un craff ydach chi, Emlyn Robaitsh. Er gwaetha..."

"Er gwaetha be?" heriodd, ychydig yn fwy heriol nag y dymunai.

"Dim byd."

Cododd Emlyn ei sgwyddau gan basio'r gwydrau gwin iddi i'w golchi.

"Sdim eisio golchi'r rhain eto, nag oes? C'mwch chi ddiferyn bach arall hefo'ch coffi."

"Dwi 'di ca'l digon, Gwyneth. Dwi 'di blino'n lân a deud y gwir... Dwi'n meddwl gwna i 'i throi hi ar ôl gorffan fa'ma."

"O, na... na, ma gen i rywbath i chi. Peidiwch â diflannu eto."

Sychodd ei dwylo a mynd at y drws a oedd yn arwain drwodd i weddill y tŷ.

"Steddwch ar y soffa. Gwnewch 'ych hun yn gyfforddus. Mi fydda i'n ôl toc."

Eisteddodd Emlyn ar yr hen soffa wrth ymyl yr Aga gan gau ei lygaid. Gallai deimlo'i hun yn pendwmpian. Daliodd ei lygaid yn agored gan wylio golau'r canhwyllau'n fflicran ar y nenfwd. Llithrodd ei afael ar y byd a chyn pen dim roedd ei lygaid ynghau ac yntau'n llithro i gysgu.

Deffrodd wrth i Gwyneth lanio ar y soffa yn llawn cyffro wrth ei ymyl.

"O, sori 'ych styrbio chi. O, bechod. Ma hwn gen i i chi, ylwch," meddai gan osod llun ar ei harffed i'w ddangos iddo.

Rhwng cwsg ac effro, stryffagliodd Emlyn i weld y gwaith yn iawn yng ngolau gwan y canhwyllau. O'r diwedd, gallai ddynodi ffigwr yn ei blyg mewn môr o wyrddni. Craffodd eilwaith a gweld bod y ffigwr yn amlwg iawn yn ddyn a hwnnw heb gerpyn amdano. Yn ei law gwelai'r cryman, ond roedd hwnnw rywsut wedi'i ymgordeddu â'r holl dyfiant o'i gwmpas, a'r ffigwr fel pe bai'n tyfu o'r un gwreiddiau â'r gwyrddni.

"Chi ydi o!" meddai Gwyneth, ei llygaid yn pefrio.

Roedd Emlyn yn hollol effro erbyn hyn.

"Ond lle ma 'nillad i?"

"Dach chi'n 'i licio fo, 'ta?"

Ymbalfalodd Emlyn am yr ymateb priodol.

"Wel, dwi ddim yn dallt celf, wchi. Ma'n siŵr 'i fod o'n dda."

"I chi mae o."

Roedd Emlyn ar fin dweud "diolch ond dim diolch" pan sylwodd ar yr olwg daer ar wyneb Gwyneth, fel y gwelsai y bore y gofynnodd iddo aros i'w helpu i gael trefn ar y tŷ a'r ardd. Allai fo byth ei siomi.

"Diolch yn fawr," meddai gan geisio swnio'n frwd. Roedd ei hwyneb yn agos iawn a chyn iddo sylweddoli bron roedd o wedi plannu cusan ar ei gwefusau bach tlws.

"Diolch yn fawr. Dwi wrth fy modd ag o."

Y peth nesaf roedd Gwyneth yn ei gofleidio'n angerddol, yn ei gusanu dros ei wyneb i gyd ac yn rhedeg ei dwylo dros ei sgwyddau, ei hanadl yn rhuo yn ei glust. Dechreuodd ymateb ac wedyn fferu.

"Be sy?" gofynnodd Gwyneth. "Be sy'n bod?"

"Dim byd," atebodd gan fethu cwrdd â'i llygaid. "Dim... ond rhaid i mi 'i throi hi. Gwaith fory..."

"Hidiwch befo'r gwaith fory. Bydd hi'n iawn gewch chi weld. 'Dan ni'n dau'n unig. Mae pawb eisio cysur, does?"

Bustachodd Emlyn ar ei draed.

"Dim 'ych bai chi ydi o, wir yr," mwmiodd. "Fi sy ar fai, sori."

Daliai Gwyneth i edrych arno. Cododd Emlyn y llun o'r llawr lle'r oedd wedi syrthio. "A... a... diolch am hwn. Diolch. Diolch am bob dim. Nos dawch, rŵan."

Ar ôl iddo fustachu drwy'r drws, eisteddodd Gwyneth yn ôl ar y soffa gan syllu ar y nenfwd. Fesul un, dros amser, diffoddodd y canhwyllau nes bod y gegin yn hollol dywyll.

Erbyn diwedd yr wythnos roedd Emlyn wedi hel ei bac. Doedd ganddo ddim digon o le i'r llun, meddai wrthi, ond fe ddôi i'w nôl o ryw ddydd.

Diwrnod braf ar ddiwedd mis Ebrill oedd hi pan drodd Emlyn ei gefn ar y lloches a gawsai yn Rhyd-yr-eirin, sef tŷ Gwyneth Ellwell ar y mynydd. Digon athronyddol oedd Gwyneth ynglŷn â'i ymadawiad, er mor siomedig o golli'i gwmni a'i gymorth, a ffarweliodd â'r holl obeithion eraill a oedd ganddi yn ei meddwl.

Bu'n fwy na bodlon iddo adael y rhan fwyaf o'i eiddo yn y tŷ i'w gasglu eto ryw ddydd yn y dyfodol. Doedd hi ddim yn ffyddiog iawn, serch hynny, y byddai'r 'rhyw ddydd' hwnnw byth yn gwawrio.

Yn ystod y dyddiau ar ôl y cam gwag ar y soffa yn y gegin, bu'r ddau'n gwrtais iawn yn eu hymwneud â'i gilydd, yn amlwg yn ansicr ynglŷn â beth fyddai'n digwydd nesaf ac yn troedio'n ofalus o gwmpas ei gilydd, ac eto'n dal i barchu'i gilydd ac yn awyddus i barhau'n ffrindiau.

Gwyddai Emlyn y dylai geisio esbonio iddi'r rheswm am ei siomi fel 'na, ond doedd o ddim yn gallu cyfaddef iddo'i hun nac iddi hi mai gwaddod ei garwriaeth â Mefina bum mlynedd ynghynt a ddaliai i'w rwystro rhag ymateb yn y ffordd ddisgwyliedig mewn sefyllfa o'r fath. Wyddai Gwyneth ddim byd am eu hanes beth bynnag. Roedd rhannu'r profiad ag unrhyw un, heblaw am ryw ychydig â'i nain erstalwm, yn rhy boenus i'w ystyried hyd yn oed.

"Diolch yn fawr am bob dim, Gwyneth. Fydda i byth yn anghofio 'ych caredigrwydd chi," meddai'n ffurfiol wrth ffarwelio â hi ger y llidiart a arweiniai o'r tŷ at ben y ffordd i lawr y mynydd.

"Ia... mi welwn ni'n gilydd eto siawns, pan ddewch chi i nôl 'ych petha i gyd... a'r llun, wrth gwrs! Peidiwch ag anghofio hwnnw!" meddai Gwyneth yn bryfoclyd gan gydio yn ei fraich.

Chwarddodd Emlyn er ei waethaf.

"A'r llun," meddai dan wenu'n swil arni wrth gyffwrdd â'i llaw.

Cofleidio brysiog ac i ffwrdd ag o i lawr y lôn, pac ar ei gefn a heb ryw lawer o syniad am ei union fwriadau. Ond yn ddi-os, roedd yn sicrach ei gam na'r noson y cyrhaeddodd, ac roedd ei gyfnod o waith corfforol caled wedi rhoi hyder ac optimistiaeth newydd iddo; teimlai'n heini ac yn gryfach yn ei feddwl yn ogystal ag yn gorfforol.

Ar ôl cyrraedd y gyffordd â'r lôn bost ar lawr y dyffryn, trodd i gyfeiriad Maentwrog. Wedi cerdded rhyw ganllath, magodd ddigon o blwc i godi'i fawd a dechrau ffawdheglu, gan daer obeithio na fyddai neb roedd o'n ei nabod yn stopio nac yn ei weld.

Erbyn dechrau'r prynhawn roedd wedi cyrraedd Betws-y-coed a'r A5 ac erbyn hynny wedi penderfynu mai tua Chaergybi yr âi er mwyn dal y cwch i Iwerddon. Bu'n rhaid iddo gerdded bob cam i Gapel Curig yn gyntaf cyn i yrrwr lori wartheg o Ddyffryn Clwyd ar ei ffordd i'r porthladd stopio a chynnig pàs iddo.

Parablai'r gyrrwr am bob math o bethau dibwys ond dim ond rhyw atebion unsill a gâi gan Emlyn. Roedd cyfuniad meddwol o gyffro a phryder yn ei ben a'i fol yn mynnu ei holl sylw. Dyma'r tro cyntaf yn ei fywyd iddo deimlo bod angen pellter rhyngddo a'r wlad a garai mor angerddol ac eto a oedd yn grud i gynifer o'i ofidiau.

Am chwarter wedi tri fore trannoeth, hwyliodd yr *Hibernia* o'r cei yng Nghaergybi gydag Emlyn ar ei bwrdd. Roedd y gwynt wedi codi a chawodydd cas yn chwipio'r llong bost oedrannus wrth iddi symud o gysgod yr harbwr.

Emlyn oedd yr unig deithiwr y noson honno nad oedd yn swatio yn y salŵn. Safai yn anweledig yng nghysgodion dec y badau achub gan wylio goleuadau'i famwlad yn diffodd fesul un wrth i'r llong ffarwelio â glannau Môn ar ei mordaith fer i'r Ynys Werdd.

— XX —

FLWYDDYN I'R DIWRNOD bron ar ôl iddo frasgamu i lawr lôn y mynydd a Gwyneth yn ei wylio bob cam nes iddo ddiflannu o'r golwg, dychwelodd Emlyn i Ryd-yr-eirin.

Yn ystod y cyfnod hwnnw, rhwng hydref 1964 a haf 1965, roedd Llyn Celyn wedi ei lenwi i'r ymylon, a dyfroedd afon Tryweryn wedi'u chwyddo gan rai o'r misoedd mwyaf glawog i'w cofnodi yn y fro erioed.

Diwrnod sych, fodd bynnag, oedd hi y diwrnod y daeth Emlyn yn ei ôl, ac allan o flaen y tŷ roedd Gwyneth ar y pryd. Roedd hi wrthi'n ceisio cael rhyw fath o drefn ar y borderi pan welodd hi y ffigwr unig yn rowndio asen y clogwyn ger y groesffordd cyn ymlafnio i fyny'r llethr serth tuag at y tŷ. Ychydig iawn o bobl a ddeuai ffordd hyn – ambell fugail a ffermwr ar eu rhawd, ond fel arall ni welai Gwyneth fawr neb o naill ben yr wythnos i'r llall.

Am ychydig fisoedd ar ôl i Emlyn adael yng ngwanwyn y flwyddyn cynt, roedd Gwyneth wedi profi rhyw gynnwrf bob tro y gwelai rywun ar y lôn, ond wrth i amser fynd heibio pylodd ei hatgofion a'i gobeithion ac erbyn hyn roedd hi'n rhyw amau na fyddai hi byth yn gweld Emlyn Roberts eto.

Pan ddaethai ati hi gyntaf, doedd hi ddim wedi meddwl amdano mewn unrhyw ffordd ramantus na rhywiol. Dim ond fel rhywun a allai gynnig cyfle iddi fynd i'r afael â'r holl waith roedd angen ei wneud ar y tŷ mawr a etifeddodd oddi wrth ei modryb.

Cyn ymddangosiad disymwth Emlyn o flaen goleuadau'r car y noson honno, roedd hi wedi dechrau digalonni gan amau a wnaeth y penderfyniad cywir wrth adael ei chartref yn Reigate, lle bu'n byw ers colli Joshua ddeng mlynedd yn ôl, a symud i fyw i'r honglad yma yng nghanol unigeddau Eryri.

Ond yn raddol bu newid yn ei theimladau tuag at ei lojar. Mor raddol yn wir, prin iddi sylweddoli sut roedd hi'n cael ei denu fwyfwy ato.

Gadawyd Gwyneth yn weddw gyfoethog, heb blant, yn bymtheg ar hugain oed ac felly byddai bob amser ar ei gwyliadwriaeth rhag mynd yn sglyfaeth i unrhyw un o'r hen lanciau truenus neu wŷr priod rhwystredig a dueddai i gael eu denu at fflam ei harddwch aeddfed ac anarferol.

Ond roedd Emlyn yn wahanol, yn fwy cynnil ei natur o lawer. Doedd dim elfen manteisio ynddo. Gweithiai'n gydwybodol ar y tasgau a osodai iddo. Sgwrsiai'n rhwydd ac yn frwd am ei chynlluniau ar gyfer y tŷ a'r ardd, ond fel arall cadwai'i hun iddo'i hun. Ac yntau'n fachgen lleol, roedd ganddo wrth gwrs rai ffrindiau a chydnabod yn y cyffiniau a golygai gweithio yn y banc ei fod yn wyneb cyfarwydd i dipyn o bawb o bob man, ond pur anaml yr âi i gymdeithasu yn ystod y cyfnod y bu'n aros hefo hi cyn iddo fynd i ffwrdd.

Weithiau byddent yn mynd i brynu defnyddiau adeiladu a garddio hefo'i gilydd. Byddai sawl un yn ei gyfarch yn swil o'i weld yng nghwmni dynes ddiarth a oedd dipyn yn hŷn nag ef, a byddai'n sgwrsio'n ddigon clên hefo nhw tra safai hi'n llywaeth braidd wrth ei ochr. Weithiau byddai'n cofio amdani ac yn ei chyflwyno – "Dyma Gwyneth. Dwi'n gneud gwaith iddi" – gan adael ei ffrindiau mewn penbleth braidd. Yn wir bu natur eu perthynas yn dipyn o destun siarad i ambell un.

Er ei fod yn ddigon heulog ei ymarweddiad tra bu o yn Rhyd-yr-eirin, ar brydiau tybiai Gwyneth iddi weld rhyw ofid mawr yn llechu yn y llygaid tywyll a berai iddi eisiau ymestyn ato a'i gysuro, ond ar wahân i hynny ni ddatgelai Emlyn fawr ddim am ei deimladau, a byddai ei ymddygiad tuag ati hi'n fonheddig a phriodol bob amser.

Ychydig yn rhy briodol, penderfynodd hi o'r diwedd, wrth ei wylio'n plygu'n osgeiddig dros ei waith ryw ddiwrnod. Yn sydyn ac mewn un rhuthr mawr, fel petai, dechreuodd y bachgen yma ennyn pob math o ysfa ynddi. Codi wnâi'r llanw bob dydd nes yn y pen draw i'r morglawdd dorri ar y soffa fach y noson dyngedfennol honno ym mis Ebrill y llynedd.

Heddiw, wedi ymgolli yn ei garddio, ni chymerodd Gwyneth fawr o sylw o'r dieithryn nes i lais dwfn dros y wal bron â'i dychryn o'i chroen.

"Wel, dwi'n ôl."

"Emlyn!"

"Mi ddudais i, 'yn do?"

Wel, naddo, meddyliodd Gwyneth. Ond ta waeth am hynny, roedd yn braf cael ei weld o unwaith eto. Roedd wedi prifio rywsut ers y tro diwetha, ei ên wedi'i sgwario, ei fochau'n llyfnach, ei lygaid wedi'u gosod yn ddyfnach ac yn fwy treiddgar yn ei ben. Roedd ei drwyn yn amlwg wedi'i dorri yn ystod y cyfnod ers iddi'i weld o ddiwethaf ac eto heb anharddu'n ormodol ar ei bryd a'i wedd, dim ond ychwanegu at ei urddas golygus ryw ffordd.

"Panad?" gofynnodd yn llywaeth braidd gan geisio peidio â datgelu gormod o'i chyffro.

"Pam lai?" meddai gan agor y llidiart a chamu tuag ati.

Y tro hwn doedd dim camsynio. Roedd eu cofleidio'n gyflawn gytûn.

— XXI —

PUR ANAML Y byddai Gwyn Williams, brawd Mefina, yn dod adre y dyddiau hyn. Ers i'w dad fynd yn sâl, câi ef yr awyrgylch yn ei hen gartref yn hollol annioddefol.

Digon anodd fu'i fagwraeth ar yr aelwyd, ac yntau wedi'i ddal rhwng diawlineb ei dad a duwioldeb ei fam. Yn fuan iawn yn ei oes roedd wedi gweld mai addysg fyddai'n sicrhau dihangfa iddo. Yn yr ysgol roedd wedi cadw'i drwyn ar y maen nes i'w ganlyniadau Lefel A ei roi ar ben ffordd i sicrhau gyrfa academaidd ddisglair ym myd astudiaethau hanes. Bu sôn am Gaergrawnt neu Rydychen ond Prifysgol Cymru aeth â'i fryd yn y pen draw a glaniodd yn Aberystwyth ar drothwy oes aur myfyrwyr protestgar y coleg hwnnw.

Erbyn hyn roedd yng nghanol doethuriaeth ar gymunedau broydd y chwareli cyn y Rhyfel Byd Cyntaf, a byddai'i waith ymchwil yn ogystal â'i weithgareddau wrth drefnu protestiadau iaith a rhai cenedlaetholgar yn dod ag ef i'r gogledd yn ddigon aml, ond ni soniai wrth ei fam na Mefina ei fod yn y cyffiniau. Yn hytrach aros yng nghartref rhyw ffrind coleg neu'i gilydd y byddai.

Ar daith felly oedd o y noson y cyfarfu ag Emlyn yn nhafarn y Queens yn Harlech. Bu rhwng dau feddwl ar y dechrau a ddylai dorri gair ag ef ai peidio. Roedd yn eithaf hoff ohono erstalwm ac yn siomedig pan ddaeth y garwriaeth rhyngddo fo a'i chwaer i ben. Prin wedi cyrraedd y chweched isaf roedd Gwyn ar y pryd a chofiai pa mor ddigalon oedd Mefina ddiwedd yr haf hwnnw. Roedd pawb yn priodoli'i hwyliau bregus i'r ffaith ei bod yn gadael yr ardal i fynd i Lerpwl, a hithau'n un mor boblogaidd yn y cylch ac yn ffrind i bawb. Fodd bynnag, gwyddai Gwyn mai wedi'i hypsetio yn sgil gorffen gydag Emlyn roedd hi, ac mai dyna'r gwir reswm am ei digalondid.

"Pam dach chi'n gorffan? Dydi Lerpwl ddim mor bell â hynny, nac ydi? Mi fedrach chi ddal i weld 'ych gilydd tra byddi di yno."

"Dydi o ddim isio i mi fynd i Lerpwl – achos Tryweryn."

Yn wahanol i'w chwaer, roedd Gwyn eisoes yn gwybod yn iawn am Dryweryn, wedi darllen yr hanes yn y papur ac wrth wrando ar y weiarles.Teimlai'n gryf yn ei erbyn ac roedd yn ymwybodol o'r sen a'r sarhad ar ei wlad a'i phobl. Serch hynny, ar yr un pryd, roedd wedi teimlo'n anfodlon bod Emlyn yn dal dig yn erbyn ei chwaer am ddewis Lerpwl ar gyfer ei hyfforddiant. Roedd pobl yn iawn wrth ddweud amdano ei fod o'n dipyn o *extremist*.

Yn wir, yn ystod y blynyddoedd diwethaf, roedd Emlyn wedi ennill enw anffodus iddo'i hun yn y fro am fod braidd yn rhyfedd ac yn ddigon piwis ar adegau. Gwyddai pawb sut y gwnaeth o adael ei gartref a'i dad a'i fod wedi rhegi cwsmer yn y banc a hynny i gyd oherwydd yr hyn a ddigwyddai yng Nghwm Tryweryn. O fod yn 'hen foi iawn', fe drodd yn 'hen grinc anghynnes' ym marn amryw o'i gyfoedion, ac yn dipyn o gyff gwawd.

Gwyddai Gwyn hefyd nad oedd Emlyn druan erioed wedi llwyddo i allu anghofio ei berthynas â'i chwaer. Roedd hi wedi sôn wrtho am ei lythyrau ati bob mis pan oedd hi yn Lerpwl a doedd Gwyn erioed wedi gweld yr un hogan arall yn ei gwmni ers hynny. Syndod mawr felly oedd clywed bod Emlyn bellach yn byw tali gyda rhyw ddynes ddŵad ar y mynydd yn Rhyd-yr-eirin.

O'r diwedd, penderfynodd Gwyn ei mentro hi gan groesi'r dafarn at y dyn a fu unwaith â'i fryd ar fod yn frawd-yng-nghyfraith iddo.

"Noswaith dda, Emlyn."

Roedd Emlyn newydd orffen sgwrsio gyda Dafydd Loco, y dyn a yrrai'r trên bach yn un o chwareli'r ardal, ac erbyn hyn eisteddai ar ei ben ei hun â gwydryn hanner peint bron yn wag o'i flaen.

"Gwyn! S'ma 'i?"

Swniai'n glên iawn ac yn falch o'i weld.

"Tisio diod arall?" cynigiodd Gwyn.

"Na, fydda i'n 'i throi hi toc."

"Ty'd mlaen."

"Na. Wir yr. Dwi 'di ca'l digon."

Roedd hyn yn wahanol iawn i'r hanes diwethaf a glywsai Gwyn amdano – yn yfed fel ych tan berfeddion ac i'w weld yn ymddolennu yn ei feddwdod ar hyd lonydd y fro bob awr o'r nos ac yn barod iawn i godi dwrn a dadlau'n groch yn erbyn y sawl a fentrai gwestiynu'i farn.

"Oes ots gen ti os gwna i ymuno â chdi?"

"Nag oes, tad. Stedda ar bob cyfri."

"Sut ma'r hwyl?"

"Da iawn, diolch, a chditha? Dal i fyfyrio?"

"Yndw, er 'y mhechoda. Gneud PhD 'ŵan ar ardal y chwareli."

"Duw! Go lew. Yn ddiddorol, siŵr o fod."

"Yndi."

"Be sy'n dŵad â chdi ffor 'ma, beth bynnag?"

"Bach o ymchwil yn y Blaenau. Dwi'n trefnu rali hefyd."

"Rali i be?"

"Cymdeithas yr Iaith. Yn erbyn y Swyddfa Bost."

"O, 'lly."

"I sicrhau statws i'r Gymraeg," anogodd Gwyn ymhellach.

"Ia 'fyd? Da iawn," meddai Emlyn yn ddidaro. Llowciodd

weddill ei hanner gan sbio o'i gwmpas fel pe bai'n chwilio am ddihangfa.

Allai Gwyn ddim celu'i syndod.

"Dwi'n cymyd bo chdi'n cefnogi ymgyrch y Gymdeithas?"

"Yndw, am wn i."

"Ddoi di i'r rali? Yn Port, fore Sadwrn."

Chwarddodd Emlyn.

"Wyt ti'n meddwl yr enillith Cymru ei rhyddid trwy stopio traffig a nadu pobl leol rhag mynd o gwmpas 'u gwaith?"

"Fe ddôn nhw i sylweddoli..."

"Ddôn nhw byth, Gwyn bach. Dyna ddagra petha. Ddôn nhw byth... nes 'i bod hi'n rhy hwyr."

Cymerodd Gwyn lymad o'i beint. Roedd pobl yn iawn. Hen ddiawl croes oedd Emlyn Roberts wedi'r cwbl. Yn sydyn, rhoddodd Emlyn ei law'n gyfeillgar ar ysgwydd Gwyn gan edrych i fyw ei lygaid.

"Paid â chymyd sylw ohona i, washi. Tydw i'n hen foi od, wedi mynd? Plant y fro'n gweiddi enwa arna i a phob dim. Gobeithio y daw'r werin yn 'u cannoedd i'r rali. Wir yr. Mi fydda i yno mewn ysbryd o leia."

Edrychai Gwyn o'i gwmpas yn anghyfforddus braidd heb wybod yn iawn ble i fynd â'r sgwrs nesa. Yn sydyn cofiodd iddo glywed gan rywun i Emlyn fod yn Iwerddon yn ddiweddar:

"Gest ti hwyl yn yr Ynys Werdd 'lly?"

"Do, achan. Do," atebodd Emlyn yn fyfyrgar braidd. "Lle diddorol ar y naw."

"Dim awydd aros yno felly?"

"Wel, nag oedd."

Aethai Emlyn i Iwerddon ar drywydd rhamant gwrthryfel y Gwyddelod yn erbyn y Saeson. Treuliodd sawl mis difyr ar grwydr gan ymserchu yn y wlad, ei phobl a'i hanes. Ond yn y pen draw esgorodd diffyg gwaith ar ryw hiraeth anesboniadwy ynddo a wnaeth 'i yrru yn ôl i Gymru, wedi'i siomi rywsut.

Roedd wedi treulio rhyw naw mis yn teithio o le i le yn Iwerddon gan weithio ar ffermydd, mawnogydd a phriffyrdd o naill gwr yr ynys i'r llall. Wedyn, ar ddechrau'r gaeaf, cyrhaeddodd Ddulyn unwaith yn rhagor a chael bod gwaith yn brin iawn yn y ddinas, a fawr o groeso i Gymro alltud oedd yn chwilio amdano.

Roedd y mis mêl wedi hen ddarfod. Falla bod y Gwyddelod a'r Cymry'n fwy gwahanol i'w gilydd nag y tybiasai, meddyliodd Emlyn wrth geisio rhoi'i fys ar y rheswm am ei anesmwythyd cynyddol, heblaw am brinder pres yn ei boced wrth y bar. Ar brydiau, teimlai Iwerddon yn lle diarth a gelyniaethus bron iddo a gwyddai ei bod yn bryd iddo fynd adref. Y gwir amdani oedd mai unig oedd Emlyn yn y bôn, ond bod y gwirionedd hwnnw heb wawrio arno.

Un noson oer ym mis Ionawr roedd wedi taro ar ddau frawd o Ynys Môn draw ar swae yn y ddinas. Roedd cael bod yn ôl yng nghwmni Cymry ar ôl cymaint o amser wedi achosi pwl mawr o hiraeth, a sylweddolodd na fedrai aros llawer iawn hirach yr ochr honno i Fôr Iwerddon.

"Gei di waith hefo ni, 'sti," meddai un o'r Monwysion.

"Pa waith ydi hwnna?"

"Ffensio, bildio, tarmacio… bach o bob dim."

"O ddifri?" holodd Emlyn yn eiddgar.

Seliwyd y fargen dros sawl peint arall o Guinness y noson honno ac ymhen y mis cafodd Emlyn ei hun unwaith eto ar ddec y llong bost, y tro hwn yn ffarwelio â goleuadau Dún Laoghaire wrth iddynt lithro dros y gorwel, a'i deimladau mor gymysglyd ag erioed.

Ar ôl glanio yng Nghaergybi roedd Emlyn wedi mynd i gysylltiad â'r ddau frawd o Walchmai. Gan gadw at eu gair, rhoesant waith iddo'n syth a chyn bo hir fe'i cafodd ei hun mewn giang yn gweithio ar y ffyrdd ar y ffin rhwng Sir y Fflint a Swydd Gaer. Am sbel fe aeth popeth yn iawn ac yntau wrth ei fodd o fod yn ôl yn gweithio gyda Chymry Cymraeg a'r rheiny'n llawer iawn mwy ysbrydoledig ac afieithus na chriw'r banc lle y byddai'n gweithio erstalwm.

Yna, ryw noson mewn tafarn ym Mwcle, aeth hi'n ffrae ddifrifol rhyngddo ag un o'r hogiau ynglŷn â'r frenhiniaeth. Awgrymodd hwnnw y dylid gwahodd y frenhines ei hun i agor cronfa newydd Llyn Celyn a datgan ei falchder o glywed mai dyna oedd union fwriad Corfforaeth Lerpwl wrth gynnal seremoni i'w hagor tua diwedd yr hydref.

Roedd y dyn dan sylw yn gawr o foi a hwnnw newydd adael y Ffiwsilwyr Cymreig. Pan aeth hi'n ymladdfa rhwng y ddau, er ei ffitrwydd a'i gryfder newydd, cafodd Emlyn gweir go-iawn heb wneud fawr o argraff ar ei wrthwynebydd.

Gwellodd ei friwiau'n ddigon buan ac nid oedd y buddugwr, chwarae teg iddo, fel pe bai'n dal unrhyw fath o ddicter tuag ato.

"Cymry ydan ni i gyd, ynte?" meddai gan ymestyn pawen gnotiog i wasgu llaw anfoddog Emlyn druan nes iddo wawchio mewn poen.

Ond roedd y sgarmes wedi achosi mwy na chleisiau a thrwyn cam i Emlyn.

Dwi'n ôl yng Nghymru, 'yn tydw i? meddyliodd. Gwlad a fu'n chwarae'r ffon ddwybig mor llwyddiannus am gyfnod mor faith fel nad oedd modd bellach iddi'i nabod ei hun na llwyddo i godi a sefyll ar ei thraed ei hun. Be haws oedd o wrth freuddwydio am chwyldro tebyg i'r hyn a gafwyd yn yr Ynys Werdd? Doedd y peth ddim yn mynd i ddigwydd, nag oedd? Nid dyna'r traddodiad. Lle gwahanol iawn oedd Cymru. Rhaid wrth ddulliau eraill – ond pa ddulliau? Oni welwyd pen draw a methiant 'democratiaeth' seneddol yn hanes Tryweryn? Ac er mor ddewr y llond dwrn a geisiodd ddefnyddio grym i atal y bwystfil, doedd eu hymdrechion ddim mymryn yn fwy effeithiol nag areithiau'r gwleidyddion. Unigolion yn piso yn erbyn y gwynt oeddent.

Cyfrwys a chryf oedd natur yr hualau a rwymai Gymru wrth ei chymydog a'i gormeswr – onid y Cymry oedd wedi'u gosod eu hunain i raddau? – ac roedd angen yr un cyfrwystra i'w datod. Cyfrwystra ac amser... ac roedd yn ymddangos fel pe bai'r elfen olaf honno'n dechrau prinhau.

Syrthiodd mantell y felan ar Emlyn o'r newydd ac aeth yn bigog ac yn anodd i fod yn ei gwmni. O bobtu iddo ni welai ond rhwystrau a chymhlethdodau. Surodd ei hwyl a chollodd flas ar ei waith a'r gwmnïaeth ac ni fu ei gyd-weithwyr yn hir cyn troi cefn arno.

Yn y pen draw, gadawodd Emlyn y criw cyn iddyn nhw gael gwared arno ef. Ystyriodd symud ymlaen, mynd dramor, ehangu'i orwelion drwy deithio, ond, er holl ffaeleddau ei wlad, yng Nghymru roedd o eisiau bod. Drwyddi hi'n unig y deuai trwy'r pwl yma, rhesymodd. Am ychydig bu'n crwydro'r wlad gan chwilio am ysbrydoliaeth yn ei harddwch a'i chadernid ffisegol ond dim ond ategu at ei unigrwydd a wnâi'r holl grwydro.

Yn raddol iawn y trodd ei feddyliau eilwaith at Gwyneth a'r posibilrwydd o geisio lloches gyda hi unwaith eto. Melys iawn oedd ei atgofion o'i gyfnod yn Rhyd-yr-eirin, ond anodd gwybod a ellid adfer y cyfnod hwnnw ar ôl yr hyn a ddigwyddodd.

Wnaeth o ddim meddwl cymaint a chymaint am y weddw

unig ar y mynydd tra bu yn Iwerddon, ac ni wnaeth boeni'n ormodol iddo addo casglu'i bethau o'r tŷ chwaith. Yn fwriadol, roedd wedi cadw draw o'i gynefin. Daliai i deimlo'r angen i gadw'i bellter, ond wrth i'r felan ddwysáu a'r unigrwydd ddechrau mynd yn drech nag ef, fe'i cafodd ei hun ar ryw fore braf ym mis Ebrill yn cyfeirio'i gamre i fyny lôn y mynydd unwaith yn rhagor.

A dyna lle'r oedd hi o flaen y tŷ'n twtio'r borderi heb newid dim ers y bore y cychwynnodd ar ei antur flwyddyn ynghynt.

Fe'i synnwyd yn lân gan nerth y teimladau a sgubodd drosto o'i gweld hi unwaith eto ac o fod yn ei chwmni. Tan iddynt gofleidio ar riniog y tŷ y bore hwnnw, doedd o ddim wedi breuddwydio cael dim byd amgenach na tho uwch ei ben, bwyd yn ei fol a chyfle unwaith eto i weithio ar yr ardd a'r tŷ. Ond wrth wasgu gwres a chadernid ei chorff yn dynn yn ei erbyn ac wrth i beraroglau ei gwallt a'i chroen ruthro i'w ben, gallai deimlo gafael y felan yn llacio. O'r diwedd, sylweddolodd ei fod wedi cael hyd i wir ymgeledd rhag yr hyn a'i blinai.

— XXII —

YNG NGHANOL BWRLWM y Queens, edrychai Emlyn fel pe bai mewn rhyw fath o berlewyg. Roedd Gwyn yn dal i grafu am rywbeth arall i'w ddweud.

Yn sydyn, gofynnodd Emlyn:

"Sut ma dy chwaer, gyda llaw?"

Roedd y cwestiwn yn hollol annisgwyl ac am ennyd doedd Gwyn ddim yn siŵr sut i'w ateb.

"Ma hi'n iawn, tydi?" holodd Emlyn eto a golwg bryderus yn ei lygaid. "Mi welis hi yn y dre gynna hefo'r bychan. Dim i siarad, 'mond o bell, ynte. Be 'di enw fo 'fyd?"

"Ei mab hi? Deri."

"Deri?" ystyriodd, cyn ychwanegu, "Golwg wedi blino arni. Wyt ti'n aros hefo nhw?"

"Wel, na... jest pasio drwodd ydw i. Ma Mefs dan bwysa braidd. Yr hen foi yn wael a hitha a Mam yn gofalu amdano fo."

"Rown i wedi clywad..."

"Ti'n gwbod sut un oedd o. Does dim lot o Gymraeg rhyngddon ni ers hydoedd. Ro'n i'n meddwl ei bod hi'n well i mi gadw draw rywsut. Mefs a Mam yn côpio'n tshampion."

"Ia, siŵr. Handi 'i bod hi'n nyrs, tydi?"

"Yndi. Handi iawn."

Bu saib. Astudiai Emlyn y gwydr gwag o'i flaen fel pe bai'n chwilio am ryw ysbrydoliaeth yng ngwaddod y cwrw.

"Wyt ti'n siŵr ti ddim isio un arall?" cynigiodd Gwyn.

"Hollol siŵr, diolch."

Saib.

"Ydi hi'n hapus?" gofynnodd Emlyn wedyn.

Be wyddwn i, meddyliodd Gwyn.

"Yndi. Dwi'n cymyd ei bod hi. Er bydd hi'n brafiach arni pan eith 'Nhad... peth ofnadwy i ddeud, dwi'n gwbod, ond..."

"Sut un ydi'i... gŵr hi?"

"Iawn, am wn i. Digon hwyliog, fel ma'r Gwyddelod 'ma. Pawb yn 'i licio fo ffor 'ma beth bynnag. Piti am ei waith, ynde?"

"Pa waith ydi hwnna, 'lly?"

"Wyddost ti ddim?"

"Na wn i."

"Mae o'n wyliwr nos ar safle Tryweryn."

Roedd Emlyn yn gegrwth.

"Go wir?"

"Ers symud i fyw 'ma. Dipyn o beth, tydi?" ychwanegodd Gwyn yn nerfus. "Dy chwaer yn cysgu hefo'r gelyn..."

Gwelodd Gwyn ddwrn Emlyn yn cau ar ben y bwrdd o'i flaen. Unrhyw funud, meddyliodd. Ond llaciodd y cyhyrau a disodlwyd yr olwg syfrdan ar ei wyneb gan ryw "Ha!" ffrwydrol – ac yn sydyn, roedd fel pe bai'r straen wedi'i ollwng ac roedd Emlyn yn gwenu'n rhadlon braf.

"Cymera i'r ail hanner. Diolch i ti."

Aeth yr ail hanner yn beint a dau beint yn dri, ac yn y fan honno y buon nhw am weddill y noson, yn trin a thrafod eu rhagfarnau gwleidyddol a'u gobeithion a'u hofnau ynglŷn â dyfodol eu gwlad – Emlyn yn llawn straeon am ei gyfnod yn Iwerddon; Gwyn yn adrodd hanesion dulliau'r chwyldro di-drais yn y coleg ger y lli.

"Dydi o ddim yn wir be ma nhw'n ddeud amdanoch chdi, 'sti," meddai Gwyn yn dew ei dafod wrth ffarwelio ag Emlyn yn y smwclaw y tu allan i'r Queens. Serch ei gyflwr roedd yn bwriadu gyrru ymlaen i Lan Ffestiniog lle y câi lety am y nos hefo ffrindiau.

"Be ma'n nhw'n ddeud amdana i, 'ta?" holodd Emlyn, yntau hefyd yn llithro'n drwsgwl dros ei eiriau.

"Bo chdi'n hen grinc piwis."

Chwarddodd Emlyn.

"Mi ydw i... weithia..." meddai gan geisio tanio sigarét hefo matsen damp. "Dwi mor anwadal â thwll tin babi. A'r blydi matshys 'ma."

"'Sa'n dda gen i sa ti'n frawd-yng-nghyfraith i mi," meddai Gwyn wrth geisio helpu Emlyn i danio'i ffag gyda'i daniwr bach. O'r diwedd cafwyd llwyddiant a phlygodd Emlyn ei ben dros y fflam.

Camodd yn ôl gan dynnu'r mwg yn ddwfn i mewn i'w ysgyfaint.

"Wna'th hi 'nhroi i lawr, ti'n gwbod."

"Do, wir?"

"Do."

"Iesgob! Be haru'r gloman wirion?"

Dim ateb. Bu saib hir yn y tywyllwch.

"Emlyn? Be haru hi?"

Yn sydyn roedd Emlyn wedi cythru yn Gwyn a'i hyrddio â'i holl nerth yn erbyn ei gerbyd gan fwrw pob tamaid o wynt ohono.

"Dydi dy chwaer di ddim yn gloman wirion, dallt?"

Ac i ffwrdd ag o ar wib i'r tywyllwch gan adael Gwyn yn tuchan a thagu ac yn magu'i asennau briw.

"Mi wn i hynny... y crinc hanner pan!" gwaeddodd yn boenus ar ei ôl.

— XXIII —

ACHLYSUR TRIST IAWN oedd angladd Frank Williams, er na fyddai fawr yn gweld ei golli. Digon gwan oedd y niferoedd a ddaeth ynghyd i ffarwelio â'r dyn amhoblogaidd hwn, a'r rheiny'n ddigon anesmwyth yng nghwmni ei gilydd, yn ysu am weld yr holl ddefodaeth a'r ffug alaru yn dod i ben.

Ar brydiau cyn ei farwolaeth roedd Mefina wedi rhag-weld, pan ddeuai'r awr, y byddai hi'n dawnsio'n orfoleddus ar ben bedd ei thad, gymaint roedd hi wedi mynd i'w gasáu yn ystod misoedd hir ei gystudd olaf. Ni fu ef yn glaf hawdd ei drin nac yn un diolchgar. O gychwyn ei salwch tan y diwedd un, bu'n pwyso'n drwm ac yn ddiedifar ar y rhai a fu'n gofalu amdano, sef ei wraig a'i ferch.

Ond ar ddiwrnod y gladdedigaeth ei hun roedd Mefina'n teimlo'n rhy flinedig ac yn rhy hesb o bob emosiwn i ddawnsio ar fedd neb.

Ond ni chwyth yr un gwynt heb chwythu lles i rywrai, a gwahanol iawn oedd hanes perthynas Mefina a'i mam erbyn hyn. Dros yr amser maith y bu'r ddwy'n gofalu am Frank, closio a wnaeth Mefina a Gwenda a hynny mewn modd na fyddai'r un ohonynt wedi credu y byddai'n bosibl o gofio mor fregus y bu pethau rhyngddynt yn y gorffennol.

Ofnai Mefina y byddai'r holl bwysau ar ei mam yn dwysáu'i thueddiadau gorgrefyddol, rhywbeth nad oedd Mefina erioed wedi'i chael yn hawdd dygymod ag ef. Ond roedd yn ymddangos mai fel arall roedd y gwynt arbennig hwn yn chwythu. Wrth i'r ddwy orfod cydweithio â'i gilydd, dadfeilio'n raddol, os nad diflannu'n gyfan gwbl, a wnaeth y muriau a godwyd rhyngddynt dros y blynyddoedd cynt.

Bu llai o sôn am ragluniaeth, pechod ac ewyllys y Bod Mawr gan Gwenda ac yn lle hynny cafodd Mefina wybod ambell ffaith a berai gryn syndod iddi.

"Ro'n i eisio mynd i nyrsio pan o'n i'n ifanc, 'sti," datganodd ei mam un bore a nhwythau'n ymlacio dros baned drwodd yn y gegin gefn ar ôl molchi Frank a newid dillad ei wely.

"Be? Chi?" ebychodd Mefina.

"Ia. Ond mi oedd Mam yn ofni y byswn i'n ca'l gwely tamp."

Roedd Mefina'n amau ai gwely tamp oedd wrth wraidd gwrthwynebiad ei nain. Gwenda oedd yr unig ferch mewn teulu o saith. Roedd angen help byth a beunydd ar ei mam o gwmpas y tŷ. Byddai gorfod ymorol am yr holl ddynion ar ei phen ei hun yn dipyn o benyd iddi.

Aeth Mefina ddim ar ôl yr hanes ar y pryd. Ei hymateb cyntaf oedd teimlo'n flin iawn felly nad oedd hi wedi cael mwy o gefnogaeth gan ei mam pan oedd yn torri'i bol eisiau mynd yn nyrs yn ei harddegau ac yn ystod cyfnod ei hyfforddiant. O dipyn i beth, fodd bynnag, gallai ddeall y genfigen y byddai ei mam wedi'i theimlo, ac o leiaf doedd hi ddim wedi ei hatal yn y pen draw fel y gwnaethai Nain i'w mam. Llwyddodd Mefina i gyflawni'i huchelgais. Ond i be? Er mwyn gofalu am dad na fu ond yn ddyn diarth iddi erioed.

Bu cyffes ei mam ynglŷn â'i dyhead coll yn groesfan yn eu perthynas. O ganlyniad llaciodd y tyndra rhyngddynt ac er na ddaethant yn eneidiau hoff cytûn, roedd yn gryn welliant ar eu sefyllfa cyn hynny.

Digwyddodd cyffes ei mam ychydig cyn i Mefina roi genedigaeth i Deri. Doedd fawr o syndod, wrth gwrs, nad oedd cael clywed y byddai hi'n nain erbyn yr hydref wedi cael croeso arbennig gan Gwenda druan, a phan glywodd mai Pabydd oedd y tad a'r darpar-ŵr, aeth ei hwyliau o ddrwg i waeth.

Llawn atgasedd hefyd fu ymateb tad Mefina i'w beichiogrwydd. Yn yr un gwynt, bytheiriai sut roedd o wedi'i siomi bod y ffasiwn 'hwran bach' yn ferch iddo fo. Yna, aeth ati i draethu'n fanwl am y gweir i'w chofio a gâi'r Gwyddel diawl pe bai'n dod yn agos i'w cartref wedi i hwnnw bardduo enw da ei ferch a'r teulu yn y fath fodd.

Yn ôl i Lerpwl aeth Mefina ar gyfer y briodas ei hun. Doedd hi ddim am wynebu'r holl bwdu ac arthio. Nid am y tro cyntaf yn ei bywyd, ysai am fod yn ferch i deulu 'normal', neu o leiaf i deulu lle'r oedd y rhieni a'r plant fel pe baent yn caru'i gilydd yn hytrach na goddef ei gilydd. Teulu'n debycach i deulu ei chyfnither yn Llanbedr, yn byw ym mhocedi'i gilydd ac yn ffraeo rownd y rîl, ac eto byddai naws yr aelwyd cymaint gwell na'i phrofiad hi wrth gael ei magu hefo Frank a Gwenda. Roedd Mefina'n ymwneud tipyn â'i chyfnither gan fod honno'n amlach na heb yn fodlon gwarchod y bychan, ac am y rheswm hwnnw, penderfynodd Mefina ei gwahodd hi a'i gŵr i fod yn dystion ynghyd â'i brawd Gwyn.

Tro digon diflas ar y diwrnod oedd na lwyddodd Gwyn i gyrraedd y briodas mewn pryd. Cafwyd neges ar y funud olaf yn y swyddfa gofrestru yn dweud bod ei gar ar stop ar y ffordd. Doedd Mefina ddim yn siŵr a ddylai gredu ei brawd ai peidio. Gwyddai fod Gwyn yn amheus o'i darpar-ŵr ers clywed ei fod wedi cael gwaith yn Nhryweryn. Ond siawns na fyddai'i brawd bach mor ddialgar â hyn'na?

Yn y pen draw roedd y briodas yn ddigwyddiad hwyliog dros ben. Daeth sawl un o deulu Des draw o Iwerddon. Yn wir daeth ei berthnasau o bob twll a chongl o ddinas Lerpwl a thu hwnt i ymuno yn yr hwyl. Yn anffodus, roedd ei fam yn rhy sâl i ymgymryd â'r daith, ond cyfarfu Mefina â'i thad-yng-nghyfraith,

Liam, a sawl brawd a chwaer-yng-nghyfraith. Roedd hi yn eu hoffi'n fawr. Doedd ei chyflwr ddim yn mennu dim arnynt.

"Tydyn nhw mor hawdd i'w ca'l â thraed gwlyb," cellweiriodd tad Des gan batio ymchwydd ei bol yn dringar.

Siomwyd Mefina ar yr ochr orau hefyd gan y niferoedd o'i hen gymheiriaid a oedd yn dal i nyrsio yn y ddinas a ddaeth i ddathlu'r achlysur, gan gynnwys Teresa, a hithau bellach yn canlyn gydag un o borthorion yr ysbyty lle buont yn hyfforddi. Cafwyd parti i'w gofio.

Wedi iddynt ddychwelyd yn ôl i Wynedd, llwyddodd hi a Des i gael bwthyn bach ar rent isel ar gyrion Harlech, yn uchel ar ben yr allt. Roedd y paent yn plicio o bob pared a thamprwydd yn hollbresennol ond o leiaf roedd ganddynt do uwch eu pennau a chartref i'r bychan pan ddaeth hwnnw i'r byd ymhen ychydig wythnosau.

Gweithiai Des yn galed i drwsio a chynnal yr hyn roedd angen ei wneud yn y tŷ, a hynny ar ben yr oriau hir yn ei waith yn Nhryweryn. Teimlai Mefina'n falch iawn ohono wrth iddo anwylo'i hun ymysg eu cymdogion a'i ffrindiau. Roedd hi'n llawn gobaith. Pan fyddai'i thad wedi ymadael – a fyddai hynny ddim yn hir, meddyliodd – y nhw fyddai'r teulu bach hapusaf yn y fro.

Yn anffodus, daliodd Frank Williams ei afael ar fywyd am fwy o amser nag a ddisgwylid ac o ganlyniad doedd fawr o amser i'w sbario gan Mefina i roi sylw i neb heblaw i'w thad a'i mab newyddanedig.

Roedd Deri'n ddeunaw mis oed erbyn i'w daid farw, ac erbyn hynny doedd y freuddwyd am deulu bach dedwydd ddim mor sicr o gael ei gwireddu.

Dim ond drwy ei ddwrdio'n ddi-baid y llwyddodd Mefina i

berswadio Des i fynd i'r cynhebrwng. A bod yn deg, dim ond unwaith yn unig y gwnaeth Des a Frank gwrdd â'i gilydd, a digon diflas a dibwrpas fu'r cyfarfod hwnnw. Eto i gyd, roedd arni angen ei gefnogaeth ar ddiwrnod yr angladd ac yn ystod y cyfnod cyn hynny, felly teimlai'n ddigon siomedig ei bod wedi gorfod pwyso cymaint ar ei gŵr cyn derbyn y gefnogaeth honno.

Ar ôl y gwasanaeth aeth aelodau'r ddau deulu i gaffi bach yn y garej ar y briffordd am baned a brechdanau. Hyd yn oed â'r cynhebrwg drosodd doedd gan y cwmni fawr ddim i'w ddweud wrth ei gilydd.

"Rhaid i mi fynd," meddai Des. "Fiw i mi fod yn hwyr. Ti'n gwbod sut ma nhw."

"Ond nest ti addo..."

"Does dim pwynt i mi aros, nag oes? Sneb isio i mi fod yma."

"Paid â malu. Beth bynnag, dwi eisio i chdi fod yma."

Edrychodd Des i ffwrdd yn ddiamynedd braidd.

"Pryd wela i chdi nesa 'ta?" holodd Mefina'n rhwystredig.

"Fory, rhyw ben... er falla gwna i aros yno tan y penwsnos."

Suddodd ei chalon. Digwyddai hyn yn rhy aml erbyn hyn.

"Ond ma gen i lot i neud, Des, ac mi fedsat ti warchod Deri i mi."

"Byddi di'n iawn. Ti bob amser yn grêt. Ti 'di'r fam ora yn y byd. Rhaid i mi 'i throi hi rŵan."

A heb na sws na dim roedd o ar ei ffordd gan adael Mefina ar ei phen ei hun y tu allan i'r caffi.

"Awn ni i 'nôl y bych, ia?" meddai llais wrth ei hochr.

Gwyn, ei brawd, oedd yno. Fuodd hi erioed yn fwy balch o'i weld.

Cyrraedd yn hwyr wnaeth Gwyn. Bu'r hers yn ei ddilyn i fyny'r lôn gul i'r capel ac ni chafodd Mefina gyfle i sibrwd dim mwy na "S'ma 'i"? yn lletchwith wrth iddo sleifio i'r côr wrth ei hymyl.

Lwyddodd hi ddim i'w weld o wedyn y tu allan i'r caffi ac ofnai hwyrach ei fod wedi'i throi hi yn ôl am Aberystwyth yn barod. Gwyddai fod ei brawd yn ei chael hi'n anodd bod ymhlith y teulu ar y ddwy ochr, ond er ei mwyn hi, falla y gallai fod yn fwy ystyrlon...

A dyna fo'n ymddangos o'i blaen ac yn cynnig lifft iddi i gasglu Deri a gâi ei warchod ymhellach i fyny'r cwm yn yr Hendre gan ei chyfnither .

"Iawn," meddai. "Rhaid i mi siarad hefo'r teulu yma am ryw ddeg munud a gweld bod Mam yn iawn. Fydd hynny'n iawn gen ti?"

"Bydd, siŵr. Mi wela i chdi wrth y car."

Chwarter awr yn ddiweddarach ymunodd â'i brawd yn y Wolseley bach gwyrdd tywyll. Ar ôl cymryd y troad i'r cwm oddi ar y briffordd, aethon nhw cyn belled ag y gallen nhw ar y ffordd fetlin cyn iddynt orfod parcio wrth waelod lôn nad oedd modd i'r modur bach fentro ar ei hyd.

Wrth gerdded yr hanner milltir olaf i'r ffermdy, gofynnodd Gwyn:

"Doedd Des ddim am aros, 'ta?"

"Na, roedd o'n methu ca'l mwy o amsar yn rhydd. Ma'n nhw'n eitha hafing fel 'na."

"Ma'n *nhw*'n hafing ym mhob ffordd, tydyn nhw?"

"Be ti'n feddwl?"

"Wel, y *nhw* sydd isio ein tir a'n dŵr ni, ynte?"

Ochneidiodd Mefina.

"Paid â dechrau, Gwyn, dim heddiw, er mwyn Duw. Ti cyn waethed ag Emlyn Roberts wedi mynd."

"Mi welais i hwnnw'n ddiweddar."

"Ble?" holodd Mefina'n ddigon eiddgar.

"Yn Queens."

"O... dwi heb 'i weld o ers oes pys. Fuest ti'n siarad hefo fo?"

"Do."

"Lle ma o'n byw 'ŵan?"

"Hefo rhyw ddynas mewn tŷ mawr ar y topia yn rhywle."

"Dynas?"

"Ia, dynas. Pam lai dynas?"

"Dim byd yn rong. Dim byd o gwbwl."

Stopiodd Gwyn i bwyso ar lidiart wrth ymyl y ffordd gan edrych ar yr olygfa odidog tua'r môr wedi'i lathru gan heulwen y prynhawn.

"Boi da ydi Emlyn." Roedd ei asennau wedi stopio brifo erbyn hyn ar ôl y gwffas y tu allan i'r dafarn.

"Yndi, siŵr," atebodd Mefina'n syth. "Ond ma problema gynno fo, 'yn does?"

"Fel be?"

Atebodd Mefina mohono.

"'Sa'n dda gen i tasat ti wedi priodi hefo Emlyn," meddai Gwyn. "'Sa fo wedi gneud uffar o les i ti."

Doedd y sylw ddim yn plesio. Tynnodd Mefina'n galed ar siaced ei brawd gan ei orfodi i'w hwynebu.

"Be 'di hyn? Ers pryd buest ti'n poeni am ddim byd felly? Ti heb gymyd diawl o ddiddordeb yn lles neb ffor hyn dros y ddwy flynadd ddiwetha, naddo? Doeddat ti ddim fel tasat ti'n poeni'r un iot am les Mam na finna wrth morol am dy dad."

Edrychai Gwyn yn chwithig, ac yntau heb brofi tymer ei chwaer ers blynyddoedd lawer.

"Naddo," meddai'n benisel. "Ond ma'n anodd, 'sti."

"Be sy'n anodd?" holodd Mefina, yn dal yn flin.

"Bod gen i frawd-yng-nghyfraith sy'n gweithio hefo *nhw*."

"*Nhw?* Yli, Gwyn, rhaid i'r bychan ga'l bwyd a tho uwch ei ben, does? Ma Des yn iawn. Ma o'n gweithio'n galad i ni. Ma Des yn..."

Doedd hi ddim yn gallu parhau. Roedd hi'n ei thwyllo'i hun ac fe wyddai hynny'n iawn... Roedd jest gormod ar ei phlât iddi allu wynebu'r ffaith na gallu gwneud dim byd yn ei chylch.

Doedd Gwyn ddim fel pe bai wedi sylwi ar y ffaith fod ei chwaer wedi distewi yng nghanol ei molawd i Des. Roedd o wedi troi'n ôl i edrych tua'r môr unwaith eto.

"Fydd Cymru'n lle gwahanol iawn pan fydd Deri ein hoedran ni," meddai'n daer gan droi yn ôl i edrych yn syth i lygaid Mefina. "Ma 'na chwyldro yn y gwynt," ychwanegodd yn ddifrifol iawn.

"Be ti'n hefru rŵan? Pa chwyldro?"

"Dydi'r to nesa 'ma ddim yn mynd i gymyd petha 'run fath â ni, 'sti."

"O, cau hi, Gwyn, plîs."

Tawodd Gwyn gan ailgychwyn ar y daith. Mi gerddon nhw ymlaen ar hyd y lôn drol droellog a honno'n dringo'n serth o waelod y cwm. Roedd yr haul yn gynnes a stopiodd Mefina i dynnu'i chôt gan edrych yn ôl dros y dirwedd gyfarwydd.

Yng ngolau'r haul edrychai'r ffriddoedd a gweirgloddiau cymen, y coed, y creigiau a'r copaon yn syfrdanol o hardd. Collodd hi'r harddwch hwn yn ystod ei chyfnod yn Lerpwl –

harddwch nad oedd wedi sylwi arno bron pan oedd hi'n blentyn. Syndod mawr iddi oedd cymaint y bu'n hiraethu amdano, a phan ddaeth hi'n amlwg y byddai'n rhaid iddi ddychwelyd ar ôl dod yn feichiog roedd y syniad o setlo yma hefo Des a magu teulu mewn amgylchedd mor brydferth wedi ei chyffroi'n fawr.

Erbyn hyn, fodd bynnag, teimlai fod yr hen gawell yn dechrau cau amdani unwaith eto a bod yr harddwch yn rhyw fath o rith a oedd wedi'i hudo a'i chaethiwo o'r newydd.

Yn y pellter gallai glywed llais cryf a chroyw Gweneira, ei chyfnither, yn cyhoeddi i Deri fod ei fam ar ei ffordd.

"Dacw hi, Deri! Ac Yncl Gwyn, yli! Cŵŵ-iii, Mam! Cŵŵ-iii, Yncl Gwyn!" Atseiniai ei llais yn y creigiau a grogai dros y fferm.

Roedd Mefina'n edrych ymlaen at weld Deri hefyd. Un bach diddig oedd o, yn henaidd ei ffordd ac yn gwylio'r byd gyda rhyw ddifrifoldeb doniol trwy lygaid mawr glas tebyg i rai ei dad.

"Cŵŵ-iii, Deri!" gwaeddodd Mefina wrth i'r bychan ddod i'r golwg yn llaw ei chyfnither. Annwyl oedd o. Roedd hi'n caru ei mab yn fawr, ond weithiau... dim ond weithiau... byddai'n dda ganddi hebddo. Byddai'n dda ganddi ddychwelyd i glybiau myglyd y ddinas, i'r hwyl hefo'r genod, i guriad y Merseybeat... Am fam wael, meddyliodd wrth ymestyn ei breichiau i gofleidio'r un bach wrth iddo faglu tuag ati.

Roedd Gwyn yn iawn – mi oedd 'na chwyldro yn y gwynt ond nid ar lethrau'r Rhinogydd y byddai'n digwydd.

— XXIV —

FEL YR OEDD Emlyn wedi'i rag-weld, profiad digon afreal oedd mynd i mewn i safle Tryweryn.

Droeon yn ei ddychymyg bu'n cripian ar ei fol liw nos fel y gwnaethai'r hogiau'n ôl yn '63, gan osgoi'r maglau a'r gwarchodwyr a'u cŵn er mwyn gosod rhyw ddyfais ffrwydrol wrth ran anhepgor o'r peirianwaith a fyddai'n atal y gwaith yn stond, unwaith ac am byth, a Chorfforaeth Lerpwl yn cael ei dychryn i'r fath raddau nes ei bod yn ildio'i gafael ar y cwm. Dychmygai hefyd weld y Cymry'n tyrru'n eu holau i ailfeddiannu eu tiriogaeth ac ailgodi'u cartrefi drylliedig, yn benderfynol o beidio â gadael i'r fath beth ddigwydd byth eto yn hanes eu gwlad.

Rywsut doedd o erioed wedi meddwl y byddai'n cael ei yrru i mewn drwy'r brif fynedfa gyda sêl bendith yr heddlu a'r dynion diogelwch i weithio ar y paratoadau ar gyfer seremoni agor y safle. Rhyfeddai at yr olwg gymen ar bob dim erbyn hyn o'i gymharu â'r llanast a welsai'r tro diwethaf y bu'n ymweld â'r safle, pan edrychai'n debycach i faes y gad na safle adeiladu. Ond serch y cymhendod ymddangosiadol nid oedd modd cuddio'r anfadwaith a gyflawnwyd dros y blynyddoedd diwethaf.

Uwch ei ben ffurfiai'r argae orwel artiffisial yn erbyn yr awyr fel pe bai'r byd yn darfod yr ochr draw iddo. Yn yr un modd, er mor ddeniadol a naturiol yr ymddangosai dyfroedd Llyn Celyn wrth iddo deithio ar hyd ei lannau y bore hwnnw, edrychai Mynydd Nodol fel pe bai wedi'i fôn-docio rywsut, fel y bydd rhywun yn lleihau yn ei henaint. Ac o gyrraedd pen dwyreiniol y gronfa dyma'r hen dŵr 'na yn dod i'r golwg fel pe bai rhyw long wedi'i dryllio ac wedi setlo ar waelod y llyn. Ni fyddai'r llyn hwn byth yn twyllo'r rhai a wyddai'r gwir ac yn cofio'i hanes.

Ryw bythefnos yn ôl roedd Emlyn wedi clywed drwy sgwrs mewn tafarn am y cyfle i fod yn un o'r gweithwyr i gwmni o Lerpwl a fyddai'n paratoi'r safle i groesawu henaduriaid y ddinas a'u gwesteion lleol i ddathlu agor eu gorchestwaith ym Mhenllyn. Fe'i cynigiodd ei hun yn syth i fod yn un o'r criw.

Doedd ganddo ddim amcan beth y byddai'n ei wneud unwaith y cyrhaeddai'r safle. Falla dylasai fod wedi llenwi'r lori â ffrwydron fel rhyw beilot *kamikaze* erstalwm. Chwythu'r holl baratoadau'n greiau mân gan aberthu'i fywyd ei hun yn enw ei wlad. Datganiad na fyddai neb yn ei anghofio ac arwydd digamsyniol i luoedd Twm gymryd at y priffyrdd a'r caeau.

Dial a ddaw, meddai'r deryn wrth y telynor erstalwm; mewn gweithred o'r fath gallai ddial am yr holl ofid a achoswyd i'w nain a'i thranc annhymig ar y clogwyni uwchben y Bermo; gallai ddial am y boen meddwl a achoswyd i frodorion y cwm ers y dwthwn hwnnw pan glywsant gyntaf am y bwriad i fynd â'u cartrefi a'u bywoliaeth oddi wrthynt. Gweithred ogoneddus o arwrol fyddai hi a dynnai sylw'r byd!

Ond beth am yr hogia eraill yn y lori hefo fo, a'u teuluoedd? Be am y gweithwyr ar y safle? Y plismyn bach cefn gwlad?

Cofiai ddarllen sut y bu i un o aelodau blaenllaw'r IRA tra oedd yn y Fron-goch ddatgan bod pob dyn, dynes a phlentyn yn rhan o'r chwyldro – os nad ydynt hefo chi, yna maent yn eich erbyn ac mae gennych bob cyfiawnhad dros eu difa.

Os felly, gwyddai Emlyn i sicrwydd nad chwyldroadwr o'r iawn ryw oedd o. Roedd taro'n ôl yn un peth, ond cofiai'r tristwch a ddifwynai fywyd Gwyneth yn sgil marwolaeth wastraffus ei dyweddi. Roedd 'na ben draw i bob dim. Mae pawb eisiau byw, does?

Be haws oedd o yn hel rhyw feddyliau fel hyn beth bynnag? Beth oedd rhyfelgri'r Japs? Un awyren, un llong! Beth fyddai canlyniad ei weithred *kamikaze* ddychmygol yntau? Un Bedford, un twll mawr diffaith yn y ddaear. Doedd o ddim cweit yr un fath, nag oedd? Beth bynnag, doedd o ddim yn beilot *kamikaze* a doedd ganddo'r un stic o jeli nac arf ar ei gyfyl na chlem sut i'w defnyddio chwaith. A doedd o ddim eisiau ei chwythu'i hun na neb arall i ebargofiant.

Eto nid rhyw myrrath ddiamcan oedd wedi dod ag ef i'r safle. Roedd ganddo darged mewn golwg...

— XXV —

ROEDD EMLYN WEDI galw i weld Mefina tua diwedd mis Medi ar ôl i'w thad farw.

Gorwedd ar ei gwely roedd Mefina pan ganodd y gloch. Bu rhwng dau feddwl a fyddai hi'n codi i agor y drws ai peidio. Doedd hi ddim yn awyddus i weld neb. Roedd hi newydd lwyddo i gael Deri i gysgu ac roedd hi bron â drysu oherwydd ei blinder. Ar ben hynny, gwyddai fod golwg y fall arni ar ôl yr hyn a ddigwyddodd iddi ddoe.

Canodd y gloch am yr eildro. Ofnai y byddai trydydd caniad yn deffro'r bychan. Hefyd, roedd y ci drws nesaf wedi dechrau coethi'n wyllt wrth synhwyro dieithryn yng nghyffiniau'r tŷ, felly'n araf ac yn anfoddog cododd Mefina oddi ar ei gwely a mynd i lawr grisiau i agor y drws.

"Pwy sy 'na?" holodd yn gryg. Eto, doedd hi ddim eisiau gweiddi rhag ofn iddi ddeffro Deri.

Yn amlwg, roedd pwy bynnag a safai yr ochr draw i'r drws yn methu â'i chlywed. Tynnodd anadl ddofn wrth ollwng y glicied gan gilagor y drws yn unig. Doedd neb i'w weld. Fe'i hagorodd fymryn yn lletach a gweld cefn rhywun yn gadael drwy'r giât. Gallai hi fod wedi cau'r drws yn dawel a mynd yn ôl i'w gwely ac roedd ar fin gwneud hynny pan nabyddodd y dyn wrth y giât.

"Emlyn!" Gwaeddodd ei enw cyn meddwl oedd hi eisiau siarad ag ef ai peidio. Wrth iddo droi i'w hwynebu sylweddolodd ei bod yn falch iawn o'i weld.

Safodd Emlyn am ennyd gan edrych arni fel pe bai yntau rhwng dau feddwl oedd o eisiau ei gweld hi mewn gwirionedd.

Yna daeth yn ôl ar hyd y llwybr bach at y drws.

"S'ma 'i?" meddai Mefina mewn llais bach anwydog.

"S'ma 'i?" meddai Emlyn a thinc o bryder yn ei lais yntau. Prin ei fod yn ei nabod hi, yno'n sefyll yng nghil y drws mewn hen gôt nos, ei gwallt dros ei dannedd, cysgodion tywyll dros ei llygaid a briw cas wrth ochr ei cheg.

O'i rhan hi, prin y gallai Mefina gredu'r gwahaniaeth a welai yn Emlyn ers y tro diwethaf iddynt gyfarfod ar y stryd. Os oedd yn bishyn pan oedd yn ifanc, roedd holl waith corfforol a wnaeth yn ystod y blynyddoedd diwethaf wedi'i droi'n rhyw fath o Adonis bron! Wedi diflannu'n gyfan gwbl roedd y creadur truenus ei olwg hwnnw a fu'n yfed coffi hefo hi y tro diwetha yn y dre.

"Dach chi… hynny ydi, wyt ti'n iawn?" gofynnodd Emlyn yn betrus.

"Yndw," crawciodd Mefina. "Bach o annwyd. Wedi'i ddal o gan y bychan. Mae o 'di bod yn sâl drwy'r wsnos. Dyna i gyd ydi o."

"O, gwela i," meddai Emlyn heb ei argyhoeddi.

Daliai Mefina i syllu.

"Ym… jest wedi galw heibio i gydymdeimlo… ar ôl dy brofedigaeth…"

"O, iawn… Diolch."

Saib. Daliai'r ci drws nesa i gyfarth yn ffyrnig ac roedd i'w glywed yn hyrddio'i hun yn erbyn y giât wrth ochr y tŷ yn ei rwystredigaeth.

"Iawn, wel… mi a' i 'ta," meddai Emlyn, "cyn i Bero falu'r ddôr 'ma'n dipia."

Yn sydyn roedd Mefina fel pe bai wedi deffro o ryw swyngwsg.

"Na… paid â mynd, Ems… ty'd i mewn, plîs."

Aeth dros y trothwy i'r cyntedd cyfyng. Distawodd twrw'r ci drws nesa yn syth wedi i Mefina gau'r drws ar ei hôl.

Fe'i dilynodd i'r parlwr cefn. Roedd y tŷ'n dywyll iawn ac oglau'r lleithder i'w glywed. Hyd yn oed yn yr hanner gwyll roedd sawl patshyn o lwydni i'w gweld yn amlwg ar y nenfwd yng nghorneli'r stafell. Roedd 'na fwrdd smwddio'n sefyll yng nghanol y llawr a dwy fasgedaid o ddillad yn aros eu tro.

"Sgiwsia'r llanast. Dwi heb ga'l cyfla... hefo Deri'n sâl a ballu..."

Cliriodd bentwr o bapurau newydd oddi ar un o'r cadeiriau a'i chynnig i Emlyn.

"Tisio panad?"

"Na, ma'n iawn. Fedra i ddim aros..."

Roedd Emlyn yn ceisio craffu ar y briw a Mefina'n amlwg yn ceisio'i guddio.

"Lle gest ti hwnna?"

"Be?"

"Hwnna wrth ochor dy geg."

"O, dolur annwyd. Dydi o ddim byd, 'sti."

Aeth ei llaw dros y briw yn syth.

"Dolur annwyd, 'nhin i. Ty'd i mi ga'l gweld yn iawn."

Cododd o'r gadair gan symud tuag ati i roi'i law ar ei gên a throi'i hwyneb tuag ato. Tynnodd Mefina i ffwrdd yn sydyn.

"Paid!"

Safai'n benisel o'i flaen gan afael yng nghefn y gadair. Edrychai'i dwylo'n goch a'r croen yn llidiog hefo ecsema yr holl ffordd ar hyd ei breichiau, aflwydd a oedd wedi'i phoeni fwyfwy dros y misoedd anodd diwethaf.

"Mefs! Be sy? Be sy 'di digwydd yma?"

Roedd pryder mawr yn ei lais. Nid dyma'r Mefina roedd

wedi'i haddoli ers pum mlynedd a mwy. Lle'r oedd y sbarc? Fyddai'r hen Mefina byth yn dygymod â byw mewn twlc fel hyn a'i gadael ei hun i fynd nes bod golwg rîal hen slebog arni.

Brathodd ewinedd Mefina i mewn i bren y gadair, ond ni allai ddal rhagor. Aeth ei phen yn is ac yn is ac yna clywodd Emlyn y sniffian a chrawcian a drodd yn fuan yn wylo tawel cyn ffrwydro'n igian torcalonnus a ysgydwai'i holl gorff.

Rhoddodd ei freichiau amdani'n lletchwith a'i dal, nes bod ei phen yn pwyso ar ran uchaf ei fraich. Roedd wedi mynd trwy olygfa fel hyn droeon yn ei ddychymyg, a rŵan ei bod yn digwydd go-iawn roedd y cwbl yn teimlo'n hollol afreal ac yn anghyfarwydd.

Nid hen gariad ei ffantasïau oedd hon; roedd hi'n ogleuo'n wahanol, ddim yn drewi na dim byd, jest rhyw oglau niwtral lle gynt byddai bob amser rhyw ffresni cynhyrfus i'w sawru yn ei chylch. Roedd hi'n teimlo'n wahanol hefyd, yn fwy esgyrnog ac yn fwy swrth nag y byddai; yn wir, edrychai'n wraig hollol wahanol. A rhwng yr annwyd a'r crio roedd hyd yn oed ei llais yn ddiarth, wedi troi'n rhyw wich fach fabïaidd.

"Am lanast..." sibrydodd Mefina drwy'i dagrau. "Am lanast llwyr."

Manteisiodd Emlyn ar fod mor agos iddi i archwilio'r briw.

"Pwy nath hwn i chdi?"

"'Di o erioed wedi gneud dim byd fel 'na o'r blaen, cofia."

Buasai'r slap yn hollol annisgwyl neithiwr. Yn ei tharo fel mellten o nunlle, ei fodrwy briodas drom yn rhwygo ochr ei gwefus.

"'Ti 'di llosgi 'nghrys gora i, 'rast flêr."

Roedd olion deifio amlwg ar draws brest y crys gwyn.

"Sori, Des," meddai o'r diwedd, heb gredu'r hyn a oedd

newydd ddigwydd a heb eto ddod yn ymwybodol o'r anaf. "Dwi 'di blino cymaint. Dydi Deri ddim wedi cysgu winc 'rwsnos yma hefo'r hen aflwydd 'ma ar ei tshest o."

"Siawns na fedri di neud bach mwy o ymdrech. Mi oedd hwn yn ddrud 'fyd. Chdi sy wastad yn hefru am bres ac yna'n llosgi'r dillad oddi ar 'nghefn i."

Cododd Des ei law i'w tharo eilwaith a hanner cododd Mefina ei dwylo hithau i'w hamddiffyn ei hun, ond newidiodd Des ei feddwl.

"Be 'di'r iws?" sgyrnygodd dan ei anadl. Cododd ei fag o'r gadair ac allan ag o i'r cyntedd. Clepiodd y drws nes bod y lluniau'n llithro oddi ar eu bachau a'r ci drws nesaf yn dechrau mynd drwy'i bethau.

"Pryd gwela i chdi nesa?" holodd Mefina'n llipa i wacter y cyntedd.

Clywodd injan y moto-beic yn tanio cyn rasio i ffwrdd, a rhu'r beic yn atseinio drwy'r tywyllwch. Gwrandawodd Mefina ar y sŵn tan iddo ddiflannu'n gyfan gwbl i'r nos. Aeth drwodd i'r gegin i roi dŵr ar y briw. Roedd y gwaed wedi baeddu'i blows. Byddai'n rhaid iddi ei rhoi i socian mewn dŵr oer yn syth neu byddai dau ddilledyn wedi cael eu difwyno'r noson honno.

Tynnodd y flows, ei bysedd yn crynu wrth ddatod y botymau; roedd y gwaed yn dal i ddiferu o'i gên gan lifo ar draws ei mynwes, a bu'n rhaid iddi gythru mewn cadach i'w atal rhag cyrraedd ei bra a staenio hwnnw hefyd.

Wrth sychu'r diferion, meddyliodd, ac nid am y tro cyntaf, faint o amser a fu bellach ers i Des ddangos unrhyw ddiddordeb yn ei bronnau neu mewn unrhyw ddarn arall o'i chorff o ran hynny. Anodd credu mai dim ond pedair blynedd yn ôl oedd hi pan nad oedd pall ar eu hawydd am ei gilydd.

"Dim ond chdi dwi isio yn y byd i gyd," sibrydai Des yn ei

chlust yn anterth ei angerdd.

"Dim ond fi gei di," atebai'n gellweirus.

Ond gyda holl ofynion ei gofal am ei thad, ei beichiogrwydd a geni a magu Deri, daeth blinder llethol yn rhan annatod o'i bywyd. Roedd fel petai yn ôl yn gweithio'r nos ar y wardiau erstalwm. Byddai Des i ffwrdd yn gweithio bob nos, gan aros yno am sawl diwrnod ar y tro weithiau. Byddai'n dychwelyd i'r bwthyn gan ddisgwyl pob math o fwythau ganddi ac yn lle hynny'n ffeindio rhywun lluddedig, pigog ac ymddangosiadol oeraidd tuag ato wrth iddo chwilio am gysur ganddi. Doedd gan Mefina mo'r help. Yr unig beth y dyheai ei chorff amdano oedd cwsg.

Byddai'r cyfnodau pan fyddai Des yn aros adra'n lleihau a lleihau. Rhaid oedd gofyn yn amlach i'w theulu a'i chymdogion warchod tra arhosai hi hefo'i thad neu pan fyddai'n gweithio am ychydig oriau yn y fferyllfa i gadw'r deupen ynghyd.

Doedd cyflog Des ddim yn fawr ond yn ffodus roedd rhent y bwthyn yn ddigon rhesymol. Gyda gofal byddai pethau'n iawn. Ond rywsut doedd byth digon o arian i'w gael. Roedd Des yn hoff o gwmnïaeth yr hogiau yn y dafarn ac ambell ymweliad â'r siop fetio. Dim byd eithafol ond yn ddigon cyson i arian fynd yn asgwrn sawl cynnen ac yn hoelen arall yn arch eu perthynas.

Safai Mefina'n llonydd ym mreichiau Emlyn, ei dagrau wedi'u sbydu am y tro, a'i hanadlu yn fwy rheolaidd drachefn. Teimlai'n ddiogel... na, nid diogel oedd y gair... teimlai'n gynefin, fel pe bai'r byd yn ôl ar ei echel dros dro. Gallai gau'i llygaid a chysgu rŵan yn pwyso yn erbyn ei gryfder. Emlyn druan. Yma o hyd ers yr holl flynyddoedd...

— XXVI —

ROEDDENT NEWYDD ORFFEN gosod y ffens olaf. Safai Emlyn o'r neilltu â'r ordd dros ei ysgwydd wrth i Moi glymu'r rhaff yn ei lle. Roedd y safle wedi'i weddnewid ers y bore. Pebyll a llwyfan wedi'u codi, sbwriel a geriach o bob math wedi'u clirio ac offer sain ac arlwyo wedi'u symud i mewn.

Roedd nifer o bwysigion yn crwydro o gwmpas yng nghwmni haid o swyddogion diogelwch a heddlu, rhai mewn lifrai ac eraill yn eu dillad eu hunain. Roeddent yn llawn cynnwrf gan bwyntio ffordd hyn a'r ffordd arall, yn tsiecio rhaffau'r pebyll a sefydlogrwydd y pyst ffensio, gan gyfeirio at restrau di-rif ar glipfyrddau.

Yn sydyn, cododd y blewiach ar war Emlyn a chlywodd ei holl gorff yn tynhau. Dyna ble'r oedd Des yn eu canol. Dim ond unwaith cyn hynny roedd Emlyn wedi'i weld, ddwy flynedd a hanner yn ôl ar lan Llyn Tegid. Fe'i cofiai fel cawr o foi yr adeg honno, ei bresenoldeb corfforol yn ddigon i godi braw ar Twm a'i gyd-filwyr a'u hatal rhag rhoi cweir iddo nes ei fod yn gyrbibion. Falla y dylai fod yn ddiolchgar iddo am hynny a gadael llonydd iddo rŵan. Ond, gwnaeth y llabwst yma ddwyn Mefina oddi arno ac, ar ben hynny, rhoddodd amser caled iddi, a hynny tra oedd yn gwarchod buddiannau corfforaeth ysgeler y ddinas dros y ffin. Roedd 'na ormod yn y fantol fan hyn, gormod o ddŵr yn llifo dan y bont yr un pryd.

Rŵan gallai glywed y diawl yn chwerthin yng nghwmni'r pwysigion gan ymuno yn y miri, a hwythau'n ei daro ar ei gefn. O, uffar o foi oedd hwn, mae'n rhaid. Sycha i'r wên oddi ar dy wep di cyn diwedd y dydd, meddyliodd Emlyn gan dynhau'i afael ar yr ordd. Wrth iddo edrych, cododd Des ei law ar y criw o'i gwmpas cyn cerdded i ffwrdd.

Nefi, doedd o ddim eisiau'i golli o.

"Sori, hogia, rhaid i mi fynd i ga'l cachiad," meddai Emlyn yn ddisymwth wrth ei gyd-weithwyr. "Ma 'na rywbath yn pwyso fatha carrag fedd ar 'y ngyts i."

Roedd eisoes ar ei ffordd i lawr y llethr ar drywydd y Gwyddel.

"Sdim isio'r ordd 'na hefo chdi, siawns," gwaeddodd Moi ar ei ôl.

"Na, go brin," chwarddodd Emlyn gan ollwng yr arf ger y ffens.

"Paid â bod yn rhy hir. Ma nhw'n hisio ni yn y pen pella!"

Atebodd Emlyn ddim. Roedd yn canolbwyntio ar ddilyn y Gwyddel hirgoes trwy ganol yr holl gerbydau a pheiriannau a oedd wedi'u parcio yn rhan isa'r safle. Lwcus bod Des mor dal, byddai mor hawdd ei golli fel arall.

Yn sydyn suddodd ei galon wrth weld bod Des yn mynd am ei foto-beic. Yn mynd adra, siŵr o fod – i roi crasfa arall i Mefs. Hwyrach dylai ei rusio fo o fan hyn, ei golbio hefo rhyw ddarn o bren neu rywbath. Dylsai fod wedi cadw'r ordd i hollti penglog y bwli uffarn.

Ond roedd 'na ormod o bobl o gwmpas o hyd, ac roedd o'n rhyw amau na fyddai'r Gwyddel yn rhy ara wrth ymosod yn ôl pe bai petha'n mynd o chwith.

Rhy hwyr beth bynnag. Roedd Des eisoes ar gefn ei feic. Taniodd yr injan yn llwyddiannus y tro cynta a symudodd rhwng y cerbydau eraill nes cyrraedd y lôn tua'r allanfa. Cyn pen dim, clywai sŵn y throtl yn agor wrth i Des ei g'leuo hi i'r gorllewin ar hyd yr A4212.

Doedd dim i'w wneud ond mynd yn ôl at yr hogia.

"Fuest ti ddim cachiad chwaith," pryfociodd Moi.

"Na, ond ma rhywbath yn pwyso arna i o hyd," atebodd Emlyn gan ailgydio yn yr ordd a waldio pen un o'r pyst.

— XXVII —

Ar ôl i Emlyn adael, aeth Mefina i wneud yn siŵr bod Deri'n iawn. Fe'i cafodd yn cysgu'n dawel ac yn dynn, twymyn y nosweithiau cynt wedi cilio o'r diwedd. Roedd y bore wedi ymdawelu. Y cŵn a'r traffig yn ddistaw am y tro. Gallai glywed y defaid yn brefu ar y llethrau y tu ôl i'r tŷ a lleisiau plant yn chwarae yn y pellter.

Edrychai ei mab yn angylaidd yn ei grud bach. Mor debyg i'w dad yn wir. Siawns na fedran nhw sortio rhywbeth rhyngddyn nhw. Roedd pob priodas yn mynd trwy amser caled weithiau – yn enwedig ar ôl cael plant. Pawb yn deud hynny. Pam lai nhw?

Gobeithio na fyddai Emlyn yn gwneud dim byd gwirion. Yn sicr, roedd wedi myllio braidd pan glywodd sut roedd pethau hefo Des. Bechod, mor amddiffynnol ohoni ag erioed, ac yn dal i obeithio, mae'n siŵr. Eto, doedd dim golwg mor wyllt arno ag y byddai erstalwm. Roedd fel pe bai wedi ymlacio'n fwy. Doedd o ddim wedi sôn gair am Gymru na Thryweryn, trais y Sais na dim byd felly yn ystod yr holl amser y bu hefo hi.

"Ti'n gwbod lle ma Des yn gweithio, wrth gwrs," meddai hi'n betrus ar un adeg.

"Yndw. Soniodd Gwyn," atebodd Emlyn heb wneud mwy o sylw am y peth.

Roedd ganddo fwy o ddiddordeb yn ei hanes hi a Deri ac angladd ei thad a'r newid yn ei pherthynas â'i mam. Am y tro cyntaf, teimlai fod Emlyn yn gwrando arni ac yn cymryd sylw o'r hyn a oedd ganddi i'w ddweud. Pam na fedsai fod fel hyn bum mlynedd yn ôl?

Cyndyn oedd Emlyn, serch hynny, i sôn amdano'i hun, lle'r oedd o'n byw a hefo pwy. Bu'n rhaid i Mefina roi cryn bwysau arno cyn cael fawr o'i hanes:

"Mi glywis i bo chdi'n byw yn ddedwydd iach hefo rhyw Saesnes ar ben y mynydd," mentrodd yn bryfoclyd.

"Cymraes lân loyw ydi hi," meddai Emlyn, eto heb gynhyrfu. "Ma hi 'di bod yn ffeind iawn wrtha i. Does wbod sut siâp fasa arna i oni bai amdani hi."

Edrychodd Mefina arno'n amheus. Ai hwn oedd yr un boi a fu'n sgwennu ati mor angerddol bob mis am dair blynedd gan ddatgan ei gariad tragwyddol ac yn barod i gyhoeddi rhyfel yn erbyn Lloegr ar ei ben ei hun? Beth oedd gan y ddynes 'ma ar y mynydd nad oedd ganddi hi i'w ddofi yn y fath fodd? Lle'r oedd yr hen dân wedi mynd? Dechreuodd deimlo rhyw gymysgedd o eiddigedd a siom.

Wrth fynd gofynnodd Emlyn iddi:

"Wyt ti'n meddwl gwnei di aros ffor 'ma?"

"Sgen i fawr o ddewis ar y funud, nag oes? Ma'n dibynnu ar Des braidd. Fedra i ddim codi pac fel 'na, na fedra i? Dim ond yn ôl at fy mam y medrwn i fynd beth bynnag hefo Deri."

Flwyddyn yn ôl fe ddichon y byddai Emlyn wedi cynnig iddynt symud i mewn ato yn y garafán.

"Mi gest ti fargen sâl, 'te?"

"Yn ymddangos felly ar hyn o bryd. Ond daw eto haul ar fryn, siawns."

"Ma'n wir ddrwg gen i."

Edrychodd arni â'i lygaid yn llawn cydymdeimlad diffuant.

"Mi gadwa i mewn cysylltiad," meddai o'r diwedd wrth godi ar ei draed.

"Gwna hynny... a diolch am alw."

Cododd ei law arni ger y giât heb ddweud gair pellach.

Roedd hyd yn oed y ci drws nesa'n cadw'n fud. Gwyliai Mefina ef wrth iddo droi'r gornel ac wrth iddi hithau gau'r drws yn araf. Aeth yn ôl i fyny'r grisiau a gwylio Deri mewn cwsg esmwyth am sbel cyn mynd i orwedd ar ei gwely. Bu'r ddau'n cysgu'n sownd tan ganol y prynhawn.

Ddaeth Des ddim adra y noson honno.

— XXVIII —

"GAD I MI fynd i lawr yn fa'ma."

"Diwcs! Potio'n barod, Ems? Braidd yn gynnar, tydi?"

"Na, na... dwi wedi gaddo cyfwr hefo ffrind yma."

"Sut ei di adra?"

"Ga i bàs ganddo fo... neu gerddad."

"Chdi ŵyr dy betha," ochneidiodd Moi wrth dynnu'r lori i'r ochr.

Ac allan ag Emlyn o'r cab i'r lôn. Canodd Moi ei gorn ddwywaith ac i ffwrdd ag o hefo gweddill yr hogiau'n ôl i gyfeiriad Harlech.

Roedd Emlyn wedi cael ei ollwng ryw ganllath heibio i dafarn y byddai'n ei mynychu'n achlysurol. Ond nid awydd i wlychu'i big na chyfarfod ag unrhyw ffrind oedd yn gyfrifol am y cais i gael ei ollwng fan honno heno. Wrth yrru heibio i'r dafarn gwelsai foto-beic Des ar y buarth o flaen yr adeilad.

Roedd hi'n nosi'n gyflym erbyn hyn a naws oer ynddi gan ei bod hi'n tynnu at ddiwedd mis Hydref. Yn ffodus roedd yna leuad braf yn codi dros grib y mynydd, a phan fyddai'r cymylau'n caniatáu iddi roedd yn bwrw digon o olau fel y gallai weld ei ffordd yn eithaf da.

Doedd o ddim yn siŵr beth i'w wneud. Dim ond ers ryw bythefnos roedd wedi cael y chwiw 'ma yn ei ben i ddysgu gwers i Des. Doedd o ddim wedi cynllunio dim byd. Rhyw deimlad o ddyletswydd oedd y tu ôl i'r peth. Dyletswydd i weithredu. Gwneud iawn dros Mefina. Roedd ei sefyllfa wedi tanio rhywbeth ynddo, ac wedi cyffwrdd ag ymwybyddiaeth Emlyn o'r anghyfiawn a'r hyn nad oedd yn dderbyniol.

Hyd yn oed er bod yr atyniad emosiynol a rhywiol wedi pylu, gallai ddangos i Mefina nad oedd yn mynd i ddygymod ag unrhyw gamwedd yn ei herbyn. Ar ôl yr holl flynyddoedd o ymboeni yn ei chylch, yr holl egni emosiynol roedd wedi'i sbydu arni, doedd o ddim yn mynd i adael i ryw gythraul fatha Des wneud fel y mynnai â rhywun a fu gynt mor annwyl iddo.

Gwnaeth ei aduniad â hi ei ddrysu braidd. Yn ei chwmni ar y pryd, teimlai fel pe bai mewn breuddwyd ac yn hollol allan o'i gynefin. Roedd wedi disgwyl teimlo'r un fath amdani, i brofi'r un wefr ag a brofasai chwe blynedd yn ôl. Ond roedd hi wedi newid. Naci, naci – y fo oedd wedi newid. Tasa fo'n dal i fod yr un fath, siawns na fuasai'n dal i deimlo yr un ffordd amdani hi.

Be fyddai barn Gwyneth am hyn i gyd, tybed? Y ffaith ei fod yn ymweld â hen gariad. Fedrai o byth ddweud wrthi. Doedd o ddim yn gwybod sut i godi'r pwnc. Roedd y cwbl wedi'i gloi mor dynn y tu mewn iddo a doedd dim modd mynd ato. Wyddai Gwyneth ddim hyd yn oed am fodolaeth Mefina. Wnaeth Emlyn erioed sôn gair wrthi amdani – dim ond cyfeirio'n fras at ryw hogan erstalwm.

Nid ymgais i fod yn anffyddlon na thwyllo oedd taro heibio i Mefina'r diwrnod hwnnw – dim o'r fath beth. Roedd o jest eisiau gweld sut roedd hi, cyfleu'i gydymdeimlad yn sgil ei phrofedigaeth... a chael bod yn agos jest unwaith eto...

Safai'n awr yng ngolau'r lleuad yng nghanol maes parcio'r dafarn.

Be oedd y cam nesaf?

Pe bai gwn neu gyllell ganddo, gallai ruthro i mewn i'r dafarn a delio â'r diawl yn y man a'r lle. Neu gallai guddio yn y cysgodion fan hyn, yn barod i ymosod arno wrth iddo adael.

Chwiliodd yn ofer am arf addas. Yr hanner bricsan 'ma falla? Neu a fentrai roi cynnig ar ei lorio drwy ymosod arno'n ddi-arf ac yn ddirybudd, cic neu ddwy go hegar a'i heglu hi i'r nos?

Wedyn meddyliodd am y beic. Ymyrryd â'r brêcs. Damwain fach ar ôl peint neu ddau. Fyddai neb yn amau dim… Aeth ias drwyddo. Iesu, doedd o ddim eisiau lladd y diawl, nag oedd?

Yn ddirybudd, dyma ddrws y dafarn yn agor. Sleifiodd Emlyn yn ôl i'r cysgodion gan geisio rheoli sŵn ei anadlu a ruai yn ei gynnwrf fel pe bai newydd redeg bob cam o Drywеryn.

Cliriodd y cymylau gan oleuo'r buarth bach fel llwyfan.

Daeth Des o'r dafarn yng nghwmni dynes ddiarth. Roeddent ynghlwm yn ei gilydd yn swsio'n awchus wrth gerdded igam-ogam tuag at y beic. Roedd y ddynes yn simsan iawn ar ei thraed ac yn piffian chwerthin bob cam hyd yn oed wrth gusanu. Wrth gyrraedd y beic, eisteddodd Des am yn ôl ar y sedd er mwyn codi'r ddynes yn rhwydd i stradlo ei arffed, ei ddwylo mawr yn gafael yn dynn ym mochau ei phen-ôl. Tawelodd y chwerthin am sbel.

Myn dian i! Ar ben y cwbl, mae'n anffyddlon hefyd! Dim syndod hwyrach. Ond beth ddylai o ei wneud rŵan? Ymosod ar y ddau?

Yn sydyn, sylweddolodd nad oedd y ddynes yn hollol ddiarth iddo. Roedd o'n ei chofio hi yn yr ysgol. Tipyn yn hŷn nag o a thipyn o hanes yn perthyn iddi hyd yn oed yr adeg honno. Ar yr un pryd daeth yn ymwybodol mewn gwirionedd fod yr holl sioe'n amherthnasol iddo bellach. Sylweddolodd fod ei deimladau dialgar wedi hen ddiflannu.

"Duw annwyl dad! Rhaid i mi 'nadlu, ddynas!" meddai Des o'r diwedd.

Ystyriodd hi ei gais.

"Ma hi lot yn fwy cyfforddus acw, cofia," crwniai mewn llais cryglyd.

Ystyriodd Des.

"Ac mae o i ffwrdd, medde chdi?"

"I ffwrdd yng Nghaer hefo'r hogia... tan fory." Llyfodd flaen ei drwyn.

"Wel, dwi ddim i fod yn ôl yn y gwaith tan chwech bore fory."

"Handi iawn," meddai hi gan ailafael yn y snogio.

Torrodd Des yn rhydd o'r cofleidio.

"Gora yn byd po gyntaf y gnawn ni gychwyn arni felly," meddai.

Fe'i cododd oddi ar ei afl a setlo'i hun i yrru'r beic. Eisteddodd y ddynes y tu cefn iddo gan daflu'i breichiau'n frwd amdano. Holltwyd y tawelwch gan daniad yr injan. Dyma nhw'n croesi'r buarth, ac i ffwrdd â nhw ar wib gan anelu am gartref a gwely'r ddynes.

Am yr eildro y diwrnod hwnnw, gwrandawodd Emlyn wrth i sŵn y beic gael ei lyncu gan y tywyllwch. Daeth allan o'i guddfan o dan y coed gan edrych o'i gwmpas mewn penbleth. Cerddodd draw'n araf at y man lle y bu'r beic a'r ddau garwr yn sefyll. Ystyriodd am ennyd. Rhedodd flaen ei droed trwy'r gro gan gicio cawod ohono i bob cyfeiriad.

"Wel 'na fo," meddai'n dawel derfynol.

Doedd dim byd amdani ond ei throi hi a chychwyn ar y daith yn ôl i Ryd-yr-eirin.

Cerddodd ar hyd y briffordd am ryw filltir i gyfeiriad Harlech. Erbyn troi wrth waelod lôn y mynydd roedd y cymylau wedi clirio'n gyfan gwbl a golau'r lleuad yn golchi i bob twll a chongl ar hyd y ffordd. Gallai deimlo bod rhyw gliriad tebyg yn digwydd yn ei feddwl yntau hefyd wrth iddo ddechrau sylweddoli nad oedd hanes Mefina a Des a'r ddynes feddw ar gefn y beic ddim yn fusnes iddo fo bellach. Byddai ymyrryd yn peryglu rhywbeth llawer iawn mwy gwerthfawr, yn peryglu'i obeithion o fod yn hapus yn y byd.

Wrth nesáu at y groesffordd i Ryd-yr-eirin, tybiai fod golau'r lleuad yn dechrau pylu rywfaint a'r cymylau'n dechrau cronni drachefn. Arafodd ei gam wrth i hen amheuon ddechrau twrio i'w isymwybod o'r newydd. Ond, na, doedd dim ellyllon yn disgwyl amdano yn y clawdd na chi du'n glafoerio ar ei sodlau y tro hwn. Yr ochr draw i'r groesffordd ac wrth rowndio'r clogwyn mawr agorodd y rhostir o'i flaen fel carthen sidan dan olau'r lloer a gallai weld amlinelliad y tŷ yn erbyn y gorwel.

Fory mi soniai wrth Gwyneth am Mefina.

— XXIX —

DRANNOETH Y DIGWYDDIADAU hyn, safai Gwyn Williams ar ben argae Llyn Celyn yn gwrthdystio'n erbyn seremoni agoriadol y gronfa. Roedd wedi teithio o Aberystwyth ben bore gyda chriw o genedlaetholwyr hen ac ifanc gan gyrraedd y safle erbyn yr amser penodedig, hanner awr wedi deg.

Yn gymysg â'r cyffro a deimlai wrth gychwyn ar y daith y bore hwnnw, roedd hefyd yn ymwybodol o ryw anghysur oer yn ei fol wrth sylweddoli mai hollol seithug a symbolaidd yn unig fyddai eu protest heddiw. Roedd y frwydr i achub Tryweryn wedi'i cholli flynyddoedd maith yn ôl. Ddeng mlynedd ers y cyhoeddiad cyntaf, roedd cymuned Capel Celyn wedi diflannu am byth. Cerrig y cartrefi cadarn bellach wedi'u chwalu a'u hymgorffori yn yr argae a gronnai ddyfroedd y llyn newydd.

Edrychai Gwyn o'i gwmpas ar ei gyd-deithwyr ar y bws. Yr un hen wynebau. Yr un wynebau a welai ym mhob gwrthdystiad ledled Cymru. Lle'r oedd y lleill i gyd? Soniai'r llythyrau yn y papurau ac areithiau'r arweinyddion cenedlaethol am gynddaredd y genedl gyfan. Siawns fod yna fwy na hyn i'w cael?

Wedi cyrraedd safle Tryweryn fe'i calonogwyd rywfaint wrth weld bod nifer sylweddol wedi ymgynnull ar ben yr argae – dau, tri chant gyda rhagor yn dal i gyrraedd. Gwelodd Gwyn wynebau nad oedd wedi sylwi arnynt mewn protestiadau cyn hynny ac wrth i'r dorf chwyddo'n raddol, chwyddo hefyd a wnâi'i hyder. Wrth i'r dyrfa sefyll ar y gofadail enbyd hon i anallu pobl Cymru i reoli'u tynged eu hun, cynyddu hefyd a wnâi'r anniddigrwydd a'r rhwystredigaeth nes bod y cwbl yn ferw.

Roedd digon o blismyn o gwmpas a'r rheiny mewn hwyliau

digon cymodlon. Gellid darllen yn rhwydd ar wynebau ambell un eu cyfyng-gyngor a'u hanesmwythyd o orfod gwarchod rhywbeth a oedd mor atgas gan gynifer o'r gymuned lle y cawsant eu magu. Siawns nad oedd rhai ohonynt yn perthyn i'r teuluoedd a ddadwreiddiwyd a gwyddent yn iawn am y boen meddwl a achoswyd gan yr holl drychineb.

"Pwy 'di'r clowns yma?" clywodd Gwyn lais un plismon yn holi y tu cefn iddo.

Trodd i weld tri dyn mewn rhyw fath o lifrai a chapiau pig gwyrdd fatha Fidel Castro â bathodyn heglog anghyfarwydd arnynt. Roedd Gwyn yn amau iddo weld o leiaf un o'r dynion mewn tafarn yn Aberystwyth ychydig yn ôl, ond cyn iddo fedru edrych yn agosach, dyma'r gri'n codi:

"Ma nhw'n dŵad! Ma'r ceir yn dŵad!"

Ac yn syth, cododd bloeddio byddarol o bobtu a chafodd Gwyn ei hun yng nghanol y sgarmes i rwystro'r ceir a oedd yn cludo gwahoddedigion Corfforaeth Lerpwl i'r seremoni – seremoni y bu amryw'n crefu arnynt i beidio â'i chynnal; ond seremoni, serch hynny, a roddai un cyfle olaf i elynion y cynllun ddangos cryfder eu teimladau a dwyster eu dirmyg.

Ar ôl yr ymrafael blêr o gwmpas y ceir wrth y fynedfa uchaf i'r safle, llwyddodd yr heddlu i'w dargyfeirio i lawr at yr hen lôn ac i'r fynedfa isaf. I lawr y llethr yr aeth y dorf dan floeddio a bytheirio a hw-hwian nerth esgyrn eu pennau, yr adrenalin yn llifo a'u gwrychyn wedi'i godi i'r eithaf. Roedd sŵn eu cynddaredd yn diasbedain a'r gwahoddedigion yn crynu yn eu seddau.

O flaen y llwyfan, lle y ceisiai tri gŵr pryderus eu golwg, un ohonynt yn gwisgo cadwyn swydd Maer y Gorfforaeth, gynnig rhyw fath o anerchiad, daliai'r dorf i ruo. Torrwyd gwifren y trydan i'r meicroffon, dymchwelwyd rhan o un o'r pebyll. Gwelodd Gwyn ddynes ganol oed â sgarff am ei phen yn plygu i godi carreg fechan gan ei lluchio â'i holl nerth tuag at y llwyfan.

Ar unwaith, aeth egwyddorion y dulliau di-drais yn angof ym meddwl Gwyn a phlygodd yntau i efelychu gorchest y ddynes gyda charreg dipyn mwy o faint. Yn syth, fe'i llusgwyd yn ôl gerfydd ei gôt fel doli glwt a'i luchio o ochr i ochr gan bâr o ddwylo enfawr. Ffrwydrodd taran yn ei ben wrth iddo dderbyn andros o fonclust a syfrdanodd ei holl gorff:

"Gwllwng hi, washi! Rŵan hyn."

Cwympodd y garreg o'i law.

"Tria di hyn'na eto a fydd dy din di ddim yn twtsiad â'r llawr nes cyrraedd y jêl. Ti'n dallt?"

"Yndw," meddai Gwyn yn reddfol a llond ei ben o oleuadau yn fflachio, sêr yn chwyrlïo a chlychau'n canu. Cafodd ei siglo unwaith eto nes bod ei ddannedd fel pe baent yn rhuglo yn ei ben cyn cael ei ollwng mor ddiseremoni â'r garreg i'r llaid. Symudodd y plismon cawraidd yn ei flaen ac er i Gwyn gael ei demtio i ailgodi'r garreg a'i phledio at yr hen labwst, roedd y swyddog eisoes yn ei chanol hi rywle arall ac ni allai fod yn siŵr o'i darged.

Tair munud, os hynny, y parodd seremoni agor Tryweryn. Ni chlywyd yr un gair o'r anerchiadau ac ymledodd rhyw deimlad hunanfodlon trwy'r dorf fod eu gwrthdystiad wedi llwyddo – i'r graddau y gellid sôn am lwyddiant gyda chwm cyfan dan ddŵr yr ochr draw i'r mur mawr a dyfroedd y llyn eisoes yn taranu drwy'r fflodiart i gyfeiriad Glannau Merswy.

Rywsut neu'i gilydd, collasai Gwyn gysylltiad â'i gyd-brotestwyr o Aber ar ddiwedd y dydd ac erbyn hyn roedd hi'n edrych yn bur debyg eu bod wedi gadael hebddo. Heb fod yn rhy siŵr beth i'w wneud, crwydrodd yn ôl i ben yr argae ac edrych unwaith yn rhagor ar y llyn. Roedd ochr ei ben yn dal i frifo ar ôl y gelpan gafodd o gan y plismon. Ocê, doedd y slob ddim wedi'i arestio. Chwarae teg iddo. Ond, yn sgil bonclust o'r fath, teimlai'n fwy fel bachgen bach wedi'i ddal yn dwyn falau o ardd y gweinidog nag o chwyldroadwr. Byddai cael ei arestio'n llawer yn llai nawddoglyd rywsut.

Roedd y posteri a'r placardiau a daflwyd o'r neilltu wrth i'r gwrthdystwyr garlamu i lawr y llethr yn dal i orwedd yma a thraw ar y ddaear. Olion maes y gad a'r milwyr yn magu'u clwyfau, meddyliodd, gan fyseddu o gwmpas ei glust yn dringar. Ond chwarae plant oedd hyn i gyd yn y bôn. Roedd chwyldro'n gofyn am fwy na darnau o gardbord a bach o gur pen.

"Diwrnod da o waith, gyfaill."

Doedd Gwyn ddim wedi clywed y dyn mawr yn dynesu. Roedd yr ergyd i'w glust wedi'i adael braidd yn fyddar.

"Do," meddai Gwyn. "Ond i be?" ychwanegodd gan amneidio tua'r llyn.

"I ddangos nad yw pawb yn gachgwn yn y Gymru sydd ohoni."

"Dim jest mater o fod yn gachgïaidd ydi o, naci? Ma holl seicoleg gormes yn dŵad i mewn i'r peth, tydi? Ma saith canrif dan fawd yn ca'l effaith."

"Cachgwn 'ŷn nhw. Welest ti nhw? Yr holl Gymry parchus 'na ar 'u ffordd i loddesta yng nghwmni'r bobol sy wedi achosi'r fath drasiedi. Pob un wedi mynd yn ddwl achos rhyw addewidion gwag a neb yn meiddio pechu'r Sais."

"Wel, lle ma pawb ddaeth yma heddiw wedi bod tan rŵan 'ta? Ma deng mlynadd ers cychwyn y busnes 'ma. Pam na fasa'r cannoedd oedd yma heddiw wedi dangos eu hwyneba yn ôl yn y pum dega?"

"'Mond plant wedd lot o' nhw ddeng mlynedd yn ôl."

"Eitha gwir," meddai Gwyn. "Hwyrach fydd ein cenhedlaeth

ni ddim ’run fath. Ma hyn’na i weld hefo Cymdeithas yr Iaith.”

“’Hware plant ma’r rheiny ’fyd, os ti’n gofyn i fi. Gêm fach i stiwdants ac athrawon. Meibion a merched y mans yn showan off.”

“Dydi mynd o flaen llys ddim yn hwyl nac yn ‘’hware plant’ i chi ga’l dallt,” meddai Gwyn yn flin. Roedd yn dechrau laru ar gwmni’r hwntw mawr ’ma a’i fan geni fflamgoch. “Pwy ydach chi beth bynnag?”

“Twm – er nad dyna yw ’yn enw cywir i ’fyd.”

“O, reit. Wel, esgusodwch fi… Twm. Dwi’n gor’od ffeindio ffordd i fynd yn ôl i Aberystwyth gan ’mod i wedi colli’r blydi bŷs.”

Cychwynnodd Gwyn ar ei ffordd i lawr o’r argae.

“’Sa funud,” gwaeddodd Twm.

Yn anfoddog, stopiodd Gwyn a throi i’w wynebu unwaith eto.

“Dim ond profi’r dŵr ro’n i, i ga’l gweld dy dwym a dy o’r di.”

“Grêt! Wel, os dach chi eisio bath, triwch y llyn. Dwi’n mynd adra.”

“Weles i ti’n mynd i dowlu’r garreg ’na gynne fach… a cha’l dy bwno am neud.”

“Wel, do,” meddai Gwyn yn wylaidd gan fwytho’i glust o’r newydd er mwyn ceisio adfer ei glyw’n iawn.

“Wedd hynny ddim yn ’hware plant, na wedd?”

“Wel, mi oedd mewn ffordd.”

“Na, na, pan ma dyn yn goffod wmladd yn erbyn rhywbeth fel hyn,” meddai Twm gan gyfeirio at yr argae a’r gronfa, “ma ise bach mwy na geire’n unig. So ti’n un o’r cachgwn yn bendant. Weden i mai un o’r arwyr wyt ti.”

Ystyriodd Gwyn.

"Dwn i'm am arwr ond ma angen y trŵps yn gynta cyn i ni fedru gwrthsefyll pethe fel hyn."

"Wês. A fi yw'r ricriwtin sarjiant, t'wel."

Edrychodd Gwyn arno fo'n amheus.

"Dach chi o ddifri? Dach chi ddim yn slob slei, na dach?"

Chwarddodd Twm.

"Na. Sa i'n credu. Wyt ti'n moyn lifft 'nôl i Aber? Rwy'n mynd ffor 'na 'yn hunan."

— XXX —

1980

Tiocfaidh ár lá! Daw ein dydd.

Tybed? meddyliodd Des wrth edrych o ben yr argae dros y dŵr llonydd. Yng ngolau machlud mis Rhagfyr gorweddai'r llyn fel pe bai yno erioed, yn em tywyll a dirgel yng nghanol oerni'r mynyddoedd.

Anodd credu bod pymtheng mlynedd er pan welodd Des O'Farrell Lyn Celyn ddiwethaf. Ers y noson cyn agor yr argae – noson y ddamwain.

Camodd o'r car a cherdded yn araf ar bwys ei ffon tuag at yr argae. Daliai Des i hercian ryw fymryn ar ôl y ddamwain. Dim cymaint ag a wnâi ar y dechrau, mae'n wir, ond gwyddai y byddai'r anaf yn ei nadu rhag gweithio am weddill ei oes, ac na fyddai ei ffêr byth yr un fath gan ei atal rhag gwneud llawer o'r hyn a fwynhâi.

Go damia'r eneth wirion 'na a eisteddai ar gefn y beic y tu ôl iddo'r noson honno. Be haru hi? Yn rhoi'i llaw dros ei lygaid fel jôc. Daliai i glywed sŵn ei chwerthin meddw.

"Bihafia, hogan. Paid â bod mor wirion!"

Ond doedd dim byd yn tycio. Dylsai fod wedi stopio'n syth ond yn ei fŷll cododd ei law chwith oddi ar lyw'r beic er mwyn gwthio'i llaw hi i ffwrdd a dyna'r peth olaf y gallai ei gofio nes iddo ddeffro yn yr ysbyty. Yn anffodus, ni fu ei gymar ar gefn y beic mor lwcus. Torrwyd ei gwddf a bu farw yn y man a'r lle.

Bu'r deunaw mis wedyn yn uffern ar y ddaear iddo, yn gaeth i'w wely yn Ysbyty Gobowen, hefo bron cymaint o esgyrn wedi'u malu ag oedd yn gyfan yn ei gorff.

Ar ben hynny, gwrthodai Mefina ymweld ag ef na dod â Deri i'w weld chwaith, wedi iddi rywsut gael achlust o natur ei berthynas â Dawn Parry, yr hogan druan a gawsai ei lladd.

Daeth Mefina i'w weld ar ôl iddo ddod ato'i hun, ryw ddeng niwrnod ar ôl y ddamwain – roedd eisoes wedi bod yno ddydd a nos sawl gwaith yn ystod y cyfnod cyn iddo ddychwelyd i dir y byw o'i goma. Pan welodd ei wraig wrth ochr ei wely y tro hwnnw, cododd ei ysbryd.

"Helô, Mefs," meddai'n sigledig. "Ma'n braf dy weld ti," ychwanegodd yn wantan. "Roedd yr hen dwnnel 'na'n dywyll iawn, 'sti."

Safai Mefina fel y safasai wrth ochr gwely amryw mewn cyflwr tebyg yn y gorffennol, heb erioed ddychmygu y byddai'n gwylio'i gŵr ei hun mewn sefyllfa o'r fath.

"Sut ma Deri?" holodd Des.

"Tshiampion," meddai Mefina gan gydio yn ei law. "Do'n i ddim eisio dŵad ag o heddiw. Dim eisio iddo weld ei dad fel hyn."

Roedd Des eisoes wedi mynd yn ôl i gysgu.

Galwodd Mefina unwaith eto yr wythnos ganlynol. Roedd Des yn fwy o gwmpas ei bethau a mentrodd Mefina sôn am farwolaeth ei gyd-deithiwr.

"Glywist ti am Dawn Parry?"

"Do." Llyncodd Des yn galed. "Ofnadwy. Blydi ofnadwy."

"Sut ddigwyddodd y peth, Des? Pam 'i bod hi hefo chdi o gwbwl?"

"O, mi oedd y peth bach gwirion wedi'i dal hi'n rhacs a finna'n rhoi pàs adra iddi hi a dyma'r hulpan hurt yn meddwl y basa'n jôc rhoi ei llaw dros 'yn llygada i ar dro yn y lôn."

"O, taw erioed!"

"Do, myn dian i."

"O, Des. Fedsai hi fod wedi lladd y ddau ohonoch chi, nid jest hi'i hun."

"Yn union," meddai Des.

"Dwn i'm be 'sw'n i'n neud hebddoch chdi," meddai Mefina dan deimlad. Yn sydyn roedd cecru a chweryla'r misoedd blaenorol, a'r slaes filain ar ôl iddi ddeifio'i grys, bellach yn angof. Roedd meddwl y gallai ei golli yn bwys oer ar ei stumog. Rhaid iddo ddod drwyddi, waeth pa olwg fyddai arno, na pha mor ddrylliedig fyddai'i gorff. Rhaid i Deri gael tad. Gofalai hi amdano... doed a ddelo. Yn sydyn, roedd o mor bwysig iddi.

Fe'i swsiodd yn dyner ac yn daer wrth ffarwelio ag ef.

"Tan y tro nesa," meddai gan wasgu'i law. A bu bron iddi ddweud ei bod yn ei garu ond am ryw reswm ddeuai'r geiriau ddim.

Dychwelai bob wythnos am gyfnod a dod â Deri hefo hi o'r diwedd pan wyddai fod Des yn ddigon cryf ac yn fwy o gwmpas ei bethau. Ond roedd Deri braidd yn gwla y diwrnod hwnnw ac yn rhy swil ac anghysurus i wneud rhyw lawer o sylw o'i dad. Ond roedd bod hefo'i gilydd fel teulu unwaith eto wedi llonni'i chalon.

Fodd bynnag, ychydig ddyddiau ar ôl ymweliad Deri â'i dad, dyma Mefina'n teithio i Gobowen unwaith yn rhagor – y tro hwn ganol yr wythnos.

"Mefs! Do'n i ddim yn dy ddisgwyl di tan ddydd Gwener," meddai Des dan wenu o glust i glust o'i gweld hi yno.

Dim ymateb a golwg fel taran ar ei hwyneb.

"Lle'r oeddach chdi'n mynd hefo Dawn Parry?" Bron na allai rhywun weld y fellten yn fflachio o'i chwmpas.

Clywai Des ei berfedd yn gwegian yn annifyr a'r chwys yn torri ar ei dalcen.

"Mynd â hi adra. Roedd hi wedi 'i dal hi'n rhacs. Ro'n i'n meddwl y basa'n saffach iddi hi ga'l lifft hefo fi na cherdded y lonydd cul 'na yn ei chyflwr hi. Do'n i ddim yn gwbod ei bod hi'n mynd i chwara rhyw gêm bach wirion fel 'na …"

"A be oedd dy gêm bach di, Des?" Daeth y cwestiwn yn ôl yn syth ato fel ergyd o wn.

"Be wyt ti'n 'i feddwl?"

"Ma honna'n ddiharab ffor 'cw. Dynion yn ciwio amdani ers iddi adael y Cownti Sgŵl – a chyn hynny, decini. Lle roeddach chdi'n mynd hefo hi?"

"Rhoi pàs adra iddi, siŵr Dduw. Wedi stopio am beintyn bach ro'n i – ac un yn unig ges i hefyd, cyn i ti ddechra. Wneith dynes y dafarn dystio i hyn'na. Roedd Dawn bron heb goes dani a heb unrhyw ffordd o fynd adra i'r fferm – ei gŵr i ffwrdd yng Nghaer," meddai Des mor ddiniwed ag y gallai.

"Ma hwnnw am dy waed di – a'i brawd."

Ochneidiodd Des.

"Ma hyn'na'n ddigon dealladwy, 'yn tydi? Ond hi oedd ar fai, wir yr. Mi wyt ti wedi bod hefo fi digon o weithia ar gefn y beic 'na i wbod bo fi'n 'i reidio fo'n gall."

"Dwi ddim yn ama be ddigwyddodd ar y beic. Eisio gwybod be arall wyt ti 'di bod yn 'i reidio ydw i."

"G'neud cymwynas â hi o'n i – dyna i gyd."

Ddywedodd Mefina yr un gair. O'u cwmpas symudai ymwelwyr eraill yn ôl ac ymlaen ar hyd y ward gan siarad yn dawel ac yn glên.

O'r diwedd meddai Mefina: "Ma'r sïon yn dew o gwmpas y lle bo chdi'n ei thrin hi ers misoedd."

Ochneidiodd Des. Misoedd? meddyliodd. Tair wythnos – os hynny.

"Sut ma Deri? Lle mae o?" meddai mewn ymgais dila i newid y pwnc.

Anwybyddodd Mefina ei gwestiwn gan ymestyn am ei

sigaréts. Gwelodd Des fod ei llaw'n crynu.

"Rhaid i mi ga'l 'i weld o," meddai Des gan ddechrau cynhyrfu. "Mae o'n fab i mi." Ceisiodd symud ac aeth poen fel gwäell eirias ar hyd ei gorff.

Llifai'r chwys o'r newydd ar ei dalcen a bu bron iddo sgrechian cymaint oedd y gwayw.

"Pam ddylat ti ga'l 'i weld o ar ôl bod ar gefn yr hwran bach 'na..." poerodd Mefina heb symud dim i'w gysuro.

"Paid â rhyfygu, ddynas. A'r peth bach heb fod yn oer yn ei bedd eto."

"Peth bach o ddiawl! Dyna'r lle gora iddi!" arthiodd Mefina gan ddychryn ei hun braidd wrth ymateb mor oeraidd.

Bu saib. Pan siaradodd Des roedd ei lais yn llawn emosiwn.

"'Nest ti dorri 'nghalon i, 'sti. Mi roeddat ti wedi mynd mor oer."

"Finna'n torri dy galon di! A lle oeddach di pan oedd dy angan di arna i?"

"Be wyt ti'n sôn, ddynas?" meddai Des gan gynhyrfu eto. "Ro'n i'n cadw to uwch 'ych penna, yn rhoi bwyd yn 'ych bolia chi. Ocê, ambell swllt ar y ceffyla rŵan ac yn y man. Amball noson hefo'r 'ogia. Ond piso dryw o beth oedd hyn'na."

"Ia, ond faint o help ges i gen ti pan oeddwn i'n gofalu am 'Nhad ac yn gor'od ca'l help hefo Deri? Allan ar yr êl fasat ti naw gwaith allan o bob deg."

"Mi oedd Gweneira gen ti."

"Ma 'i theulu'i hun gan Gweneira. Dydi hi ddim bob amsar yn gyfleus iddi hi. Ro'dd gen i gywilydd gor'od ei phlagio hi drwy'r adag a chditha byth adra."

"Wel, doedd 'na'm pwynt i mi fod yno, nag oedd?" Roedd bach mwy o fin ar lais Des erbyn hyn.

"Be ti'n feddwl?"

"Doeddach di ddim isio i mi fod ar dy gyfyl di. Bob amsar wedi blino, neu gur pen neu ryw esgus tila o'r fath."

"Des, ro'n i'n deud y gwir. Nid esgus oedd o. Mi ro'n i wedi blino'n dwll. Yn methu sefyll hefo blinder, weithia. Ro'n i ar ddyletswydd bedair awr ar hugain y dydd; yn gofalu am 'y nhad, yn gofalu am Deri, yn gofalu amdanat ti."

"Amdana i! Sut? Pa ofal ges i? Pa gysur ges i? Dim ond troi cefn a chwyrnu."

"O, mi wela i. Dyna ben draw gofalu amdanat ti, ia? Ca'l be ti isio lawr fan 'na, ia? Be am olchi dy ddillad, cwcio dy fwyd, gneud dy dun bwyd i'r gwaith, llnau ar ôl dy lanast di!"

"Ond dim byd arall..."

"Iesu, Des. Doeddat ti ddim yn haeddu dim byd arall. Tasat ti 'mond yn gallu gweld 'ny."

Gallai Mefina weld bod wyneb Des yn glymau i gyd ac yn goch fel fflamau. Siawns nad oedd y ffrae yma yn gwneud fawr o les i'w gyflwr, ond doedd ganddi fawr o otsh.

"Ti'n blydi lwcus fedra i ddim symud, ddynas, ne mi gaet ti gweir i'w chofio. Y slebog hyll. Sbia'r olwg sy arnat ti'r dyddia 'ma. Ma gen i gwilydd ca'l 'y ngweld yn dy gwmni di. Gwallt blêr – ti fatha sachaid o datws â thwll ynddi."

Er ei fod yn gaeth o ran ei allu i symud, eto i gyd roedd Des yn tanio'n wyllt i bob cyfeiriad.

Erbyn hyn roedd y ddau'n gynddeiriog a phe baent gartref a Des yn holliach, byddai'r llestri'n dechrau hedfan. Gallai Mefina synhwyro bod pennau'n dechrau troi tuag atynt ar y ward o'u cwmpas. Cipiodd y sister draw o'i chwt i'w cyfeiriad a golwg stowt ar ei hwyneb.

"Fydd dim angan i ti ga'l dy weld yn fy nghwmni i byth eto, na fydd?" Ac allan â hi yn llawn dicter gan adael rhyw dawelwch ffrwydrol ar ei hôl ar y ward.

— XXXI —

TYNNODD MEFINA Y sigarét olaf o'r pecyn wrth i'r trên gyrraedd Llandanwg. Roedd hi wedi smygu'r naill yn nhin y llall yr holl ffordd ers gadael gorsaf fach Gobowen tua chanol y prynhawn.

Erbyn hyn roedd hi wedi tywyllu. Hen aeafnos gas oedd hi hefyd. Buasai'r eira'n drwch ar fryniau Maldwyn a'r awyr yn drymlwythog gydag arwyddion bod rhagor o eira ar ddod. Ond prin iddi sylwi ar ddim byd y tu mewn na'r tu allan i'r trên. Ei sefyllfa hi a Des oedd yn llenwi'i meddwl. Yr holl boitsh yn ymweu'n ddi-baid fel nyth nadroedd yn ei phen.

Wrth danio'r sigarét, gwelodd fod ei dwylo'n dal i grynu. Edrychai ar staeniau'r nicotîn ar ei bysedd, yr ewinedd wedi'u cnoi i'r byw a'i chroen cennog anghynnes. Sgubodd ton o hunandosturi drosti. Teimlai fel pe bai bywyd wedi'i sgrwtsio'n belen fach dynn a'i lluchio o'r neilltu. Gwyddai fod ei gwallt yn domen flêr, ei dillad yn ddi-raen, ei sanau'n dyllog a blinder yn amlwg i'w weld yn holl deithi'i hwyneb. Diffyg arian; diffyg mynadd; diffyg hunan-barch – doedd dim diwedd i restr ei diffygion, meddyliodd, gan guddio'i llygaid â'i dwylo mewn anobaith.

Roedd y trên yn stopio eto.

Harlech. Griddfanodd. Lle ddiawl y câi'r egni i godi o'i sedd a dringo'r ffordd serth heibio i'r castell yn ôl i'w chartref?

Rywsut camodd i'r platfform.

"Cŵŵ-iii! Dacw Mam!" Holltwyd y düwch rhynllyd gan floedd bwerus Gweneira.

"Mam! Mam!" Daeth trydar ei chyw bach gwyn i'w chlustiau

a llonnodd drwyddi o'r newydd, diflastod y daith wedi cilio dros dro o glywed y lleisiau cyfarwydd. Cododd Mefina ei mab bach i'w breichiau.

"Nathon ni benderfynu dŵad i gyfwr â mam fa'ma, 'yn do, Deri? Yn lle dŵad i'r tŷ. Ma'n wirion bo chdi'n gor'od dringo'r hen allt 'na ar y fath noson."

"O, diolch yn fawr i ti, Gwen. Doedd gen i ddim mynadd taclo'r hen riw 'na ar ôl heddiw."

"Sut a'th hi?" gofynnodd Gweneira gan ostegu'i llais ryw fymryn.

"Gei di'r hanas wedyn," meddai Mefina wrth ymladd i ddal ei gafael yn Deri a oedd eisoes yn strancio i gael ei ollwng. Unwaith i'r traed bach gyrraedd y platfform, roedd o'n anelu ar wib at y trên.

"Paid â mynd ffor 'na, 'nghariad i," meddai Gweneira gan gydio yn ei fraich. Daeth y dagrau'n syth a bu sŵn ubain a sgegian yn atseinio trwy'r lle. Caeodd Mefina ei llygaid – dyma'r gwirionedd wrth fagu plant, nid y croeso bach siwgr aur.

"Ma'n beryg bywyd i hogyn bach," ceisiodd Gweneira resymu. "Be sa Mam yn 'neud tasat ti'n syrthio o dan y trên?"

"Dad ar y trên," igianodd yr un bach.

Edrychodd y ddwy ar ei gilydd yn ansicr.

"Dydi Dad ddim ar y trên, pwt. Ma Dad yn yr ysbyty'n mendio, ar ôl iddo fo syrthio oddi ar ei feic. Ma'r trên yma'n mynd i Bwllheli ŵan."

"Dwi isio mynd ar y trên i weld Dad," mynnodd Deri gan dynnu fel merlyn bach ar fraich Gweneira.

Am ennyd simsanodd Mefina ar y dibyn. Sut oedd hyn yn digwydd iddyn nhw? Teimlai ddagrau yn ei llygaid a rhyw ricyn yn ei llwnc. Bysa'r chwalfa wrth 'madael â Des yn troi byd y bychan ar ei ben. Fedsa hi ddim gadael i hyn'na ddigwydd, siawns.

Tynnodd Deri'n rhydd o afael Gweneira a'i hyrddio'i hun tuag at ei fam.

"Isio gweld Dad."

Roedd fel ffoadur bach ar faes brwydr oedolion. Ond pa ddewis oedd ganddi hi? Faint elwach fasa Deri pe bai'i rieni'n aros hefo'i gilydd? Faint elwach fasa hi? Dim tamaid. Heb drŷ st, heb fedru dibynnu ar ei gŵr, pa ddiben oedd smalio bod popeth yn iawn? Faint hapusach fasa bywyd Deri ar aelwyd fel 'na?

"Gei di weld dy dad rywbryd arall. Awn ni adra hefo Anti Gwenni ŵan." Fe'i cododd i'w breichiau unwaith eto gan anwybyddu'r holl wingo ac wylo.

Taniodd Gweneira sigarét a chynnig un i'w chyfnither.

"Dim diolch," meddai'n bendant gan ddechrau brasgamu i gyfeiriad y maes parcio.

— XXXII —

DOEDD Y MISOEDD nesaf ddim yn rhai hawdd i Mefina na Des.

Ar ôl i Des gael gadael yr ysbyty yn y diwedd, roedd holl straen y cwest i'w wynebu.

Yn fuan iawn, fodd bynnag, daeth yn amlwg i'r crwner a phawb arall fod Des yn dweud y gwir, o leiaf o ran faint roedd o wedi'i yfed a chyflwr meddwol Dawn Parry.

Gofynnwyd i Mefina dystio o blaid ei allu a'i ofal arferol ar gefn y beic. I ddechrau doedd ganddi fawr o ddiddordeb mewn achub ei gam; gad i'r diawl ddioddef, meddyliodd. Ond rywsut roedd mynd yn eiriol drosto yn gymorth iddi ymryddhau rhag y teimlad o fethiant a'i llethai ar ôl darganfod am ei anffyddlondeb. Gallai hi esgyn i'r tir uchel gan ddangos i'r byd ei bod yn well dynes na'r godinebwr bach o faw a fu'n ŵr iddi.

Y noson y daeth y cwest i ben a Mefina ar ei ffordd yn ôl o'r llys darganfu rywun yn loetran ar y ffordd y tu allan i'w thŷ – Emlyn! Doedd hi ddim wedi sylwi arno wrth gerdded ar hyd y lôn nac wrth droi at y llwybr bach yn arwain at ei drws ffrynt, ond wrth droi i gau'r drws ar ôl mynd i mewn cafodd gip arno o dan un o'r goleuadau oren newydd ar y stryd, fel pe bai'n sleifio rhwng y cysgodion. Collodd Mefina ei limpin yn y man gan weiddi'n wyllt i'r tywyllwch:

"Emlyn! Be uffar wyt ti'n da fan'na? Dos 'nôl at dy ffansi woman ar ben y mynydd, y lembo di-glem, a gad lonydd i mi. Paid â dŵad i s'nwyro ffor 'ma eto neu dyn â'th helpo os ca i afael ynoch di, y snichyn slei."

Er mawr braw iddi doedd ei geiriau ddim fel pe baent wedi

tycio a dyma Emlyn yn croesi draw gan sefyll yn y lôn o flaen y tŷ a siarad yn eithaf tawel.

"Jest eisio gofyn sut a'th hi heddiw?" meddai gan swnio'n hynod ddiffuant.

O, damia! Pam ei fod o mor glên y dyddia 'ma?

"Marwolaeth drwy anffawd," meddai'n bwdlyd.

"Wyt ti'n siomedig?"

Cododd Mefina ei sgwyddau. "Digon teg, am wn i."

"Doedd Des ddim yn deg iawn hefo chdi, nag oedd?"

Cipiodd Mefina olwg ar y tai bob ochr. Doedd hi ddim eisiau dal pen rheswm allan fan hyn, a'r cymdogion eisoes wedi'u gorgyffroi yn sgil yr holl sgandal roedd hi wedi'i dwyn ar eu pennau.

Oedd hi'n mynd i'w hysio fo i ffwrdd a chael ychydig bach o lonydd? A deud y gwir roedd hi 'di cael bach gormod o lonydd y dyddiau yma, gyda phobl naill ai'n rhy embarasd a swil i siarad â hi neu rywsut yn cyfrif ei bod hi'n atebol am farwolaeth Dawn a'r holl helbulon a ddaethai yn ei sgil.

Cyn iddi sylweddoli beth roedd hi'n ei wneud bron, dyma hi'n arwyddo ar Emlyn i ddod oddi ar y ffordd ac i mewn i'r tŷ.

Ond ar ôl iddo groesi'r rhiniog, gwnaeth Mefina'n siŵr nad âi'r un cam ymhellach na'r cyntedd bach cyfyng. Doedd hi ddim eisio i Emlyn gamddehongli pethau mewn unrhyw ffordd.

"Roedd yn wir ddrwg gen i..." dechreuodd Emlyn.

"Diolch," meddai Mefina gan gadw'i phen yn isel a'i llygaid ar y blwch llythyrau wrth waelod y drws.

"Ro'n i'n gwbod... bod 'na rwbath rhyngddo fo a'r hogan 'na."

"Byd a'i fam yn gwbod, ma'n debyg," meddai Mefina'n swta.

"Fi oedd yr unig un doedd ddim yn amau dim."

Bu tawelwch. Ystyriodd Emlyn a ddylai sôn am ei fwriadau treisiol y noson cyn seremoni agor Tryweryn. Rhy hwyr rŵan, meddyliodd. Dw inna wedi symud ymlaen, 'yn do? Edrychodd ar Mefina. Na, doedd y wefr ddim yno mwyach, ond yn ei lle roedd 'na rywbeth arall – rhyw ymlyniad na fyddai amser na dim arall yn gallu'i ddisodli.

"Be wnei di rŵan?"

"Sgariad. Ca'l jòb. Magu Deri."

Amneidiodd Emlyn. Daliai Mefina i sefyll â'i llaw ar glicied y drws a'i threm wedi'i hoelio yn yr un man o hyd.

"Wneith o aros yn y cylch, tybad?"

Cododd Mefina ei hysgwyddau eto.

"Bydd brawd a gŵr Dawn yn 'i ladd o os gwneith o. Yn sicr, dydyn nhw ddim yn hapus hefo dyfarniad y cwest. Na, yn ôl i Iwerddon eith Des O'Farrell, beryg. Neu Lerpwl, ella. Fydd o ddim yn gallu gweithio am sbel, os o gwbl. Ma'r goes 'na'n bygyrd am byth. Sdim otsh gen i lle'r eith o. Jest 'i fod o'n mynd yn ddigon pell o fa'ma."

Roedd hi'n benderfynol o beidio â chrio. Doedd hi ddim eisio i hwn gymryd mantais. Neu falla ei bod hi'n ofni sut y byddai hi'n ymateb i unrhyw fwythau neu eiriau caredig...

Er ei gwaethaf, cododd ei phen a chyfarfu eu llygaid a dyma Emlyn yn gwenu. Gwên annwyl – roedd Mefina heb ei weld yn gwenu fel 'na ers haf '59. Gwenodd hithau'n ôl arno.

"Rhaid imi 'i throi hi," meddai Emlyn gan amneidio tua'r drws.

"O, iawn... iawn," meddai Mefina gan droi'r glicied i'w agor.

Gadawodd Emlyn y tŷ gan oedi am ennyd cyn camu i'r lôn.

"Wel, os eith hi'n sgrech arnat ti, ti'n gwbod lle ydan ni – fi a’r ffansi woman, ’lly.”

Chwarddodd y ddau’n nerfus, ac yn sydyn teimlai Mefina fod y planedau wedi ailgychwyn ar eu rhod a’r clip ar haul eu cyfeillgarwch gynt wedi cilio unwaith ac am byth.

Ac wedyn roedd y nos wedi’i lyncu a Mefina’n wynebu unigrwydd y tŷ drachefn, ond roedd pethau wedi symud a’r dŵr eisoes yn dechrau llifo o’r newydd o dan y bont.

— XXXIII —

DIGON BREGUS OEDD y rhagolygon yn chwe sir Gogledd Iwerddon erbyn i Des ddychwelyd i Derry ym 1966.

Wrth ethol Terence O'Neill, Protestant â'i fryd ar ddileu sectyddiaeth, yn Brif Weinidog yn Stormont dair blynedd ynghynt, siom aruthrol i boblogaeth Gatholig leiafrifol y dalaith oedd cyn lleied a gyflawnwyd ganddo yn ystod ei gyfnod wrth y llyw. Ni lwyddodd i godi statws israddol y Catholigion nac unioni'r anghyfiawnder a wynebent o ran sicrhau tai a chael gwaith nac ennill iddynt chwaith well cynrychiolaeth wleidyddol.

"Dydi hanner y blydi dorth ddim yn ddigon," hefrai tad Des dros ei beint. "Dyn gwellt ydi O'Neill a rhyngddo fo a Paisley byddwn ni'n cael ein difa o'r tir 'ma, watsia di."

Doedd gan Des fawr o ddiddordeb yn y testun. Nid diwygiadau gwleidyddol fyddai o gymorth iddo fo sicrhau gwaith, beth bynnag.

Ond roedd y digwyddiadau a arweiniai at ryfel yn y chwe sir eisoes ar gerdded. Roedd mudiad protest newydd a nerthol wedi codi a'r Wladwriaeth Oren yn cael ei herio'n agored.

Roedd y Catholigion yn ennill hyder, a'r Protestaniaid yn teimlo dan fygythiad. Symudai pethau'n gyflym ac yn anochel, a phawb yn cael eu sugno i'r trobwll.

A dyma fi heddiw, meddyliodd Des bron bymtheng mlynedd yn ddiweddarach ac yntau'n camu'n araf yn ôl ac ymlaen ar hyd argae Llyn Celyn, ei goes yn gwingo yn yr oerfel. Dyma fi'n wirfoddolwr anfoddog yn y rhyfel hir, wedi ymdynghedu i ymladd nes bydd Iwerddon yn unedig ac yn rhydd...

"Tiocfaidh ár lá!" meddai'n uchel wrth y dyfroedd oer, ac wedyn chwerthin yn ddihiwmor.

Trodd ei gefn ar y gronfa, gan wynebu i'r dwyrain.

Oddi tano roedd y dyffryn lle y gorweddai pentre'r Fron-goch yn anweladwy bron yn y gwyll erbyn hyn ac eithrio golau ambell annedd yma a thraw ar y llethrau.

Bu ei daid a'r Fron-goch ar feddwl Des yn aml yn ystod y cyfnod hwnnw a dreuliodd yntau yn garcharor yn Long Kesh ar ddechrau'r saith degau.

Doedd Des ddim yn aelod o unrhyw fudiad yr adeg honno – jest wedi'i ddal yn y rhwyd. Ddaeth o ddim yn aelod o fudiad chwaith am sbel ar ôl hynny. Ond ar ddiwedd mis Ionawr 1972 digwyddodd cyflafan y Sul Gwaedlyd. Hon fu'r groesffordd i Des a llawer un arall.

Cyn hynny roedd wedi cloffi rhwng gwahanol stolion, yn amharod i gymryd y cam tyngedfennol. Ar ôl y diwrnod hwnnw doedd dim troi'n ôl... Roedd taro'n ôl bellach yn ddyletswydd.

Erbyn hyn aethai'r haul i lawr y tu ôl i'r mynyddoedd yn y gorllewin ac roedd ias bendant i'w theimlo yn yr awyr. Byddai hi'n rhewi'n gorn heno, yn ddi-os. Dychwelodd Des i glydwch y car gan yrru'n ôl ar hyd y lôn drwy bentre'r Fron-goch i gyfeiriad y Bala.

Tref Corwen oedd pen y daith iddo'r noson honno – cartref ei hen gyfaill, Joe McGilloway, y dyn a ddaeth o hyd i waith iddo yng Nghwm Tryweryn ddwy flynedd ar bymtheg yn ôl bellach pan wnaeth Des symud o Lerpwl hefo Mefina. Roedd Joe a'i deulu'n byw yng Nghorwen ers diwedd y chwe degau.

Sioc fawr i Joe fuasai clywed llais ei hen gyfaill ar y ffôn y noson cynt. Ar garreg y drws heno, cafodd fwy byth o sioc o weld y newid a ddaethai dros y cawr siriol a fu'n ffrind bore oes iddo yn Derry erstalwm. Hen ŵr a safai o'i flaen, yn benfoel a'i wyneb wedi crychu'n gynamserol.

"Ro'n i'n meddwl 'ych bo chi'n yr ysgol hefo'ch gilydd," sibrydodd Mair, gwraig Joe, wrtho ar ôl dangos ei lofft i Des. "Ma hwn yn hen fel pechod."

"Cafodd o ddamwain wael ar ei feic yn ôl yn y chwe degau," eglurodd Joe. Ond buasai rhywbeth mwy na chreithiau'r ddamwain honno ar waith, meddyliodd Joe. Roedd yr holl sbarc fel pe bai wedi darfod gan adael cragen dywyll a digon anghynnes ar ei ôl.

Doedd Mair ddim wedi cymryd at y dyn o gwbl. Roedd wedi cwrdd â llwyth o ffrindiau a pherthnasau ei gŵr dros y blynyddoedd gan gymryd atynt un ac oll a hynny'n syth bìn gan amlaf, ond roedd rhywbeth oeraidd ac ynysig yn hwn. Roedd hi'n falch mai dros nos yn unig y byddai'n aros.

Ar ôl swper gofynnodd Des i Joe:

"Oes gen ti awydd dŵad adra, Joe?"

Ysgydwodd Joe ei ben yn bendant.

"Dim tamad, Des. Dim hefo petha fel y ma nhw acw. Dwi'n hapus iawn fan hyn, boi, yn gallu mynd i'r dafarn heb ofni y bydd rhyw dw-lal eisio rhoi bwled yn 'y mhen-glin neu yn 'y mhen i neu am chwythu'r lle'n yfflon jest achos bod y bobol rong yn yfed yno."

Roedd Joe yn falch o fod ymhell oddi cartref. Ychydig iawn o hiraeth a'i poenai bellach. Yn briod â merch o Gynwyd a chanddynt dri o blant ifanc, roedd o erbyn hyn yn rhedeg busnes adeiladu llewyrchus ac yn cyfri ei fendithion beunydd beunos wrth wylio'r distryw yn ei famwlad ar y teledu. Diolch byth doedd dim byd fel 'na ffordd hyn – wel, dim byd gwerth sôn amdano fo, beth bynnag.

"Wyt ti'n cofio helyntion Tryweryn, Joe?" holodd Des yn hamddenol wrth aros i Mair gyrraedd â'r coffi.

"Doedd o ddim byd, nag oedd?" meddai Joe dan chwerthin. "O'i gymharu ynte? Rhyw rech leian o fom a chydig bach o weiddi ar y diwrnod agoriadol."

"Ond mi oedd teimlada pobol yn reit gry, 'yn doedden nhw?" meddai Des yn heriol ddigon gan gymryd llymaid o'r mesur hael o Jameson roedd Joe wedi'i dywallt iddo.

"Oedd, oedd," cytunodd Joe heb fod yn siŵr lle'r oedd y sgwrs hon yn arwain.

"A lle aeth y bobol 'na i gyd, tybed?"

Ystyriodd Joe cyn ateb.

"Ma nhw o gwmpas o hyd, am wn i. Ma 'na dipyn o newid wedi bod. Bach o g'ledu agwedd, os rhywbeth – yn fwy cyffredinol, falla. Mi gewch chi brotestio am yr iaith byth a beunydd rŵan – heb sôn am y busnes llosgi tai ha 'ma. Ac ma nhw'n dal i sôn am Dryweryn, ond pan oedd 'na gyfle i gael tamaid bach o hunanreolaeth yng Nghaerdydd y llynedd – wyth i un yn erbyn oedd hi. Ma nhw'n wahanol iawn i ni fel 'na."

"Sut nest ti bleidleisio?"

Daeth Mair i mewn gan gario hambwrdd o goffi.

"Dyma ni," cyhoeddodd yn siriol.

Dynes eithaf nobl oedd Mair a chanddi ddwylo mawr fatha ffermwr ond roedd ei hwyneb yn fregus iawn ei olwg a rhyw sensitifrwydd ac ansicrwydd ymbilgar i'w weld yn ei llygaid tywyll.

"Wel, 'nes i bleidleisio drosto fo," meddai Joe.

"Be 'di hyn rŵan?" gofynnodd Mair wrth ddechrau tywallt coffi i Des.

"Datganoli."

Rhochiodd Mair yn ddirmygus wrth basio paned i'w gŵr.

"Yn ei erbyn o fotiais i. Mwy o sens gen i na hwn," meddai

gan amneidio i gyfeiriad 'i gŵr.

"Roedd Mair yn ofni y basa'r South Walians yn mynd ati i ddeud wrth bobol ffor hyn be i neud," eglurodd Joe dan chwerthin yn nerfus, wrth gymryd llwnc arall o'i wydryn. Roedd wyneb Des yn hollol ddifynegiant.

Gwyddai Joe mor amddiffynnol y gallai Mair fod ynglŷn â'i Chymreictod a'i gwleidyddiaeth yn gyffredinol. Arllwysodd Mair goffi iddi ei hun heb yngan gair cyn eistedd ar y soffa gyda'i gŵr gyferbyn â'r ymwelydd. Doedd hi ddim yn teimlo'n esmwyth o gwbl yn ei gwmni.

Peth greddfol oedd lletygarwch i Mair ond rywsut roedd ymddangosiad annisgwyl y dyn hwn, hagr ei wedd a phigog ei sgwrs, yn chwythu'n gynnes ac yn oer am yn ail, wedi aflonyddu cryn dipyn arni. Byddai ei lygaid mawr glas yn neidio o fan i fan ac yn anaml y gwelid gwên ar ei wep.

"Oes 'na wladgarwyr go-iawn ar ôl 'lly?" holodd Des gan godi'i baned. "Ew, coffi da, Mair," ebychodd dan wenu yn y modd mwyaf hyfryd arni nes bod Mair druan yn gwrido.

"Gwladgarwyr go-iawn?" gofynnodd Joe yn ofalus.

"'Rhai sy'n fodlon mentro'r cwbwl dros Gymru."

Edrychodd Joe yn fwy amheus ar Des. Pam yr holl gwestiynau? Roedd ganddo ryw syniad hefyd, myn uffarn i. Wrth ei ochr ar y soffa gallai synhwyro anesmwythyd ei wraig.

"Wneith y llestri ddim golchi'u hunain," ebychodd Mair yn sydyn, gan fustachu ar ei thraed o'r soffa isel.

"Gad nhw, Mair," meddai Joe, ychydig yn flin rŵan o weld y diflastod roedd Des wedi'i achosi iddi.

"Chymith hi ddim chwinciad," meddai Mair a hithau ar ei ffordd drwy'r drws i'r gegin.

Bu saib anghyfforddus a'r ddau ddyn yn llymeitian am yn ail o'u diodydd.

"Sut mae Deri?" holodd Joe o'r diwedd, yn awyddus i droi'r sgwrs. "Y mab nid y ddinas sy gen i rŵan."

"Heb ei weld o ers sawl blwyddyn. Bydd o'n gadael yr ysgol cyn bo hir os nad ydi o eisoes wedi gadael. Mi fydda i'n sgwennu ato fo weithia, yn ceisio dwyn perswâd arno i ddod draw. Dydi o ddim yn ateb… er bydd yn diolch am y llythyrau yn ei gerdyn Dolig."

"Iesu, dwi ddim yn 'i feio fo. Ma o'n well off lle mae o."

"Dydi'i fam byth wedi ailbriodi chwaith. Dim sôn am ddynion, yn ôl Deri."

"Trueni na wnaeth pethau weithio allan fan 'na. O ddifri, Des. Lodes hyfryd oedd hi. Lot o sbort."

"Oedd, mi oedd hi'n lot o sbort," cytunodd Des, gan syllu i mewn i'w wydryn.

Damia, doedd o ddim yma i hel atgofion poenus am ei fab a'i gyn-wraig, nag oedd?. Roedd ganddo job o waith i'w wneud. Caeodd ei lygaid gan deimlo'r gadair fel pe bai'n symud oddi tano. Blinder affwysol. Roedd o wedi nogio erbyn hyn.

Bu tawelwch eto.

O'r diwedd meddai Des wrth roi ei wydryn gwag ar y bwrdd bach wrth ei ochr:

"Joe, oes ots gen ti os dwi'n 'i throi hi? Dwi wedi blino'n lân 'sti."

"Dim tamaid," meddai Joe gan ollwng ochenaid o ryddhad y tu mewn.

Y noson honno, troi a throsi fu hanes Joe ar ôl mynd i'r gwely.

"Be sy'n bod arnat ti, Joe?" gofynnodd Mair mewn llais cysglyd. "Rwyt ti fel ci bach mewn basged heno."

"O jest gweld hen ffrind. Ma'n gallu corddi meddwl dyn, tydi?"

Am sbel buont yn gorwedd yn dawel yn y tywyllwch.

"Joe?"

"Ia?"

"Ti ddim yn meddwl 'i fod o yn yr IRA, nag wyt?"

"Pam ti'n gofyn peth felly? Wrth gwrs dydi o ddim. Dwi 'di deud wrthot ti o'r blaen. Llond dwrn ohonyn nhw sy. Nid un fel 'na ydi Des beth bynnag."

"Jest 'i fod o'n holi lot pan ddaeth o i'r gegin i ofyn am ei botel dŵr poeth. Holi am Dryweryn ac os o'n i'n nabod pobol a oedd wedi bod yn erbyn codi'r argae."

"Myrrath, dyna i gyd ydi o. Roedd o'n gweithio yno fatha fi. Rŵan 'ta, gad i ni'n dau roi cynnig ar gael chydig o gwsg," meddai Joe gan swsio ysgwydd noeth ei wraig a throi ar ei ochr.

Dal i gyfrif ei fendithion fel defaid roedd Joe wrth syrthio i gysgu.

— XXXIV —

TUA'R UN ADEG ag y bu Des ar ei gyrch hel gwybodaeth dros y Provos yng Nghymru – ychydig ddyddiau ar ôl ei ymweliad â Joe a Mair a dweud y gwir – bu farw mam Mefina. Roedd Mefina wedi cael cyfle i'w nyrsio yn ystod tri mis olaf ei hoes ac roedd perthynas y ddwy'n syndod o gadarn ac annwyl erbyn y diwedd.

Achlysur gwahanol iawn oedd angladd Gwenda Williams o'i chymharu â chladdedigaeth ei gŵr. A hithau'n aelod ffyddlon a gweithgar o'r capel bach gwledig ers ei phlentyndod, yn drefnydd blodau, yn lanhawraig ddiwyd, daeth yr aelodau yn eu degau i ffarwelio â hi. Bu'n gryn syndod i Mefina weld y fath werthfawrogiad cyhoeddus i rywun a fu'n gymaint o fwrn arni pan oedd hi'n iau, a chlywed mor gymwynasgar ac elusengar y bu ei mam mewn gwirionedd.

At ei gilydd, cyfnod er gwell i Mefina oedd y blynyddoedd rhwng ysgaru â Des a chladdu'i mam. Er y noson aeafol pan benderfynodd wrth gyrraedd gorsaf Harlech mai ysgariad oedd yr unig ateb iddi, roedd wedi cymryd camau bras i wella'i byd ac adfer ei hunaniaeth. Rhoddodd y gorau i ysmygu a chnoi'i hewinedd; collodd ychydig bwysau ac wrth iddi adennill peth o'i hen hyder ciliodd y llid annifyr o'i chroen. Llwyddodd i gael gwaith mewn cartref nyrsio a chael blas mawr arno gan ddod i nabod ei phobl o'r newydd wrth dendio ar yr hen a'r methedig yn eu blynyddoedd olaf.

Bychan oedd ei chyflog a thipyn o gamp bob amser oedd cadw'r deupen ynghyd, yn enwedig wrth geisio diwallu anghenion a dymuniadau bachgen bach fel Deri. Serch hynny, bu teulu Llanbedr yn gefn mawr iddi ac o ganlyniad daeth rhyw fath o sefydlogrwydd i'w bywyd a theimlai'n weddol fodlon ei byd. Canolbwyntio ar dalu'r biliau a magu'r bychan oedd y blaenoriaethau. Golygai hyn ei bod yn byw yn y presennol o ddydd i ddydd heb gael amser i ori'n ormodol ar fethiannau'r gorffennol.

Er mor anodd oedd ei bywyd ar brydiau ac er iddi ddychmygu o bryd i'w gilydd mor braf fuasai cael cymar i'w helpu wrth ysgwyddo'r baich, doedd hi ddim yn ysu am gariad. Doedd neb yn apelio ac yn sicr, yn ei phrofiad hi, nid rhywbeth i ddibynnu arno oedd dyn o anghenraid.

Roedd ei siom yn rhy fyw iddi a'r briwiau heb fendio'n ddigonol eto gan ei gadael yn anhygyrch yn emosiynol i bawb.

Yn eironig ddigon, yr unig ddyn a ddaliai i danio'i diddordeb yn ystod y blynyddoedd yn union ar ôl yr ysgariad oedd Emlyn ac nid fel cymar posibl chwaith ond oherwydd y newid rhyfeddol a ddaethai drosto ers y dyddiau pan fyddai'n ei stelcio ar ddechrau'r chwe degau.

Yn sicr, roedd byw ar ben y mynydd gyda'i ffansi *woman* wedi gwneud byd o les iddo. Roedd Mefina wedi'i weld o droeon yn y dre dros y blynyddoedd. Weithiau ar ei ben ei hun, weithiau yng nghwmni ei gymar – dynes osgeiddig iawn gryn dipyn yn hŷn nag ef. Serch hynny, edrychent yn dda hefo'i gilydd. Hithau'n rhyw hwylio fel alarch ar hyd y lle yn ei ffrogiau llaes ac yntau'n brasgamu'n dalsyth a chyhyrog wrth ei hochr.

Weithiau câi Mefina ei themtio i weiddi "Helô" arno, i groesi'r stryd i gael sgwrs go-iawn ag o, i'w chyflwyno'i hun i'r ddynes osgeiddig.

"Helô, Mefina ydw i. Dda gen i gwarfod â chi. Fi oedd y gynta iddo fo, wchi, a fynta y cynta i finna, i chi gael dallt."

Ar ddiwedd y chwe degau roedd Emlyn wedi mynd yn arddwr ar ei liwt ei hun, a mawr fu'r galw am ei wasanaeth medrus ar hyd a lled y fro. Bu hefyd yn teithio'n helaeth yng nghwmni Gwyneth i bedwar ban byd. Byddai gan y ddau bob amser liw haul iachus a daliai Mefina i'w weld yn ddyn deniadol iawn... a phe bai amgylchiadau'n wahanol...

A dweud y gwir, am ychydig byddai cael cip ar Emlyn yn gallu ei haflonyddu braidd, yn procio lludw'r hen dân nad oedd modd yn y byd ei ailgynnau...

Dim ond unwaith y cafodd gyfle i siarad ag o ers y sgwrs frysiog honno yng nghyntedd ei thŷ ar ôl y cwest. Aethai'r blynyddoedd heibio rywsut heb iddynt nemor dorri gair. Erbyn hyn, pe bai hi'n onest â hi ei hun, doedd ei weld o ar y stryd ddim yn creu cymaint o gynnwrf ag y byddai.

Ddechrau mis Mehefin, toc cyn ei phen-blwydd yn ddeuddeg ar hugain oed, 1973 felly, a hithau'n fore meddwol o haf, dyma Mefina'n penderfynu cymryd ei phaned foreol yn y gwaith yn yr awyr agored yn y gerddi bendigedig a amgylchynai'r hen blasty a oedd bellach yn gartref nyrsio.

Crwydrai'n freuddwydiol ymysg y rhododendron gwaetgoch a gwyn a'r rheiny yn eu hanterth ers rhyw wythnos.

Ar draws patshyn o lawnt gallai weld y garddwr wrthi'n chwynnu un o'r borderi o dan gysgod ffawydden braff ymledol. Hen foi clên oedd Emrys, garddwr y Gelli a chroesodd Mefina'r lawnt yn ling-di-long i gael gair bach hefo fo cyn dychwelyd i'w gwaith.

Wrth nesáu gwelodd yn sydyn nad Emrys oedd yno o gwbl ond rhywun iau o lawer. Trodd y dyn ei ben wrth glywed sisial ei sandalau ar y glaswellt gwlithog. Yna, fe'i nabyddodd – Emlyn!

Doedd dim troi'n ôl. Yn wir, yn lle arafu hyd yn oed fe'i cafodd ei hun yn cyflymu ei cham tuag ato.

"S'ma 'i?"

"Sut hwyl – stalwm?"

Cododd Emlyn o'i gwrcwd a chamu dros ymyl y border. Roedd Mefina'n dal i gerdded tuag ato fel pe bai'i brêcs wedi methu. Pan stopiodd hi o'r diwedd, roeddent yn sefyll yn bur agos i'w gilydd.

Cynigiodd Emlyn ei law. Gafaelodd Mefina ynddi'n orfrwdfrydig braidd. Teimlai'n gynnes braf a gadawyd olion priddlyd ar ei llaw hithau.

"Lle ma Emrys?" gofynnodd Mefina, wrth ollwng ei law, gan geisio cuddio'r ffaith bod ei chalon yn carlamu a'i gwynt yn ei dwrn fel pe bai wedi gwibio ar ras ar draws y lawnt yn hytrach na cherdded dow-dow.

"Profedigaeth," meddai Emlyn, yn ymddangosiadol ddigynnwrf.

"O, taw sôn. Pwy?"

"Cyfnithar o'r Dyffryn."

"O."

Tawelwch ac yn sydyn cydadrodd â'i gilydd.

"Golwg dda arnach di."

Chwerthin – yr ias wedi'i thorri.

"Digon o awyr iach," meddai Emlyn gan gamu'n ôl i'r border. Cydiodd mewn hof a bwysai yn erbyn y fedwen.

"Ia, weithia dwi ddim yn meddwl 'mod i'n ca'l digon… o awyr iach," meddai Mefina, yn siomedig ei fod wedi ailgydio yn ei waith mor fuan.

"Rhaid i ti ofalu amdanach di dy hun yn ogystal â'r hen bobol."

"Mi ydw i. Paid â phoeni. Nymbar wan bia hi bob amsar – wel ar ôl y bychan, ynte?"

"Sut ma hwnnw?"

"Dim mor fychan ag y bydda fo."

Chwerthin. Tawelwch. Sŵn trên yn y pellter a thinc yr hof yn erbyn y pridd.

"Mi rwyt ti'n ca'l gofal da, wela i," meddai Mefina o'r diwedd.

"'Mond y gora. Dwi'n lwcus iawn, 'sti."

"Dwi'n falch."

Doedd y sgwrs ddim yn llifo. Roedd hi wedi gobeithio, wedi disgwyl ar ôl y tro diwethaf, y buasai pethau wedi ymagor yn fwy ar ôl yr holl flynyddoedd o ddawnsio o gwmpas ei gilydd, o osgoi'i gilydd – hyd yn oed pan oedden nhw'n gariadon dros ddeng mlynedd yn ôl.

Roedd hyn yn siom iddi.

Wedyn, dyma Emlyn yn cynnig:

"Gwyneth wna'th achub 'y mywyd i."

O'r diwedd! Ond, daria! Beth oedd hyn? Pigyn o genfigen, myn diawl?

"Sut wna'thoch chi gyfarfod?"

"Ar lôn y mynydd. Finna wedi ca'l… pwl cas wrth gerddad adra."

"Tipyn yn hŷn na chdi, 'yn dydi hi?"

Peth ofnadwy oedd cenfigen, meddyliodd.

Stopiodd yr hofio ac edrychodd Emlyn arni heb ddweud dim am ennyd cyn troi'n ôl at ei dasg.

"Prin 'mod i'n sylwi. Prin 'i bod hi'n sylwi. Be 'di'r otsh am liw dy wallt di?"

Cochodd Mefina – o botel y deuai lliw euraidd ei gwallt hithau bellach.

Byddai hi siŵr o fod yn od cael cymar cymaint yn hŷn na chdi, meddyliodd Mefina. Peryg mai ei nyrsio fasat ti ryw ddiwrnod.

"Do'n i ddim yn gedru handlo petha 'stalwm," aeth Emlyn rhagddo, "… pan oedden ni'n… canlyn. Rhyw fagwraeth ddigon rhyfedd ges i. Dad fel sarjiant-major, 'yn llysfam i fel… dwn i'm be – jadan o howscipar o gwmpas y lle. Nain wedyn yn llenwi 'y mhen â phob math o… weledigaethau hanner call, pob bendith arni. Ac wedyn…"

"Dyma fi'n glanio."

"Ia…"

"A Thryweryn," pryfociodd Mefina gan ddifaru'n syth.

"Peth cas oedd Tryweryn. Gwnaed tro gwael â'r bobol 'na. Sdim modd 'i gyfiawnhau," ac roedd yr hen ddur yn ôl yn ei lais.

"Mefina!" Daeth y llais o ddrws cefn y cartref. "Mefina! Ty'd yma reit handi, ma Mrs Hughes wedi ca'l codwm yn y bath."

"Bydda i 'no ŵan!"

Edrychodd ar Emlyn a oedd bellach yn pwyso ar yr hof.

"Rhaid i mi fynd… sori!"

"Ma'n iawn."

"Braf siarad hefo chdi."

"A hefo chditha."

"Rywdro arall." Hanner cwestiwn.

"Mi wela i chdi o gwmpas."

Ac i ffwrdd â Mefina ar draws y glaswellt. Ar ôl tua deg llath stopiodd a throi. Roedd hi eisiau dweud ei bod yn ddrwg ganddi na fedsai hi roi mwy iddo fo erstalwm, bod yn rhaid iddi dorri'i chŵys ei hun a bod y gemeg jest ddim yn iawn rhyngddyn nhw bryd hynny.

Ond roedd Emlyn wrthi'n hofio â'i gefn tuag ati. Doedd dim

pwynt, nag oedd? Ailgydiodd yn ei ras ar draws y lawnt a geiriau Emlyn yn atseinio yn ei phen:

"Mi wela i chdi o gwmpas."

Prin iddi amau mai dyma fyddai ei eiriau olaf wrthi.

— XXXV —

1980

Roedd llety wedi'i drefnu i Des y tu allan i Aberystwyth mewn 'tŷ diogel' chwedl y llais ar y ffôn. Doedd dim eisiau iddo boeni, fyddai neb yn ei weld yno, a deuid i gysylltiad ag ef yn y man. Byddai'n nabod y rhai a ddeuai i gysylltiad ag o trwy frawddeg gyfrin y byddai'n rhaid iddo yntau ei hateb yn briodol.

Ar ôl setlo yn y tŷ oer, digysur yng nghanol y mawn a'r defaid a darganfod bod y llaeth wedi suro a'r bwyd wedi llwydo yn yr oergell, a hithau wedi hen nosi, dyma Des yn penderfynu mentro i'r dre i weld beth a welai yn hytrach na rhynnu o flaen y tân trydan annigonol.

Ond roedd llygaid cudd yn ei wylio wrth iddo adael y tŷ ac yn ei flinder ni sylwodd ar y goleuadau yn y pellter y tu ôl iddo yn ei ddilyn bob cam i'r dre.

O gyrraedd Aberystwyth parciodd ei gar a dechrau crwydro o dafarn i dafarn gan ryfeddu at eu niferoedd, nes dod ar draws un a oedd yn amlwg yn Gymreig a Chymraeg ei naws. Aeth i eistedd hefo peint o Guinness ciami o'i flaen yn y gornel bellaf un, lle y gallai wylio gweddill y cwsmeriaid yn mynd a dod heb dynnu gormod o sylw ato'i hun.

Sylweddolai mai myfyrwyr oedd y rhan fwyaf o'r bobl ifanc o'i gwmpas. Wrth lymeitian ei beint, ceisiai Des feddwl am y ffordd orau i ddechrau taro sgwrs ag ambell un heb wneud y peth yn rhy amlwg.

Yn sydyn, sylwodd fod y bachgen wrth y bwrdd nesa ato â'i drwyn yn rhifyn cyfredol *An Phoblacht*, prif gyhoeddiad Mudiad

Gweriniaethol Iwerddon.

"Lle cest ti hwn?" holodd, gan swnio'n eithaf anniddig am ryw reswm.

Edrychodd y llanc arno'n syn am ennyd.

"Swyddfa UMCA, Undeb Myfyrwyr Cymraeg Aberystwyth," meddai o'r diwedd. "Ma'r Undeb yn tanysgrifio iddo fo. Mae o ar werth bob wythnos, wchi. Tipyn o ddarllen arno. O Iwerddon dach chi'n dŵad?"

"Ie." Doedd dim modd cuddio hynny.

"Lle yn Iwerddon?"

"Derry."

"Dach chi reit yn ei chanol hi 'lly."

Ddywedodd Des ddim byd. Sylwodd ar y bathodynnau'n datgan 'Brits Allan' ar siacedi denim sawl un o'i gwmpas. Roedd ei wybodaeth o'r Gymraeg yn ymestyn i ddeall cymaint â hynny. Roedd hyn yn teimlo mor wahanol i'r darlun a baentiwyd gan Joe yn ei gartref neithiwr a'r hyn a gofiai o'r dyddiau pan oedd yn gweithio ym Meirionnydd ar ddechrau'r chwe degau.

Roedd tri bachgen arall wedi ymuno â'r llall, pob un yn gwisgo bathodyn bach arall yn dangos llun o flwch England's Glory a slogan oddi tano.

"Be ma hwn'na'n ddeud?" gofynnodd Des gan bwyntio at frest un o'r chwyldroadwyr hyn.

"Taniwch dros Gymru. Wyt ti 'di clywed am yr ymgyrch llosgi tai ha?"

"Naddo," meddai Des yn gelwyddog.

Aeth y pedwar ati'n gyffro i gyd i adrodd iddo holl hanes y gamp genedlaethol newydd a oedd, yn ôl honiad un bachgen, yn prysur ddisodli rygbi a phêl-droed yn ei phoblogrwydd ymysg y werin.

"Ma pawb yn 'u cefnogi nhw," meddai un arall. "Ma bachan o'dd yn yr ysgol 'da fi yn blismon yn Aberaeron a ma fe'n gweud bod lot o blismyn yn cydymdeimlo 'da'r ymgyrch a 'sen nhw ddim yn fo'lon aresto neb hyd yn o'd 'sen nhw'n gorffod."

"Ma Nain yn 'u syportio nhw. A ma hi'n *royalist* i'r carn."

"Cafodd cefndar ffrind i Dad, 'i arestio adeg Sul y Blodau."

"Be o'dd hwnna?" holodd Des.

"Fe na'thon nhw arestio tua hanner cant o bobol sy'n ymwneud â phethe Cymraeg. Eu bygwth nhw bob siâp. A do'dd neb yn euog o ddim byd yn y diwedd. Ma 'na ymchwiliad yn mynd i ga'l 'i gynnal 'da rhyw foi o Dŷ'r Arglwyddi."

"Fatha 'yn Bloody Sunday ni," meddai rhyw weiren gaws geiban o hogyn a oedd newydd ymuno â'r criw.

Teimlodd Des ei wrychyn yn dechrau codi braidd, ond cyn iddo fynd ati i larpio'r diniweityn hwn roedd un o'i ffrindiau wedi achub y cam.

"Paid â bod mor ffycin stiwpid," meddai'n ddirmygus wrth y weiren gaws. "Sori am y coc oen 'ma, ymm... Be di 'ych enw chi, gyda llaw?"

"Tom."

"S'ma 'i, Tom. Gron ydw i – a dyma Gez, Afan, Aled a Lysh."

A dyna lle bu 'Tom y Gwerthwr 'Swiriant' am ryw awr, yn gwrando ar gynlluniau rebeliaid Prifysgol Cymru am y Gymru newydd ar ôl disodli Thatcher a'i chriw. Datganwyd droeon eu cefnogaeth ddiamod i'r IRA a'u hedmygedd o safiad dewr y Gwyddel yn erbyn yr Ymerodraeth Brydeinig.

"Ond, hogia," gofynnodd Des o'r diwedd, ar ôl clywed am ddewrion Cymdeithas yr Iaith a Gwynfor hyd syrffed, "be ddigwyddodd yn y refferendwm 'ta?"

Wel, roedd 'na resymau, meddan nhw – yn ôl Lysh, roedd

hanes Cymru'n rhyfedd fel 'na – ond doedd neb yn y criw fel pe baen nhw'n gallu esbonio'r anghysondeb rhwng gwladgarwch digyfaddawd y myfyrwyr hyn a chanlyniadau digamsyniol y bleidlais o blaid y *status quo* a Phrydeindod yn y refferendwm ar ddatganoli ddeunaw mis ynghynt.

O'r diwedd daeth yn bryd i'r hogiau fynd yn eu blaenau i weld y Dublin City Ramblers yn y Commodore a ffarweliodd Des â'r criw twymgalon y tu allan i dafarn yr Ungorn. Fe'u gwyliodd am sbel yn ymddolennu i lawr y stryd dan ganu 'Armoured cars and tanks and guns' nerth esgyrn eu pennau.

Ysgydwodd Des ei ben dan wenu er ei waethaf. Doedd o ddim yn hollol siŵr beth i'w feddwl. Mewn ffordd, doedd pethau ddim mor wahanol i sut bydden nhw yn ôl yn y chwe degau: rhai pobl yn danbaid dros eu gwlad, eraill yn hollol ddifater, bron yn elyniaethus. Y wasgfa ar eu gwlad heb fod yn ddigon caled falla i ddod â'r ddau begwn yn nes at ei gilydd.

Ceisiodd Des danio sigarét yng nghysgod drws y llyfrgell gyhoeddus. Roedd gwynt eithaf sionc yn golygu bod hyn yn dasg anodd. Plygai ei ben er mwyn ffurfio rhyw fath o gysgod â'i gôt. Llwyddodd i'w thanio a chododd ei ben drachefn.

Cafodd fraw oherwydd yno, tua llathen oddi wrtho, safai cawr o ddyn mewn côt laes dywyll.

"Noswaith dda," meddai'r cawr yn Saesneg. "Allwch chi weud wrtho i ble ma'r ehedydd?"

"Sori?"

"Ble ma'r ehedydd?"

"Sori, pal, does gen i ddim syniad am be wyt ti'n sôn."

Rhegodd y dyn. Gallai Des weld ei fod tua thrigain oed efallai a bod ganddo fan geni ffyrnig ar ei dalcen a edrychai fel anaf gwaedlyd yng ngolau oren y stryd.

"Ti i fod i ateb 'wedi marw ar y mynydd'. Wedon nhw ddim wrthot ti?"

"Dywedodd pwy wrtha i? Sori, gyfaill. Dwi'n meddwl dy fod wedi gwneud camgymeriad."

"O, ffycin hel. Ti yw 'Tom', yntefe?"

"Pwy sy am wbod?"

"Wel...Twm odw i. Fi sydd i fod i gysylltu â ti."

"Cysylltu?"

Roedd Twm yn dechrau cynhyrfu.

"Drycha 'ma, Padi..."

Roedd Des yn weddol sicr bod y dyn mawr yn ddilys. Byddai swyddog cudd yn llai amlwg rywsut. Roedd Des yn gwybod yn iawn am hanes yr ehedydd a'i fod bellach wedi marw ar y mynydd. Weithiau roedd rhywun jest eisiau bach o hwyl yng nghanol yr hen gêm ddiflas 'ma.

"Dwi'n meddwl, Twm, ein bod ni'n deall ein gilydd."

Edrychodd Twm arno'n amheus, ond o'r diwedd meddalodd.

"Dere 'mlân 'te," ac i ffwrdd ag ef gan arwain Des ar hyd llwybr tywyll o flaen rhes o fythynnod ac i lawr rhyw hen risiau anwastad heb olau cyn troi a mynd trwy fwa a chyrraedd, yn annisgwyl, glan y môr. Cafodd Des dipyn o anhawster i'w ddilyn gan fod Twm yn ôl ei arfer yn carlamu ymlaen, a ffon Des yn lletchwith i'w defnyddio ar y grisiau cul a llithrig.

Ar y prom wrth y fynedfa i'r grisiau roedd 'na gar wedi'i barcio, a chanu grwndi'r injan yn gyfeiliant i ddwndwr di-dor y tonnau ar y traeth. Gallai Des flasu'r halen yn y gwynt a theimlo diferion ewyn ar ei dalcen.

"Mewn â ti."

Oedodd Des am ennyd cyn plygu'i ben a mynd i gefn y cerbyd lle'r eisteddai dyn arall. Yn ei law daliai fwgwd.

"Noswaith dda. Croeso i Aberystwyth. Fi'n ofni y bydd yn rhaid i mi ofyn i ti wisgo hwn dros dy lyged."

Daeth Twm i'r car wedyn, yn rhy fawr o lawer i'r sedd gefn gyfyng. Gan fod Des yn ddyn mawr hefyd teimlai fel cig mewn brechdan braidd rhwng y ddau Gymro.

Ystyriodd y mwgwd ac aeth rhyw ias drwyddo. Yna, cododd ei ysgwyddau gan adael i'r llall – dyn main, barfog mewn côt ddyffl a chap stabl a oedd seis a hanner yn rhy fawr iddo – osod y sgarff ddu am ei ben. Meddyliodd am yr hogiau yn nwylo'r RUC yn Castlereagh yn gorfod gwisgo mygydau dros eu pennau am oriau a chael eu pwnio a'u harteithio yr un pryd gan ymosodwyr anweledig. Roedd ei ffrind bore oes, Mati Cousins, wedi marw o ganlyniad i'r driniaeth.

Tynged debyg wynebai'r rheiny a ddelid gan eu hogia nhw, o ran hynny.

Aeth ysgryd drwyddo eto ond wedyn rywsut llwyddodd i ymlacio ac wrth i'r car gychwyn ar ei daith drwy'r nos, yn annisgwyl, dechreuodd cwsg godi fel llanw yn ei ben.

"Felly, be oeddet ti'n meddwl o hufen deallusol Cymru fach?" gofynnodd Twm.

"Clên – bach yn ddiniwed hwyrach," meddai Des gan droi'i ben i gyfeiriad llais Twm.

"Cachwrs bob un. Plant dosbarth canol heb y gyts i neud ffyc ôl ond gwisgo rhyw fathodynne bach pathetig a chanu caneuon rebels gwlad arall."

Roedd Des wedi blino gormod i ddechrau dal pen rheswm â Twm er nad oedd yn amau ei fod yn dweud calon y gwir. Gadawodd i'r tywyllwch ei fwytho a'i foddi ac i gwsg feddiannu'i feddwl yn llwyr.

Cyn cyrraedd pen y daith, yn wir, cafodd ryw freuddwyd fach smala. Roedd Mefina yn sedd y teithiwr ym mlaen y car a gwyddai mai Deri oedd yn gyrru er mai dim ond plentyn bach oedd o. Byddai'n rhaid iddo roi stop ar y nonsens 'ma. Dylai fo o bawb wybod pa mor beryglus yw chwarae plant y tu ôl i'r llyw... A be tasa'r heddlu yn eu stopio, rŵan? Mi fasa fo yn Castlereagh ar ei ben gan wynebu'r un dynged â Mati Cousins druan.

"'Co ni wedi cyrradd," a llais y dyn yn hyrddio Des o'i gyntun. "'Sa di fan 'na, Tom bach. Mi nawn ni dy helpu di o'r car," ychwanegodd yn ddigon caredig.

Roedd eu dwylo'n syndod o dyner wrth ei hebrwng o'r car â'r mwgwd yn dal dros ei lygaid. Aed ag ef ar hyd llwybr lleidiog i adeilad a ogleuai'n llaith a'i dywyswyr yn cymryd gofal mawr ohono. Yna bu'n rhaid iddyn nhw symud ymlaen drwy ddrws isel i stafell gyfyng a llychlyd lle'r oedd yr awyrgylch yn sych ac yn gynhesach.

Am ychydig, roedd pobman yn ddistaw iawn, ac ofnai Des fod pawb wedi ei heglu hi â'i adael yno'n wystl yng nghanol nunlle.

Yna fe dynnwyd y mwgwd oddi ar ei lygaid a chafodd ei hun mewn stafell fechan ddi-ddodrefn â bagiau porthiant anifeiliaid ar bob tu. Roedd golau gwan iawn ynghynn yn rhywle y tu cefn iddo. O'i flaen safai dyn na wnaeth Des ei nabod yn syth wrth graffu arno, ac yntau'n amlwg yn profi'r un ansicrwydd. Roedd pymtheng mlynedd a mwy wedi altro'r ddau o ran pryd a gwedd. O'r diwedd syrthiodd y darnau i'w lle.

"Chdi?"

"Noswaith dda, Des... erstalwm..."

— XXXVI —

WYTHNOS YN DDIWEDDARACH ac roedd Des yn y tywyllwch unwaith yn rhagor – y tro hwn yng nghrombil lori ddodrefn anferthol o'r Iseldiroedd ar ei ffordd i ddal y fferi o Gaergybi yn ôl i Iwerddon.

Yn dilyn ei wythnos yng Nghymru roedd wedi gyrru i Amwythig lle'r oedd wedi gadael y car a lle'r oedd rhywun lleol yn y dre honno wedi mynd ag ef i gilfan ar ochr yr A5 ger Montford Bridge i aros am y lori a âi ag o drosodd i Ddulyn.

Yng nghefn y wagen yng nghanol yr holl gelfi – eiddo i ryw ddyn busnes o'r Iseldiroedd â'i fryd ar fudo i Swydd Clare – roedd caban bach twt wedi'i greu y tu ôl i ddresel ffug, drom ei golwg, a edrychai'n union fel pe bai'n rhan o'r llwyth. Yno, roedd 'na wely bach o fath, golau a lle i biso i'r lôn, poteli dŵr ac weithiau, byddai rhywun mwy ystyrlon na'i gilydd wedi gadael tipyn o fwyd a hyd yn oed ambell gylchgrawn pornograffaidd i liniaru ar ddiflastod y daith.

Ond er gwaetha'r cysuron hyn, roedd yr awyrgylch yn afiach, oglau'r diesel yn gyfoglyd o gryf ac yn aml, er gwaethaf system awyru amrwd, byddai'n anodd anadlu.

Roedd y tywydd yn swnio'n dawel heno a chyda lwc byddai'r môr yn llonydd. Hepiai Des yn achlysurol ar hyd y daith i'r porthladd. Wedi iddynt gyrraedd y parc loriau yng Nghaergybi, diffoddwyd yr injan ac aeth popeth fel y bedd, dim smic bron heblaw am sŵn y llwyth yn setlo o'i gwmpas yn y tywyllwch. Ar ôl sbel, syrthiodd Des i drwmgwsg drachefn.

Bu ei daith i Gymru i hel cudd-wybodaeth yn ddadlennol ac yn werth chweil. Doedd dim amheuaeth gan Des fod yna gnewyllyn o Gymry a oedd o ddifri ynglŷn â tharo'n ôl yn erbyn yr hen elyn a chodi'r tymheredd ledled Cymru, ac yn barod iawn i gydweithio â lluoedd cyffelyb yn yr Ynys Werdd a gwledydd eraill.

Nid o blith myfyrwyr Aberystwyth y deuai'r bechgyn a'r merched hyn, er bod rhai yn y prifysgolion a oedd yn amlwg yn ymroddedig iawn i'r achos ac fe ddichon y buasent wedi gweithredu, pe bai Gwynfor Evans wedi rhoi ei fywyd yn sgil ei streic newyn arfaethedig. Ond y tu hwnt i chwarae plant a brygowthan y myfyrwyr, a'r tu allan i furiau'r prifysgolion, roedd yn ymddangos fel pe bai rhywbeth ar droed a mwy o grebwyll yn perthyn iddo na'r hyn a gafwyd yn y gorffennol.

Buasai'n sioc gweld Gwyn, brawd Mefina, y noson o'r blaen. Doedden nhw ddim wedi ymwneud rhyw lawer â'i gilydd yn ystod yr adeg pan oedd Des yn briod â'i chwaer. Roedd o hyd yn oed yn hwyr yn cyrraedd y briodas – y car wedi torri neu rywbeth felly, a wnaeth ypsetio Mefina'n arw. Doedd Des ddim yn cofio'r union amgylchiadau'n iawn erbyn hyn. Cofiai ar y pryd iddo amau mai oherwydd ei fod yn gweithio yn Nhryweryn oedd y rheswm na ddangosodd Gwyn lawer o frwdfrydedd na llawenydd y diwrnod hwnnw. Roedd Mefina wedi sôn wrtho am wrthwynebiad ffyrnig ei brawd i'r hyn a ddigwyddai yn y cwm.

Wrth reswm, doedd Des ddim yn siŵr ohono wrth ei gyfarfod. Duw a ŵyr pa hanes roedd Gwyn wedi'i gael amdano gan Mefina pan chwalodd eu priodas.

Roedd yn amlwg nad oedd gan Gwyn unrhyw syniad pwy fyddai'n dod i'w weld o tan yr eiliad y cyrhaeddodd Des y stordy bach ym mherfeddion Ceredigion. Cuddiodd Gwyn ei syndod, a'i siom, yn ddigon deheuig, ond roedd y ddau ar bigau braidd yn ystod eu trafodaethau ac ni soniwyd yr un gair am y cysylltiad a fu rhyngddynt.

Deffrodd Des.

Erbyn hyn gallai glywed lleisiau y tu allan i'r lori.

Dechreuodd chwysu. Roedd o'n ei chael hi'n anodd iawn anadlu'n dawel ac yn gyson. Pwysai'r tywyllwch arno gan ei fygu. Roedd ei ben yn hollti a chlymau chwithig yn ei goes. Ciliodd y lleisiau. Ymlaciodd ychydig.

Diolch byth nad mewn tancer llaeth roedd yn teithio. Clywsai am rai o'r hogiau'n teithio draw fel yna a sut y cafwyd hyd i fwy nag un wedi darfod ar ôl cyrraedd pen y daith. Roedd y lori ddodrefn hon fel gwesty pum seren o'i chymharu â'r tanceri. Ceisiodd ymlacio a rheoli'i anadl.

Hepiodd eto oherwydd y prinder ocsigen... a breuddwydio eto am Mefina. Roedden nhw mewn rhyw glwb yn Lerpwl a grŵp yn chwarae... a Mefina'n dysgu chwarae'r drymiau. Dyna lle'r oedd hi wrthi'n clatsian yn wyllt ar set o ddrymiau fatha rhyw Stockhausen ar sbîd heb unrhyw ymgais at gynnal y curiad... dim siâp arni o gwbl.

"Myn Mair, Mefina..." gwaeddodd Des.

Ac wedyn roedd yn effro. Roedd rhywun yn clatsian o gwmpas y blydi lori. Daliodd ei anadl, ei galon yn curo'n fyddarol yn ei glustiau. Clywodd sŵn cŵn yn cipial a hwnnw'n dod o'r tu ôl i'r ddresel. Ar amrantiad hyrddiwyd drws y caban cudd ar agor a chwalwyd y tywyllwch gan oleuadau cryf a'i dallodd yn llwyr. Cyfarthodd un o'r cŵn a gallai deimlo'i anadl poeth ar ei foch a chlywed y sgyrnygu bygythiol wrth ei glust.

"S'ma 'i, Des? Sori i dy styrbio di, ond mi hoffen ni gael gair bach. Ma 'na dderyn bach wedi bod yn canu dy glodydd i ni, ac roeddan ni'n meddwl 'i bod yn bryd i ni gyfarfod â'r dyn ei hun."

Gwelai Des fod y dyn yn dal rifolfer. Arwyddodd hefo blaen y gwn arno i godi o'r gwely bach.

"Symuda! Reit handi 'ŵan."

Ochneidiodd Des a chodi'i ddwylo.

Ni wyddai ond am un deryn a oedd â rheswm i ganu...

— XXXVII —

BU MARWOLAETH EMLYN yng nghanol y 1970au yn llawer iawn mwy o ergyd i Mefina na cholli'i thad cyn hynny na'i mam ychydig flynyddoedd yn ddiweddarach. Hwn fyddai'r digwyddiad a gynhyrfai fwyaf ar ddyfroedd ei bywyd yn ystod y cyfnod hwnnw.

Y tro diwetha iddi gael cip arno ar ôl eu sgwrs freuddwydiol yr hafddydd hyfryd hwnnw yng ngerddi'r Gelli oedd ddwy flynedd yn ddiweddarach yng ngwanwyn 1974 – gwanwyn eithriadol o braf, a phawb yn rhyfeddu at y tes a'r heulwen odidog. Cymaint mwy o sioc felly oedd gweld yr olwg echrydus ar Emlyn – yn welw ac yn wantan, ei wallt trwchus yn britho ac wedi teneuo'n enbyd, wrth iddo lusgo'i draed yn araf ar hyd y stryd yr ochr draw iddi a'r heulwen sionc yn gwatwar pob cam.

"Emlyn!"

Ond dyma lori hir, gymalog yn dod rhyngddynt gan gloi'r stryd am ryw ddeg eiliad tyngedfennol. Pan gripiodd yr horwth yn ei flaen o'r diwedd, doedd dim sôn am y gŵr llwyd a welsai ar y pafin yr ochr draw.

Gan bryderu'n fawr amdano, holai Mefina y rhai oedd yn ei nabod. Doedd neb fel pe buasent wedi'i weld o ers tipyn. Ac wedyn, un prynhawn Sul rhyw dair wythnos yn ddiweddarach, a hithau wedi mynd am dro yng nghoedydd Maentwrog a'i meddwl wedi crwydro'n ôl i'r diwrnod anffodus hwnnw pan wnaeth ffarwelio ag Emlyn cyn ei throi hi am Lerpwl, pwy welodd yn dod ar hyd y llwybr ond Gwyneth. Yn syth, roedd ei phen mewn cawdel a'i bol fel buddai.

Rhaid bod ei hanghysur i'w weld yn ei hosgo wrth iddi sefyll o'r neilltu i adael i'r ddynes arall fynd heibio ar y llwybr cul a mwdlyd. Dyma oedd ei chyfle i holi am Emlyn, ond roedd hi fel pe bai wedi'i tharo'n fud.

"Diolch," meddai'r ddynes wrthi gan gyflymu'i cham, ond wedyn oedodd. "Dach chi'n iawn?"

"Ym... yndw... wel, sut ma Emlyn?"

Bu ennyd o ddistawrwydd a gwelodd Mefina'r poen yn creithio llygaid y llall.

"Dydi o ddim yn dda, wchi."

"Be sy'n bod, 'lly?"

"Dach chi ddim wedi clywad?"

Ysgydwodd Mefina ei phen.

"Pwy dach chi'n union?" holodd Gwyneth.

"Mefina O'Farrell – Williams gynt. Mi oedd Emlyn a finna... yn yr ysgol hefo'n gilydd."

"Chi 'di Mefina?!"

"Mm," meddai Mefina'n betrus.

"Ma Ems wedi sôn amdanoch chi'n gynnes iawn, cofiwch." Doedd dim arlliw o ddrwgdybiaeth na chenfigen yn ei llais.

"Tewch. Ym... be sy matar hefo fo? Mi ges i gip arno fo yn y dre a gweld golwg... wel, ofnadwy arno fo."

Edrychodd Gwyneth o'i chwmpas. Roedd 'na garreg fawr, fwsoglyd yn ymwthio o'r banc ychydig lathenni oddi wrthyn nhw.

"Awn ni i ista, ia?"

Fe'i dilynodd yn ufudd a setlo ar y sedd. Islaw roedd golygfa wych dros y dyffryn.

Ochneidiodd Gwyneth.

"O, ma hi ar ei hardda heddiw, tydi?"

"Yndi," cytunodd Mefina ar bigau.

Yna trodd Gwyneth ati, a channwyll ei llygaid llwydwyrdd wedi diflannu bron yn gyfan gwbl yn y golau cryf.

"Ma lewcemia ar Emlyn, mae arna i ofn."

"O, na."

"A tydi'r prognosis ddim yn dda."

"O'r argian."

"Matar o wsnosau'n unig."

"Roedd golwg mor iachus arno fo..."

"Fel cneuen bob amsar tan ryw naw mis yn ôl."

Bu distawrwydd heblaw am grawc cigfran yn y creigiau uwch eu pennau.

"Os galla i helpu. Nyrs ydw i. Mi fyswn i 'mond yn rhy falch..."

"Dach chi'n garedig iawn, ond mae o yn y dwylo gora posib erbyn hyn. Ma o mewn clinig preifat yn Crosby – ma hynna'n groes graen, cofiwch, meddyginiaeth breifat, hynny ydi – ond fedra i ddim mynd â 'mhres hefo fi na fedraf? Ma o'n ca'l y gofal gora posib. Dw inna jest wedi dod i lawr i tsiecio ar y tŷ."

Gwelodd Gwyneth y gofid yn crychu ar draws wyneb Mefina a gwelodd nad oedd y dagrau ymhell. Serch hynny, roedd y ffaith bod Mefina hefyd o dan gymaint o deimlad yn help iddi reoli'i theimladau ei hun. Rhoes ei llaw ar ei braich – llaw ryfeddol o fach o ystyried ei bod yn wraig mor dal.

Llwyddodd Mefina i'w sadio ei hun.

"Wnewch chi ddeud wrtho fo fy mod i'n... cofio ato fo, yn fawr, fawr, fawr?"

"Gwnaf."

Wedyn buont yn eistedd yn dawel am sbel, llaw fach Gwyneth yn dal i gydio ym mraich Mefina, gan wylio'r dail a oedd yn glasu'r coed oddi tanyn nhw ac yn dawnsio'n llawen yn yr awel gref o'r gorllewin.

Ar ôl ychydig cododd Gwyneth ar ei thraed.

"Wel, rhaid i mi fynd yn ôl at y car rŵan. Eisiau cyrraedd Lerpwl cyn iddi d'wllu. Mae'n dda iawn gen i gyfarfod hefo chi, Mefina. Mi wna i sôn wrth Emlyn."

"Ia. Hwyl," meddai Mefina'n freuddwydiol gan ailgydio yn ei thaith hithau i'r cyfeiriad arall. Ar ôl ychydig gamau sylweddolodd iddi ffarwelio â'r llall braidd yn ffwr-bwt ond roedd ei meddyliau hi ar chwâl yn llwyr.

Trodd yn ôl gan obeithio dal Gwyneth cyn iddi ddiflannu o'r golwg. Ond roedd y coed eisoes wedi'i llyncu. Roedd Mefina eisiau deud diolch... diolch iddi am achub yr hen Emlyn rhag hyrddio'i hun i ddistryw, a diolch i Emlyn hefyd am fod yn driw hyd yn oed pan mai dyna oedd y peth diwethaf roedd Mefina eisiau iddo fod... ond roedd hynny i gyd yn rhy hwyr erbyn hyn.

— XXXVIII —

Ar ddechrau 1976, ac yntau wedi byw'n hwy na'r disgwyl, bu farw Emlyn. O ran y teulu doedd neb ar ôl i alaru amdano yn yr hen fro. Roedd ei dad a'i lysfam dan y gweryd ers sawl blwyddyn, er na fu fawr o Gymraeg rhyngddynt ers y noson y gwnaeth ddatgan ei gefnogaeth i'r tri dyn dewr a blannodd y bom dan y transfformer ar safle Tryweryn.

Ac yntau wedi'i fagu yn y fro ac oherwydd natur ei waith, roedd Emlyn, wrth gwrs, yn adnabod pawb a phawb yn ei adnabod yntau, ond rhyw berthynas hyd braich fyddai hi bob amser hefo fo; ei gymar oedd ei unig wir gyfaill ac roedd ei gynhebrwng yn yr amlosgfa yn Lerpwl yn druenus o fach ond nid heb urddas.

Dim ond pan aeth Rhyd-yr-eirin ar werth y bu unrhyw syniad gan Mefina fod Emlyn wedi marw ac roedd hi'n methu'n lân â ffeindio neb a allai gadarnhau ai gwir oedd ei hofnau. Wrth ruthro i'w gwaith un bore dyma hi'n taro i mewn i'r postmon yn llythrennol.

"Wp-y-dês, Mefs. Ma 'na lythyr sydd ddim yn fil i chdi heddiw."

Doedd hi ddim wedi cael llythyr nad oedd yn llythyr twrnai ers... wel, ers y dyddiau pan oedd hi yn Lerpwl ac Emlyn yn sgwennu ati'n rheolaidd. Am eiliad, daeth pwl rhyfedd drosti; hwyrach nad oedd Emlyn wedi marw wedi'r cwbl a'i fod yn ysgrifennu ati unwaith eto. Cipiodd ar y marc post. Lerpwl! Doedd hi ddim yn nabod y llawysgrifen. Llawysgrifen dynes. Gwyneth yn sgwennu drosto. Emlyn yn arddweud y llythyr ar ei wely angau hwyrach… neu hyd yn oed yn sgwennu i ddweud ei fod ar wella.

Roedd yn rhaid iddi redeg am y bws. Ar ôl bachu sedd, rhwygodd yr amlen yn agored a cheisiodd ddarllen yr ysgrifen italig ddestlus wrth i'r bws siglo ar y ffordd droellog.

Annwyl Mefina,

Gyda chalon drom dyma fi'n rhoi ysgrifbin ar bapur i'ch hysbysu bod Emlyn annwyl wedi ein gadael ar 4 Ionawr, am chwarter i dri yn y bore. Er i'w gystudd fod yn un hir ac yn annifyr, erbyn y diwedd roedd mor gyfforddus ag y bo modd o dan yr amgylchiadau ac fe hunodd yn dawel a rhyw lun o wên ar ei wyneb.

Peidiwch â gwneud dim byd byrbwyll, medd fy ffrindiau i gyd wrthyf. Wel, rwyf yn rhy hen i gymryd fawr o sylw ohonynt erbyn hyn ac felly rwyf wedi penderfynu gwerthu Rhyd-yr-eirin. Babi Emlyn a fi oedd Rhyd-yr-eirin yn y bôn. Mae brath y cryd cymalau'n golygu na fyddai fawr o fudd i mi aros yno yn fy henaint pan ddaw. Pe bawn yn ifengach a'r esgyrn ddim yn cwyno cymaint hwyrach y byddwn yn dal gafael yn y lle. Rydych siŵr o fod wedi gweld arwydd yr arwerthwyr wrth waelod lôn y mynydd.

Ta waeth am hynny. Dymuniad Emlyn oedd bod ei lwch yn cael ei wasgaru dros ddyfroedd y llyn bach a greodd yn yr ardd acw. Ei 'Dryweryn' fel y byddem yn cyfeirio ato. Dwi am gyflawni'r gymwynas olaf hon wythnos i ddydd Sul. Dim ond y fi fydd yno a hoffwn yn fawr pe gallech gadw cwmni i mi. Mae rhif ffôn ar ben y llythyr.

Mi wn i beth roeddech chi'n ei olygu i Emlyn ar ryw adeg. Roedd wedi mopio'n lân pan ddywedais i ein bod wedi cwrdd â'n gilydd uwchben dyffryn Dwyryd ar y diwrnod godidog hwnnw'n ôl yn y gwanwyn y llynedd. Ganddo fo y cefais i eich cyfeiriad ac roedd wedi gofyn i mi roi gwybod i chi ar ôl iddo fynd.

Gobeithio y gallwch weld eich ffordd yn glir i ymuno â fi. Cawn drefnu lle i gyfarfod. Fydda i ddim mymryn dicach os na fyddwch chi'n dod i gysylltiad.

Yr eiddoch yn gywir

Gwyneth Ellwell

Drwy'r dydd a thrwy'r nos bu cynnwys y llythyr yn pwyso arni. Wedi'r cwbl, doedd hi erioed wedi caru Emlyn go-iawn. Ei ffansïo'n sicr, ei weld yn annwyl erbyn y diwedd. Ond y gwir amdani, bu'n fwy o boen na dim byd arall iddi ar brydiau. Eto i gyd, roedd ei chydwybod yn ei phoeni na fuasai yn ei gynhebrwng. Tasa fo wedi cael angladd yn yr ardal, basa hi wedi bod yno, yn ddi-os. Felly, y peth lleiaf fedrai hi ei wneud fyddai mynd hefo Gwyneth i ben y mynydd.

Y noson honno, aeth hi i lawr i'r ciosg i ffonio.

Wythnos i ddydd Sul, fe'i cafodd ei hun yn sefyll wrth waelod y ffordd a arweiniai i Ryd-yr-eirin, yn dal ei chôt yn dynn amdani yn y rhewynt a chwipiai oddi ar y topia a oedd o dan gap go drwchus o eira. Roedd y lôn fach gul hon yn ddiarhebol am fod yn anodd yn y gaeaf. Gobeithiai na fyddent yn mynd i ryw drybini arni.

Cyrhaeddodd Gwyneth yn brydlon. Roedd ei chroeso a'i char yn gynnes iawn, diolch byth, a heblaw am ambell lwchfa yma a thraw ar ochr y ffordd doedd y lôn ddim cynddrwg ag roeddent ill dwy wedi ei ofni.

Ni chymerodd y weithred o wasgaru fawr o dro chwaith. Roedd y gwynt yn rhy oer i loetran. Treuliwyd ychydig amser yn penderfynu ar y man gorau i sefyll rhag bod unrhyw dro anffodus wrth ollwng y llwch i'r elfennau, a bu eu dewis yn gywir. Chwythwyd y powdwr gan hyrddiad nerthol yn un bluen uwchben dŵr mawnog y llyn bach cyn disgyn yn gawod i'r tonnau bach islaw.

Am eiliad neu ddau'n unig y safodd Gwyneth cyn troi ar ei sawdl a martsio tua'r tŷ â Mefina yn ei sgil. Roedd y gegin yn oer ond roedd digon o nwy potel i'w gael i hwylio paned. Roedd Gwyneth yno am ryw wythnos o waith clirio ac wedi dod ag ychydig o neges hefo hi o Lerpwl.

Tra oedd Gwyneth yn cynnau'r Aga, bu Mefina'n edrych ar y gwaith celf ar y wal. Uwchben y setl, gwelodd hi'r llun a dynnwyd o Emlyn yn yr ardd.

"Dwi'n leicio hwn," meddai. "Leicio'r lliwia a siâp... y... y, wel ia, dyn ydi o'n bendant!" meddai gan sylwi ar yr addurn nobl a gariai'r ffigwr haniaethol ar y canfas.

"Emlyn ydi hwnna."

"O," meddai Mefina ond heb weld y tebygrwydd yn syth.

"Mi faswn i'n 'i gynnig o i chi ond mae o'n werthfawr iawn i mi'n bersonol... Y llun cynta i mi baentio ohono fo. Doedd o ddim yn 'i leicio fo."

"Faswn i ddim yn ystyried ei gymryd o gwbwl. Nid dyna pam ro'n i'n cyfeirio ato. Jest bo fi'n 'i leicio fo – fel llun."

Cododd Gwyneth o'i chwrcwd yn ymyl yr Aga. Edrychodd yn syth i lygaid Mefina am ennyd.

"A deud y gwir, Mefina, ma 'na reswm arall dw i 'di gofyn i chi ddŵad yma prynhawn 'ma heblaw i gadw cwmni i mi – ac mi dach chi wedi bod yn gwmni gwerthfawr iawn."

"Ia, dwi wedi... nid mwynhau ydi'r gair, naci? 'Di gwerthfawrogi ca'l gwahoddiad."

"Hwyrach dylswn i fod wedi darllan cerdd neu draddodi rhyw araith neu rwbath," meddai Gwyneth. "Mi oedd y cwbwl drosodd braidd yn sydyn, doedd?"

"Ia, wel, mi oedd y gwynt fatha rasal. Gwell hel meddylia

fa'ma... yn y gwres."

"Dach chi siŵr o fod yn iawn. Na, y rheswm arall ro'n i eisio'ch gweld chi ydi i sôn am ewyllys Emlyn. Dach chi ddim wedi clywad gair gan y twrnai eto?"

"Naddo," meddai Mefina. Ofn arni braidd o glywed y gair 'twrnai'.

"Wel, mae'n debyg, er y bu bron i dad Emlyn beidio â'i gynnwys yn ei ewyllys, bod ei lysfam wedi mynnu y dylai gael eu tŷ nhw ar ei hôl hi. Druan ag Emlyn, roedd o mewn tipyn o stad pan glywodd o."

"Ew! Dwi ddim yn ama. Doedd o jest ddim yn 'i leicio hi, nag oedd?"

"Nag oedd. Ond dyna fo. Ar ôl gwerthu'r tŷ roedd ganddo gelc bach digon parchus. Wel, ei fwriad oedd gadael y pres i'r Blaid."

"Sdim byd wedi newid fan'na, 'ta," chwarddodd Mefina.

"O na, roedd o'n genedlaetholwr tan y diwadd. Byddan ni'n dadlau o hyd a finna'n gomiwnydd ers fy arddegau."

"Yn gomiwnydd?" ebychodd Mefina'n methu cuddio'i syndod.

"Ia, wel, gan 'mod i'n ddynas gyfoethog, dwi wedi gweld sut ma cyfoeth yn ca'l ei neud ar draul pobol eraill ar draws y byd ac ar garrag y drws fan hyn o ran hynny... Ta waeth am y politics. Yn ystod ei wythnosa ola, newidiodd Emlyn ei ewyllys. Hanner cant y cant o'i stad i'r Blaid; hanner cant y cant i chi."

"Ond beth amdanoch...?"

"Dwi i'n iawn, diolch yn fawr i chi. Does wbod pwy gaiff fy holl gyfoeth innau. Rhyw gartra i gathod yn Birkenhead falla."

Yn sicr, doedd mawredd gweithred Emlyn ddim wedi'i tharo'n llwyr. Am y tro roedd y sefyllfa'n teimlo'n hollol swreal. Yr hen dŷ oer ar ben y mynydd, y seremoni o wasgaru'r llwch...

Hanner cant y cant i'r Blaid, meddyliodd wedyn, a hanner cant y... ai dyna sut roedd Emlyn yn ei phwyso a'i mesur, dim ond yn gyfwerth â rhyw blaid wleidyddol? Daeth ton o genfigen drosti. Hi oedd ei gariad nid rhyw blaid ddwy-a-dimai na fyddai gan Emlyn eirda i'w ddweud drosti pan fyddai'n hefru am Dryweryn a Glyndŵr a ballu erstalwm. Teimlai Mefina'n ddigon anniddig yn sgil y datguddiad hwn.

"Roedd o'n poeni amdanoch chi," meddai Gwyneth o weld bod rhywbeth bach yn chwithig yn ymateb Mefina. "Yn gweld 'ych bo chi'n gorfod stryglo a g'neud rhyw jobsys gwael a ballu. Yn teimlo'ch bod wedi cael ail. Roedd yn gobeithio y gallai fo o leiaf helpu rhywfaint at wella petha i chi."

Dim ond yn nes ymlaen y noson honno ar ôl cyrraedd adra, hefo Deri'n erfyn yn ddiddiwedd am ryw daith ysgol i'r Eidal yn yr haf, y gwawriodd arwyddocâd y gymynrodd. Yn sydyn sylweddolodd y gallai gytuno â chais ei mab – rhywbeth a'i lloriodd yntau'n llwyr gan roi taw sydyn ar yr erfyn!

Bu'r pres o gymorth mawr iddi. Yn wir, newydd ddechrau ystyried symud i le bach ychydig yn well roedd Mefina pan ddaeth y tro nesaf yn y rhod.

— XXXIX —

BEDAIR BLYNEDD AR ôl gwasgaru llwch Emlyn bu angladd Gwenda Williams, ac ni allai Mefina lai na chymharu'r ddwy seremoni wrth ddilyn arch ei mam yn barchus i mewn i'r capel – ffurfioldeb hen-ffasiwn y naill a naws ddilyffethair y llall.

Esgus cyfleus oedd y cynhebrwng wrth gwrs i'r mab afradlon, Gwyn, wneud un o'i ymddangosiadau prin yn yr ardal. Bob yn ail flwyddyn, os hynny, y byddai'n mentro i'w hen gynefin.

Roedd brawd Mefina bellach yn ddarlithydd yn un o adrannau hanes Prifysgol Cymru, ond doedd o ddim wedi gwella fawr ddim o ran ei allu i gadw mewn cysylltiad. Ni châi'i chwaer yr un llythyr na cherdyn na galwad ffôn ganddo am fisoedd, ond daliai Mefina i ymfalchïo yn llwyddiant ei brawd bach ac fe hoffai ei frolio mewn cwmni.

Bu Gwyn yn gynnes iawn tuag ati ar ddiwrnod yr angladd, ond ar yr un pryd teimlai Mefina fod yna rywbeth ar ei feddwl a rhyw aflonyddwch yn ei lygaid nad oedd wedi'i weld yno cyn hynny.

Gyda'r nos a'r ddau ar eu pennau eu hunain yn y tŷ, dyma Mefina'n penderfynu holi'i brawd a oedd popeth yn iawn, ond cyn iddi gael cyfle i yngan yr un gair, meddai Gwyn:

"Falla y bydda i'n mynd i ffwr am sbel."

"I ffwr?"

"Teithio tipyn bach."

"Braf ar rai. Lle'r ei di?"

"Ddim yn siŵr eto."

"Wel, dwi ddim yn gweld pam lai. Does gen ti neb i dy gadw di 'ma – heblaw amdana i wrth gwrs."

Gwenodd arno ond ni wenodd yntau'n ôl.

"Petha'n iawn hefo chdi?" gofynnodd Gwyn wedyn gan edrych arni'n ddwys ddifrifol. Petrusodd Mefina cyn ateb, wedi'i synnu gan daerineb y cwestiwn a'r olwg boenus ar ei wyneb.

"Ydyn. Tshiampion. Yn well na buon nhw ers tipyn a deud y gwir."

"Da iawn. Ti'n edrych yn dda."

"Diolch yn fawr, syr."

Saib.

"Gwyn, ydi pob dim yn iawn hefo chdi?"

"Tshiampion, diolch," atebodd yn syth gan wenu arni'n braf y tro hwn.

"Sut gei di amsar o dy waith i deithio 'lly, ryw flwyddyn sabothol neu rywbath ydi o?"

"Ia, rhywbath felly."

Ac aeth y sgwrs ymlaen at bethau eraill.

Rhyw fis yn ddiweddarach, hanner awr wedi chwech y bore, roedd Mefina'n dychwelyd o shifft nos yn y cartref nyrsio lle y bu'n gweithio ers deng mlynedd a rhagor erbyn hyn. Cawsai bàs gan un o'r genod eraill hyd at waelod y lôn a arweiniai at y rhes o fythynnod lle'r oedd hi'n byw. Daliai cynffon un o stormydd mawr y gaeaf i ffustio'r awyr o'i chwmpas ac roedd hi'n gorfod cerdded â'i phen i lawr yn erbyn y gwynt nerthol.

Roedd hi wedi blino'n lân ac yn edrych ymlaen at gael paned a mynd i'r gwely.

Roedd Deri bellach yn brentis plymiwr ac yn byw hefo cefnder i Mefina yng Nghaernarfon. Er ei bod hi'n hiraethu amdano weithiau, at ei gilydd pleser digymysg oedd cael y tŷ iddi hi ei hun, yn enwedig ar ôl shifft anodd.

Adra o'r diwadd, meddyliodd gan godi'i phen – a stopio'n stond.

O flaen y tŷ, roedd dau gar yr heddlu ac ar garreg ei drws safai dau blismon ac un blismones mewn iwnifform ynghyd â dau ddyn yn eu dillad eu hunain. Roedd trydydd swyddog mewn lifrai yn dod rownd ochr y tŷ o'r cefn.

"Neb i'w weld," meddai hwnnw.

Sylwodd fod ci drws nesa yn cyfarth yn lloerig a bod y llenni'n symud yn llofftydd y tai cyfagos.

Teimlai Mefina waelod ei bol yn diflannu wrth ruthro yn ei blaen.

"O, Iesu. Deri. Be sy 'di digwydd? Fi 'di fam o!"

Trodd y *posse* bach ati'n syn braidd.

Yna trodd un o'r swyddogion ati – cawr o ddyn hirgoes.

"Mrs Mefina O'Farrell?"

"Be sy 'di digwydd? Ydi o'n iawn?"

"Ydy pwy'n iawn?"

"Deri – y mab."

"Lle mae o?" gofynnodd y swyddog arall.

"Wel, yng Nghaernarfon, siŵr. Mae o'n mynd i'r colej i fod yn blymar. Ma 'ngefndar i'n blymar, dach chi'n gweld, a fynta'n brentis iddo fo."

"Ac o le dach chitha wedi dŵad rŵan mor fore â hyn?"

"Dwi 'di bod yn y gwaith yn y Gelli, wchi, y cartref nyrsio. Oes 'na rwbath 'di digwydd i Deri?"

Edrychodd y ddau swyddog ar ei gilydd. Roedd y naill yn dal a'r llall yn fyr. Roedd yr un byrgoes yn eithaf cydnerth hefo wyneb coch a chlustiau a thrwyn paffiwr ganddo a'r un tal yn hŷn ac yn eithaf golygus gyda man geni ffyrnig ar ei dalcen a dynnai sylw braidd oddi ar urddas gweddill ei wyneb.

“’So ni ’ma ar gownt Deri, Mrs O’Farrell. Whilio am ’ych brawd wên ni.”

Rhwng y dafodiaith ddiarth a’r sioc, ni fedrai Mefina ond sbio’n hurt arno.

“Ydach chi’n gwbod lle mae o, Mefina?” meddai’r paffiwr. “Dach chi wedi gweld Gwyn yn ddiweddar?”

Trodd Mefina i’w wynebu. Hyd yn oed yn ei dryswch a’i gofid, roedd rhyw lais y tu mewn iddi yn ei rhybuddio i beidio â datgelu dim. Roedd wedi gweld y paffiwr yn rhywle o’r blaen. Hogyn lleol, mae’n rhaid. Wedi bod yn yr ysgol hefo hi. Ond, na, roedd hi wedi’i weld o’n fwy diweddar na hyn’na...

“Mefina, pryd welsoch chi Gwyn ddiwetha?” Mwy o frath yn ei lais y tro hwn.

“Wel, angladd Mam – rhyw fis yn ôl. Pam dach chi eisio gweld Gwyn?”

“Jest eisio gofyn rhai cwestiynau iddo fo.”

“Pam? Byw yn y sowth mae o. Be mae o wedi’i wneud?”

Gwaeddodd rhywun ar y ci drws nesa a daeth taw ar y coethi. Ymddangosodd dyn yn ei gôt nos yng nghil y drws gan ei gau’n syth pan drodd y plismyn i edrych arno.

“Gawn ni ddod i mewn, plîs?” meddai’r paffiwr. “’Dan ni’n tynnu bach gormod o sylw fan hyn.”

Ac i mewn â nhw. Yn sydyn roedd y bwthyn bach yn teimlo’n orlawn. Roedd breuddwyd Mefina am baned a gwely wedi troi’n yfflon. O’r diwedd gadawodd y tri dyn yn eu lifrai gan ei gadael hi efo’r blismones a’r ddau swyddog yn eu dillad eu hunain. Sylwodd Mefina, o dan ei dop-côt, fod y dyn hirgoes yn gwisgo’n fwy fel hen labrwr nag aelod o’r CID.

Am ryw ugain munud bu’r ddau swyddog yn ei holi, ond yn fuan iawn roeddent wedi’u bodloni na wyddai Mefina ddim oll am ddim byd roedden nhw am ei wybod. Mae’n debyg nad oedd Gwyn yn ei dŷ yn y sowth. Roedd yn edrych fel pe bai wedi diflannu.

"O's gwahanieth 'da chi bo ni'n ca'l pip fach rownd y lle?" meddai'r dyn tal yn gwrtais ddigon.

"Eisio sbec sydyn o gwmpas y tŷ ydan ni," cyfieithodd y paffiwr.

"Dydi o ddim ar werth eto," meddai Mefina'n ddifeddwl.

"Be? Meddwl am werthu dach chi? Pam hynny?" Roedd y paffiwr fel daeargi.

"Heb benderfynu eto," meddai Mefina'n ddidaro. "Gawn ni weld..."

Edrychodd y ddau swyddog arni'n amheus cyn diflannu drwy'r drws gan adael Mefina yng nghwmni'r blismones ifanc.

"Lle dwi 'di gweld yr un bach 'na o'r blaen, d'wch?" gofynnodd Mefina iddi.

"Ma 'i dad o yn y Gelli," sibrydodd y ferch ifanc. "Jac Robaitsh."

Wrth gwrs. Roedd Mefina'n cofio rŵan. Doedd ganddi ddim cof bod y mab yn ymweld â'i dad yn rhy aml chwaith. A beth am y llall? Yr Hwntw Mawr. Na, er nad oedd o ddim yn gyfarwydd iddi, eto i gyd, rywsut doedd e ddim yn gwbwl ddiarth chwaith.

Gallai glywed y ddau yn symud o gwmpas i fyny'r grisiau gan siarad Saesneg hefo'i gilydd.

"Dach chi eisio panad, cariad?" gofynnodd i'r blismones.

"Na, dim diolch."

"Oes ots gynnoch chi 'mod i'n ca'l un? Dwi jest â thagu."

Aeth Mefina ati i ferwi'r tegell. Ar fin dechrau ar ei phaned oedd hi pan ddychwelodd y lleill o'r llofft.

"Dydi o ddim yma, nac ydi?" meddai Mefina'n hy braidd.

Ni chafodd ateb.

Roedd yr Hwntw tal yn cario llun bach a arferai sefyll ar y gist o ddroriau yn ei llofft hi – llun o Emlyn ar draeth Llandanwg yn ystod haf 1959.

"Pryd welsoch chi hwn ddiwetha?" holodd.

"Sbel go lew," atebodd Mefina, wedi adennill ei hyder erbyn hyn. "Mae o wedi marw ers pum mlynedd."

"O... o'n i ddim yn gwbod. Ddrwg 'da fi glywed," a gosododd y llun yn barchus ar y ddresal. Wrth i Mefina ei weld yn plygu fel hynny, cofiodd yn iawn lle'r oedd hi wedi'i weld o'r blaen. Llyn Tegid, ddwy flynedd ar bymtheg yn ôl, Emlyn ar lawr, criw o ddynion yn ceisio i wthio i gefn fan, hithau a Des yn rhedeg tuag atyn nhw...

Sylwodd y plismon ei bod hi'n syllu arno'n rhyfedd. Edrychai'n anghyfforddus.

"Be sy'n bod?"

"O, dim byd."

"Wel, mi awn ni rŵan, Mefina," meddai'r paffiwr, "ond mae'n ddigon posib y byddwn ni'n ôl eto. Ac os clywch chi rwbath am hanes 'ych brawd ne os bydd o'n cysylltu efo chi, dwi am i chi roi gwybod i ni'n syth. Dach chi'n dallt?"

"Yndw," meddai Mefina'n ufudd gan wybod mai dyna'r peth callaf i'w ddweud.

"A dim gair wrth neb am hyn. Ma diogelwch y wlad yn y fantol."

Reit, meddyliodd Mefina. Dwi'n dechrau dallt y dalltings rŵan. Gwyn bach. Diolch yn dalpia, y mwnci gwirion.

Gadawodd yr heddlu a bu'r tŷ'n ddistaw unwaith eto heblaw am hyrddiau olaf y storm y tu allan. Erbyn hyn, roedd Mefina'n rhy flinedig i boeni am yr hyn a oedd newydd ddigwydd. Rhaid cysgu'n gynta. Doedd dim mwy y gallai ei wneud.

— XXXX —

Ni chlywodd Mefina ragor gan yr heddlu, Ni chlywodd chwaith yr un gair gan Gwyn. Hyd y gallai farnu, hi oedd yr unig un yn y teulu a oedd yn gwybod am ei ddiflaniad.

Pobl yn gofyn iddi: "Wyt ti 'di clywad gan Gwyn yn ddiweddar?"

Wel, roedd Gwyn, chwarae teg iddo, wedi rhoi'r esgus iddi.

"Mae o ar flwyddyn sabothol."

"Be 'di honno 'lly? Gweithio dydd Sul yn unig, ia?"

"Naci, blwyddyn i ffwr o'i waith arferol… i deithio."

"Blydi hel! *Nice work if you can get it.*"

Ac am bresenoldeb yr heddlu y bore hwnnw – wel, camgymeriad ynte? Rhywun arall o'r enw O'Farrell. Doedd dim sôn yn y papurau nac ar y newyddion, felly mae'n rhaid bod yna waharddiad o ryw fath mewn grym, meddyliodd. Teimlai Mefina ryw gymysgedd o ofid a dicter. Pryderai'n arw am ddiogelwch ei brawd, natur ei droseddau, beth pe bai'n cael ei ddal… a dicter am iddo ddod â'r holl helynt yma ar ei phen a'i gadael hi yn y ffasiwn limbo.

A ddylai hi fynd allan i chwilio amdano? Doedd ganddi ddim amcan lle i ddechrau. Efallai y byddai lluoedd y gyfraith yn cael gafael ynddo yn y pen draw, beth bynnag, ac mewn ffordd byddai hynny o gysur yn hytrach na meddwl amdano allan fan'na yn rhywle yn gorfod cuddio a thwyllo am weddill ei fywyd.

Os nad oedd ymadawiad ei brawd yn ddigon, yn sydyn roedd y papurau a'r cyfryngau torfol yn llawn hanes ei chyn-ŵr. Roedd Des yn ymddangos mewn llys barn efo nifer o aelodau'r IRA yn wynebu cyhuddiadau yn ymwneud â chynllwynio gyda chenedlaetholwyr anhysbys yng Nghymru i weithredu'n derfysgol ar y cyd.

Sioc a siom arall. Roedd meddwl am Des yn yr IRA wedi'i dychryn a'i drysu'n lân. Sut gallai rhywun fel Des fod yn perthyn i fudiad o'r fath? Ocê, roedd yn oriog ac yn dwyllodrus fel gŵr, efallai, ond roedd yna fyd o wahaniaeth rhwng godinebu a llofruddio.

Roedd hi'n gwybod am hanes ei daid yn y Fron-goch ac yn gwybod mor falch roedd Des o'r cysylltiad hwnnw. Ond amser maith yn ôl oedd y petha hynny. Roedd hefyd wedi sôn rhywfaint wrthi am yr anghyfiawnder yn ôl yn Iwerddon, ond yn nhyb Mefina roedd bod yn falch o'i dras a phoeni am ei wlad yn hollol wahanol i weithredu yn enw pobl a oedd yn fodlon ffrwydro bomiau'n ddirybudd gan ladd ac anafu degau o bobl ddiniwed ar fympwy.

Gorweddai'n effro'r nos gan geisio dyfalu sut roedd y bachgen siriol y bu'n ei garu mor angerddol erstalwm wedi mynd gymaint ar gyfeiliorn. Doedd ganddi'r un esboniad. Doedd hi ddim yn gallu cysoni'r peth. Oedd yna gysylltiad rhwng yr achos a diflaniad Gwyn fel un o'r 'cenedlaetholwyr anhysbys' tybed? Pwysai'r holl beth arni beunydd beunos gan adael ei nerfau'n greiau.

Roedd hi wedi cadw'i henw priodasol ar ôl yr ysgariad er mwyn Deri, ond yn sydyn aeth yr O'Farrell yn dipyn o fwrn. Wrth ddod o'i gwaith yn y Gelli ryw brynhawn yn ystod yr achos, ymddangosodd lob o ohebydd tabloid o nunlle gan wthio recordydd tâp o dan ei thrwyn a dechrau ei phledu â chwestiynau di-chwaeth:

"Sut brofiad oedd bod yn briod â rhywun sy'n llofruddio plant?"

"Dach chi'n cefnogi llosgi tai haf?"

"Lle ma'ch mab chi, Mrs O'Farrell? Dach chi'n meddwl y gwneith o ymuno â'r IRA fel ei dad?"

"Ydy 'ch mab yn cefnogi Meibion Glyndŵr?"

"Dach chi'n dal i fod mewn cysylltiad â'ch gŵr?"

Cadwodd Mefina ei cheg ynghau. Fe'i dilynwyd bob cam i'r arhosfan bws. Am unwaith roedd Crosville yn brydlon a llwyddodd i ddianc.

Y noson honno, bu Deri ar y ffôn o Gaernarfon.

"Ma 'na ddyn yn tynnu llunia ohona i yn y ciosg, Mam. Ma o eisio i mi siarad hefo fo am Dad."

Yn ffodus, y diwrnod canlynol dechreuodd helynt y Malfinas a chollodd fwlturiaid y wasg ddiddordeb yn achos Des a'r lleill a chysylltiad Mefina a Des yn benodol.

Erbyn diwedd yr hydref, yn sgil hyn oll a'r holl ansicrwydd am ei brawd, roedd Mefina wedi penderfynu ei bod yn bryd hel ei phac o Gymru unwaith yn rhagor. A hithau newydd gyrraedd ei deugain oed, teimlai os na roddai gynnig ar ei chodi ei hun o'r rhigol y bu'n pydru ynddi ers dros bymtheng mlynedd, yna, byddai hi'n rhy hwyr arni.

Doedd clymau teulu na'r gymuned ddim yn ddigon tyn fel na fedrai eu datod yn rhwydd. Yn wir, er ei bod yn boblogaidd gan rai yn y fro ac yn dal i wneud tipyn hefo'i theulu yn ardal Llanbedr – er nid cymaint â phan oedd Deri'n ifanc – roedd cysylltiad Mefina â Des O'Farrell wedi'i niweidio mewn sawl ffordd dros y blynyddoedd. Daliai i deimlo bod llygaid beirniadol yn ei dilyn hi ar brydiau ac ers y tro diweddaraf yn yr hanes roedd yn ymwybodol o ryw oeri digamsyniol yn ei pherthynas â'i chyflogwyr ac eraill yn y gymdogaeth. Doedd neb yn anghofio'r bore y galwodd yr heddlu cyn codi cŵn Caer – 'camgymeriad' ai peidio.

Roedd Deri'n sefyll ar ei draed ei hun bellach, yn cyd-fyw gyda'i gariad yn Llanllyfni yn un o fflatiau Tai Eryri. Ac yntau'n blymiwr nid oedd gwyntoedd croes diweithdra y blynyddoedd Thatcheraidd yn amharu cymaint arno â gweddill ei gyfoedion yng Ngwynedd. Eisoes roedd yn sôn am y dydd pan fyddai ganddo ei fusnes ei hun.

Roedd Mefina'n falch iawn o'i mab, yn edmygu'i hyder a'i annibyniaeth. Falla iddi lwyddo i wneud rhywbeth yn iawn wrth ei fagu!

Pan wyntyllodd ei syniad am fynd yn ôl i Lerpwl, roedd Deri ar ben ei ddigon.

"Dos amdani, Mam! Bydd hi'n grêt! Rhywle i aros pan fydd Lerpwl yn chwara."

Blaenoriaethau, meddyliodd Mefina. Yn sicr, dyma un rhwystr yn llai iddi. Roedd drws y gawell yn agored led y pen ac am yr eildro yn ei bywyd lledodd ei hadenydd a gadael.

EPILOG

Haf 2007

YN FWY TRIST na blin.

Cofiai Mefina glywed y geiriau hyn ar y radio ychydig yn ôl. Geiriau un o drigolion Capel Celyn yn crynhoi'i theimladau ddeugain mlynedd a mwy wedi'r troi allan.

Cerddai i lawr at y capel coffa ar lan y llyn, gan geisio osgoi'r pyllau dŵr anferthol ar y llwybr. Roedd heddiw'n ddiwrnod ffres a braf, y cymylau wedi sbydu'u cynnwys o'r diwedd a'r tywydd wedi sychu am unwaith ar ôl glawogydd rhyfeddol Mehefin a Gorffennaf.

Edrychai'r adeilad fatha rhyw Arch Noa wedi'i golchi i'r lan ar ôl holl stormydd a llifogydd yr wythnosau diwethaf. Roedd y gronfa'n llawn iawn ar hyn o bryd; dim sôn eleni am yr hen adfeilion yn brigo'r wyneb o ganlyniad i sychdwr.

Wrth ddynesu at y capel, dechreuai holl oblygiadau'r weithred o foddi'r cwm ers talwm wawrio arni a hynny fel pe bai am y tro cyntaf. Yn sydyn, daeth iddi ryw amgyffred o'r hyn a brofasai brodorion Celyn yr adeg honno: yr ansicrwydd, yr ofn, yr anghrediniaeth, y diffyg dealltwriaeth ac, yn anad dim, y diffyg cydymdeimlad, hyd yn oed ymysg rhai o'u cyd-Gymry yn y bröydd o'u cwmpas.

Teimlai Mefina ryw euogrwydd annisgwyl wrth sylweddoli na fuasai hi ei hun wedi dangos mwy o gydymdeimlad ar y pryd ac na fuasai'n fwy ymwybodol o'r hyn a oedd yn digwydd...

Y bore hwnnw fe deimlai fod y llyn yn darddle i holl helbulon ei bywyd dros y blynyddoedd; o'r diwrnod tyngedfennol hwnnw pan glywodd enw'r cwm am y tro cyntaf ac Emlyn druan yn myllio am ei bod hi'n mynnu mynd i Lerpwl i ddilyn hyfforddiant i fod yn nyrs. Emlyn, 'ngwas gwyn i, meddyliodd wrth i donnau o dristwch ac edifeirwch ei gorchfygu gan ei gorfodi i bwyso'n ôl yn erbyn wal y capel. Llifodd y dagrau a thrwyddynt crynai dŵr y llyn fel rhith.

O'r diwedd, sychodd ei llygaid a chwythu'i thrwyn. Roedd y pwl wedi darfod, ei galar wedi treio unwaith eto a hithau wedi'i chreu o'r newydd.

Amser ei throi hi adra, yn ôl i'w chartref yn Birkenhead.

Cyn mynd, cododd garreg fawr a orweddai ar y glaswellt wrth ei thraed a'i lluchio â'i holl nerth i mewn i'r gronfa a chael rhyw foddhad o glywed ceudod trwm y sŵn wrth iddi daro'r dŵr a diflannu i mewn i'r llyn. Lledodd y tonnau cylchog o'r man lle y suddodd a Mefina'n eu gwylio wrth iddynt gynhyrfu rhai o'r cerrig mân ar y lan gan wthio ambell ddeilen ymhellach i fyny'r traeth.

Am ychydig safodd yno gan dremio'n fyfyrgar dros y gronfa.

'Cofiwch Dryweryn'. Roedd y neges yn dal yn amlwg ar y muriau yma ac acw dros Gymru. Doedd dim peryg iddi hi anghofio. Byddai'r gronfa yn ei hatgoffa o'i hanes ei hun am byth a hanes ei gwlad a'i phobl, er ei bod bellach wedi hen fwrw gwreiddiau a hynny'n ddigon dedwydd dros y ffin ar gyrion y ddinas a oedd wedi peri'r holl wae i'r gymuned goll o dan y dŵr.

Cerddodd yn ôl yn ara deg i'r car, gan droi sawl gwaith wrth adael i edrych yn ôl ar y dyfroedd mud. Yn fwy blinedig na thrist erbyn hyn.

Am restr gyflawn o nofelau cyfoes Y Lolfa,
a'n holl lyfrau eraill, mynnwch gopi o'n
catalog newydd, rhad — neu hwyliwch i
mewn i'n gwefan

www.ylolfa.com

lle gallwch archebu llyfrau ar lein.

TALYBONT CEREDIGION CYMRU SY24 5HE
ebost ylolfa@ylolfa.com
gwefan www.ylolfa.com
ffôn 01970 832 304
ffacs 832 782